HET GROTE ZWIJGEN

Eerste druk mei 2011
Tweede druk juli 2011

Erik Menkveld

Het grote zwijgen

Roman

Uitgeverij Van Oorschot
Amsterdam

Beklagenswaardig is de leerling die zijn meester niet voorbijstreeft.
  Leonardo da Vinci

Deel 1

1910

I

De groene kamer

Jo steekt de pianokaarsen aan, gaat achter de toetsen zitten en bladert even in haar *Marsyas*-kopie. Het voorspel tot de zomernachtscène gaat ze spelen. Diepenbrock gaat achter haar staan en kijkt over haar schouders mee naar zijn eigen noten in haar prachtige handschrift en naar haar slanke vingers op het klavier. De omhoog groeiende haren in haar nek krullen over haar kanten kraag, haar hals en armen zijn bruin van het wandelen in de zon. O die huid van haar, denkt hij, die schitterende matte teint en die sproetjes. Hij moet zich weerhouden haar even met zijn vingertoppen aan te raken, even zijn hand op haar schouder te leggen. Maar dat zou de betovering verbreken. Alles moet verlangen blijven, onuitgesproken allesomvattend verlangen, net als in de muziek.

Tot gisteren leek er niets aan de hand. Ze deden precies tegen elkaar als tijdens de eerdere keren dat hij haar hier in Ukkel opzocht. Ze namen een tram naar Brussel, flaneerden langs de Louisalaan of rond de uitspanning in het bos van Tervuren, dwaalden door het museum, of ze wandelden in het dorp door de lanen rond het Observatorium van de sterrenwacht en in de landelijke omgeving van Jo's huisje. Ze praatten onverzadigbaar over boeken en muziek, musiceerden 's avonds, als Cathrientje sliep en de juffrouw zich had teruggetrokken, en lazen daarna. Alle Amsterdamse drukte viel van hem af op deze vakantie-achtige dagen en zwijgzame avonden in het gesuis van de gaslampen, met de ramen open en de zomeravondgeuren die binnenwoeien. Jo las hem soms een passage voor die haar getroffen had, dit keer steeds uit *Het ivoren aapje*, de nieuwe roman van een jonge Vlaamse schrijver die ze kortgeleden op een soiree persoonlijk had leren kennen. Maar vandaag, de dag voor hij terug moet naar huis, is de stemming omgeslagen. In de stad keek ze naar hem op een manier die ze anders zoveel mogelijk vermeed en die je ronduit zinnelijk zou kunnen noemen; aan tafel maakte ze aan een stuk door grapjes, raakte af en toe zijn hand aan en zag er goddelijk uit in haar witte blouse met korte pofmouwen. En nu speelt ze het voorspel tot de zomernachtscène uit zijn *Marsyas*.

Tot in de kleinste nuances voelt ze zijn muziek aan; haar zo te horen geeft hem het gevoel ten diepste begrepen te worden. Alleen in de Deiopeia-melodie – uitgerekend daar – maakt ze een fout. En als hij voordoet hoe ze moet fraseren, met zijn armen aan weerszijden van haar bovenlichaam, legt ze even haar hoofd tegen zijn schouder, zodat hij een ogenblik in het donkere paadje tussen haar borsten kijkt. Hij doet een stap achteruit en zij speelt door, foutloos tot het eind van de passage, alsof ze met opzet struikelde in de Deiopeia-melodie. Waarna ze opstaat om thee in te schenken op het Japanse tafeltje en gaat zitten in de rieten stoel tegenover de zijne om hem voor te lezen alsof er niets is voorgevallen.

Maar een halfuur nadat ze zijn gaan slapen staat ze plotseling in zijn kamer. Hij sliep al bijna, half verzeild in een ingewikkelde droom over de aanstaande *Marsyas*-première, salariseisen van het orkest en geharrewar met de acteurs over de tekst, die ze niet sterk vinden. De kaars in haar hand werpt een flakkerend licht op het groene behang. Ze is op blote voeten, heeft haar haren los, en draagt zo te zien niets onder haar lange witte nachtjapon. Ze staat te huiveren, terwijl het een warme nacht is. Voor hij ging slapen heeft hij zelfs de gestikte deken teruggeslagen en het raam open gezet.

Ze ziet er zo mooi uit, zo onweerstaanbaar, dat hij alle afspraken met zichzelf vergeet en zijn armen voor haar opent. Zonder de kaars uit te blazen zet ze de blaker op het marmeren bovenblad van het nachtkastje en kruipt tegen hem aan.

Mijn God, die geur van haar lichaam, die zijdezachte huid! Minutenlang liggen ze doodstil, zij nog steeds trillend, met haar rug tegen zijn borst en haar billen tegen zijn bovenbenen, hij met een arm om haar middel en zijn gezicht in haar haren. Tot ze zich met een ruk omdraait, hem op zijn rug duwt en met haar knieën aan weerszijden van zijn lijf gaat zitten. Langzaam trekt ze het nachthemd over haar hoofd. Daar zijn haar borsten, meisjesachtig klein, en het komijnzaad van haar oksels. Is dat iets Brussels? denkt hij. Hij heeft nog nooit een vrouw met geschoren oksels gezien.

'Vind je me mooi,' vraagt ze verlegen. Hij weet niet of ze die verlegenheid speelt. Haar lichtbruine huid is overdekt met sterrenstelsels moedervlekjes die hem in haar hals en op haar armen altijd al zo opwonden; haar buik is een beetje hobbelig en draagt de littekens van Cathrientjes geboorte, haar donkere tepels zijn klein en ongerept, alsof er nooit een kind aan heeft gedronken. Terwijl ze zijn pyjama begint los te knopen omvat hij haar stevige, ronde schouders en denkt: ik had aan haar lippen al kunnen zien hoe haar tepels zouden zijn.

Als hij de volgende ochtend zijn ogen opent ligt ze ontspannen te slapen, iets wat hij zich nauwelijks kan voorstellen. Hoe vertrouwd ze ook met elkaar zijn – op deze manier zijn ze het niet. Zelf heeft hij nauwelijks geslapen. Alsof hij niet diep in het donkere water van de slaap is weggezonken, maar dicht onder de oppervlakte is blijven zweven, waar de daagse gebeurtenissen en geluiden nog in felle kleuren doordrongen. 'Maalstroomdromen' noemde hij dat in zijn studententijd; meestal had hij het na te hard werken of die enkele keer dat hij alcohol had gedronken. Nu zijn de beelden van Jo's gretige bedrevenheid zijn nacht blijven doorschemeren.

Ze maakt een fluitgeluidje met haar neus. Wat ligt ze daar onwerelds naast hem: op haar zij, met één arm boven haar hoofd gebogen, haar naaktheid tot haar middel bedekt door de glanzend groene deken. Ook zo, in haar slaap, is ze mooier dan hij zich ooit heeft durven voorstellen. Het doet na al die jaren van verlangen bijna pijn om daadwerkelijk naast haar wakker te worden en te zien hoe haar hoofd tegenover het zijne in de kussens ligt, hoe haar huid is in het ochtendlicht, hoe haar donkere haar over het kussen valt. En tegelijk staat ze hem tegen. Hoe begeerlijk ze er ook bij ligt, hij moet er niet aan denken haar nu aan te raken. Het toegewijde gezicht van Elsa komt steeds op in de stilte en hij stelt zich voor dat zij hem hier in de groene kamer ziet liggen naast Jo. Hoe kan hij Elsa's vertrouwen zo beschamen? Elsa die zich deze dagen een slag in de rondte werkt om hun nieuwe buitenhuis in Laren op orde te krijgen, zodat hij er dit najaar al zal kunnen werken. Elsa die ermee ingestemd heeft dat hij dit keer geen hotel nam, maar bij Jo thuis ging logeren om kosten te besparen. Een plotseling opblikkerende angst vlijmt door zijn borst. Er woedt een hevige brand, Elsa roept in doodsangst om hem. Nee, een van de kinderen heeft een kritieke koortsaanval. En hij ligt hier naast Jo.

Het liefst zou hij onmiddellijk uit het bed springen en zijn koffers pakken en vertrekken, terug naar Elsa en de kinderen, om hen met liefdesbetuigingen te overladen. Maar het is nog niet eens licht en het duurt nog minstens een uur voor de juffrouw opstaat. Hij durft zelfs Jo niet te wekken, al moet ze natuurlijk terug zijn in haar eigen kamer voor haar dochter wakker wordt. Met een vergenoegd kreuntje rekt ze zich, draait zich om, en slaat haar arm over hem heen. 'Slaap ik?' vraagt ze. 'Van de vierentwintig uur met jou wil ik er vierentwintig genieten.' En met moeite kust hij haar in haar hals en op haar schouder, verwijtend gadegeslagen door de nietsvermoedende Elsa.

'Vond je 't fijn dat oom Fons bij ons logeerde?' vraagt Jo tijdens het ontbijt aan Cathrientje. Door de geruststellend normaal gedekte tafel, het gebruikelijke geredder van de juffrouw en het gebabbel van de peuter luwt zijn schuldgevoel. 'Oom Fons gaat vandaag weer naar zijn eigen meisjes in Amsterdam. Wat zullen we hem missen hè?'

Zo vanzelfsprekend zal alles ook thuis weer zijn, geen mens zal ooit weten wat er tussen hem en Jo gebeurd is, en hij voelt het wrange en navrante uit de beelden van de nacht verdampen. Alleen Jo zal eruit overblijven. Jo die zich met die onbeschrijfelijke blik aan hem gaf, Jo halfnaakt, slapend in het ochtendlicht.

Voorbeeldig geïnstrueerd overhandigt Cathrientje hem een pakje. Een donkergroene satijnen kravat. 'Als aandenken aan je verblijf in onze groene kamer,' zegt Jo.

Ze heeft het allemaal voorbereid, denkt hij.

2

Paleis voor Volksvlijt

De laatste herders wankelen weg tussen de bomen, het maanlicht op het lover en de druiventrossen dooft. De liefdesdronken zomernacht komt tot een eind. En langzaam valt een ander licht over de wingerd en de open plek in het woud. De eerste zonnestralen priemen door het hoog omstaand geboomte. Alleen Deiopeia ligt er nog, verlaten bij de bron. Tussen de stammen rijzen een voor een de andere nimfen op en vormen een rei. Op ragfijne ritmes van strijkers, fluit en castagnetten beginnen ze rond hun zuster te draaien – een dans die uitgroeit tot de statige melodie van Phoebus Apollo.

De god verschijnt weer op zijn zonnewagen. Bij de wingerd klapt hij het portiertje open en schrijdt, de gouden Lyra plechtig voor zijn hagelwit gewaad, tussen de nimfen door. Tot Deiopeia richt hij dan het woord: een zoon zal haar geboren worden, de stamvader van een eeuwig jong geslacht. Het bacchische bloed, vermengd met het apollinische zal vloeien door die aderen. En triomfantelijk eindigt hij zijn epiloog:

Dan worden kunst en leven één
En strenglen troostrijk zich dooreen
Voor al die zijn geboren!

In de violen en blaasinstrumenten zwelt Apollo's melodie nog één keer aan. De laatste tonen sterven weg. Dan is het stil, ademloos stil, en valt het doek.

Aangeslagen zit Van der Meulen in de donkere zaal. Het is alsof hij uit een droom ontwaakt – een droom waarin hem iets geopenbaard is, groter dan alles, groter dan het licht.

De luchters gloeien elektrisch op, daar zijn de draperieën, de gipsgodinnen, de operetteloges, het sleetse pluche vol opgedoft premièrepubliek. Het klappen barst los.

De vrouw die hij op de rug ziet, in libertyjurk van shantoeng, diadeem in het gefriseerde haar, tikt met haar programmaboekje op de rug van haar hand. Ze onderdrukt een geeuw. 'Ik zou meteen de mantels gaan halen, dan ben je de drukte voor.' De man naast haar knikt, verschikt zijn strik, de witte roos op zijn revers, en snuift vast aan de popelende sigaar in zijn pochet.

Ontnuchterd laat Van der Meulen zijn blik over de applaudisserende menigte glijden. Hoeden met fruit en veren, linten, exotische bloemen. Binocles. Stola's. Juwelen. Een wolk van weelde stijgt op uit de zaal. Wat een schimmenspel, denkt hij, deze gewone werkelijkheid, wat een klucht vol gewichtig onbenul en verveelde dames.

Op zijn knieën ligt het notitieboekje waarin hij tijdens de voorstelling flarden tekst en muziek stenografeerde voor zijn recensie. Hij steekt het in zijn zak. Wat heeft hij eraan? Hoe moet hij in godsnaam onder woorden brengen wat hij zojuist heeft gehoord en gezien?

Het doek gaat weer omhoog. De wingerd, de bron, de stammen rond de open plek in het Phrygische woud. De herders en herderinnen komen als eersten, het applaus trekt nauwelijks aan. Een 'mythische komedie' luidt de ondertitel van het stuk en deze wellustige stervelingen vormen het aardse, komische element. Maar komisch bleken ze allerminst met hun boertige gebaren en mimiek. Vervelend en overbodig waren ze – een jolige kreet in een serafijns akkoord. Ze buigen hand in hand en lopen achteruit.

Met dartele trippelpasjes golven nu de nimfen in hun zeegroene sluiers het podium op. En daar is Deiopeia. Nog altijd even mooi en etherisch, ook nu ze het nimfachtige glimlachend van zich af laat glijden en weer Jacqueline Royaards-Sandberg wordt. Gesmoorde kreten. Het applaus leeft op.

Onvergetelijk hoe zij in de tweede acte uit de bron oprees. In het orkest de zoele wind en al het zonnige, tere van de eerste lenteochtend. Dan harpgeklater en haar stralende verschijning.

Wie wekt mij uit mijn diepe rust?
Muziek heeft mij het oor gekust…
Gij, faun, van u die klanken?

Dat Marsyas vanaf dat moment verliefd is, was volkomen invoelbaar. En hoorbaar in de muziek. Telkens als Deiopeia daarna in het woud verscheen, gebeurde er iets in het orkest. Alles ging glanzen, licht en schittering omstraalden haar.

Stijf en log, met altijd nog die namaakglimlach op zijn bordkartonnen kop, treedt nu Apollo voor het voetlicht. Naast de herders het tweede storende element in deze voorstelling: de grote Willem Royaards. Het enige wat deze god gemeen heeft met zijn marmeren collega's in de musea, is zijn lier. Nog altijd houdt hij die voor zijn nauwelijks door het spierwit kleed verhulde embonpoint. Wat jammer toch, denkt Van der Meulen, dat Marsyas de muzikale strijd verliezen moet van dit Olympisch zwaargewicht met zijn geblankette konen en retorische gedaver. Marsyas, die speels rondspringende sater, dat hartstochtelijk levende, overmoedige kind, menselijk haast in zijn stemmingen en verlangens, oprecht in al zijn woorden en gebaren. Kijk, daar heb je hem met zijn fluit: Pierre Mols. Wat een acteur, zo jong als hij is. Het weinige publiek dat voor Royaards nog niet opstond, veert nu ook omhoog. 'Bravo!' klinkt het hier en daar. 'Mols! Mols!'

Royaards wijst naar de dichter van het stuk op de eerste rij. De bebaarde jongeman staat op, keert zich naar de zaal en buigt een paar keer om zich heen. Nauwelijks ouder dan ik is hij, denkt Van der Meulen. Halverwege de twintig, op zijn hoogst.

En dan, als de dichter weer zit, begint een ritmisch roepen om de componist. 'Diepenbrock! Diepenbrock!'

Zijn krans is hem al in de orkestbak aangereikt, maar het publiek blijft om hem klappen en roepen tot ook hij tussen de acteurs en dansers staat.

Bescheiden buigt hij, alsof deze ovatie niet voor hem bedoeld is, lacht even naar de loge, waar zijn echtgenote en een jongere vrouw hem enthousiast toeklappen. Er worden bloemen uitgereikt. Genereus gebaart hij naar de hoofdrolspelers, de jonge schrijver en het orkest. Maar niet zij hebben dit stuk gemaakt – dat heeft *hij* gedaan met zijn muziek.

Daar staat hij met zijn groene kravat, het enige waarmee hij zich van de orkestleden lijkt te onderscheiden. Dat uit zo'n tenger lijf zo'n klankenrijkdom voort kan komen. Wat een geest moet er wonen in deze man. Hoe hij de lente voelbaar maakt in het begin! De muziek *was* het ruizelende leven, de bladeren, de vogels, de lichtval, het schaduwgewemel. En dan dat verliefde fluitmotief van Marsyas dat telkens opdook! Het mijmerende tussenspel, de nimfendansen, het maanovergoten liefdesduet tussen fluit en viool in de prelude tot de zomernacht. De afgelopen weken was er heel wat nieuwe Nederlandse muziek te bespreken; zonder uitzondering muf, miserabel dilettantenwerk naast deze *Marsyas*.

Het doek valt, gaat weer op, het hele gezelschap dankt opnieuw. Met een zwierig gebaar hangt een van de nimfen Diepenbrock zijn krans om de hals.

'Ah, Van der Meulen, hoe vond je het?' Wierdels en zijn vrouw, die net hun mantels en hoeden hebben opgehaald, komen uit de drukte in de vestiaire op hem af.

Te aangedaan nog voor een oordeel stamelt hij dat het groots was, vooral de muziek. Dit is wel het laatste waar hij op zit te wachten nu: een discussie met de directeur van zijn krant.

Mevrouw Wierdels knikt. 'Ja, de muziek was fraai, maar

wel erg zwaar. Vermoeiend op den duur. Royaards en zijn vrouw zijn fabuleus, die Marsyas-jongen vonden wij banaal.'

Diepenbrocks muziek vermoeiend? denkt Van der Meulen. En Royaards fabuleus? Zoals in elke rol die de man speelt, brulde hij ook nu weer als een leeuw.

'Ja, schrijf maar dat Royaards het werk gedaan heeft met zijn echtgenote,' zegt Wierdels. 'Het stuk op zich stelt weinig voor.' Wierdels denkt verstand te hebben van literatuur. Van muziek weet hij niks.

'Die dichter is toch een van Diepenbrocks privé-studenten in de oude talen?' zegt mevrouw Wierdels tegen haar man. 'Hij heeft die jongen willen pousseren natuurlijk...'

Een gesoigneerde heer met martiale kop en een naar buiten trekkend oog baant zich een weg naar de uitgang en knikt Wierdels in het voorbijgaan minzaam toe. 'De schrijver Lodewijk van Deyssel,' sist deze trots. 'Heb je gezien wie er nog meer waren, Van der Meulen? Kloos, Verwey, Van Eeden, Boutens – heel literair Nederland zat in de zaal. Op zich al een vermelding waard in je bespreking.'

Van der Meulen kan zich niet langer inhouden. 'Het stuk is misschien niet sterk. Maar Diepenbrocks muziek is subliem!' De felheid waarmee hij zich mede tot mevrouw Wierdels richt, brengt een lachje op het gezicht van de directeur.

'Maar je zult me toch toegeven dat de verzen rijmen als in een oude kroniek en dat het hele stuk niet veel meer is dan kindergekeuvel met die eeuwige jamben. Bovendien is er geen touw aan vast te knopen, met al dat gezeur over het dionysische en apollinische! Is Nietzsche nog altijd in de mode? Hé, daar hebben we je collega van *Het Nieuws van den Dag*.'

Vanuit de menigte komt de rijzige gestalte van Daniël de Lange doelgericht hun kant op. Met zijn joyeuze kleding, zijn gemillimeterde schedel en zijn witte, uitwaaierende baard maakt hij een jeugdige indruk voor een man van zeventig. Veel jeugdiger dan de minstens twintig jaar jongere directeur van *De Tijd*, die hem verbaasd een hand toesteekt. 'Wierdels. Aangenaam kennis met u te maken...'

'Aangenaam,' zegt De Lange. Hij geeft ook mevrouw Wierdels een hand en richt zich dan tot Van der Meulen.

'Ik zag je ineens staan. Hoe maak je het, jongeman?'

'U kent elkaar?' vraagt Wierdels.

'Jazeker kennen wij elkaar. Ik heb Van der Meulen zelf naar Amsterdam gehaald. Zo mag ik het toch wel zeggen, nietwaar?'

'Zo mag u het inderdaad zeggen,' zegt Van der Meulen.

Zijn laatste winter in Helmond, toen hij van het seminarie was gestuurd omdat hij uitsluitend met muziek in zijn hoofd liep – die laatste verschrikkelijke maanden thuis, waarin zijn moeder hem bedroefd aankeek, zijn broer en zusje hem uit de weg gingen en zijn vader uitsluitend wrokkig zweeg en met deuren sloeg als hij in de buurt was – die laatste barre Brabantse winter had hij zich in het hoofd gezet dat hij naar Amsterdam zou moeten wilde hij ooit iets bereiken als componist. Maar dan moest hij wel eerst iets hebben om in Amsterdam te laten zien. Van oude planken had hij een tafel getimmerd en zich met een deken om zijn benen teruggetrokken op de zolder boven de smederij. Een groots muziekdrama ging hij componeren, over de liefde tussen een Romeins legerhoofd en Welleda, een Germaanse wichelares, ten tijde van de Bataafse opstand. Een vaderlands werk van wagneriaanse allure moest het worden, dat zou die familie van hem leren.

Meteen dat volgende voorjaar reisde hij naar de hoofdstad om een paar voltooide fragmenten bij de portier van het conservatorium af te geven. Misschien kon een van de docenten er eens naar kijken. Een week later werd hij uitgenodigd door Daniël de Lange, de directeur zelf. Die nam, net als in zijn recensies, geen blad voor de mond: 'Het uitgangspunt is veelbelovend, jongeman, maar de uitwerking laat te wensen. Muzikale basiskennis, daar ontbreekt het u aan. Mooie ideeën hebt u genoeg, maar mooie ideeën moeten effectief vormgegeven worden. Waarom neemt u niet eerst wat theorielessen?' 'Daar heb ik geen geld voor,' antwoordde hij. 'En je familie?' 'Ook niet.' Waarop De Lange tot zijn verrassing voorstelde hem één maal per week bij zich thuis privéles te geven, gratis nog wel – zo slecht was dat onbeholpen beginnersgepruts kennelijk ook weer niet. De enige voorwaarde was, dat hij snel middelen van bestaan zou zoeken. 'Als u niet belooft minstens twee jaar in leven te blijven,' zei De Lange schertsend, 'dan begin ik er niet aan.'

En zo zat hij de volgende winter op een onverwarmde Amsterdamse zolder te werken. Bevrijd van de spanningen thuis, maar eenzamer dan ooit, een steeds havelozer, steeds geëxalteerder kluizenaar met – als het mandje proviand dat zijn moeder hem regelmatig stuurde leeg was – vaak niet meer dan een korst brood en een glas melk als avondmaal. De enige bij wie hij per brief zijn hart kon luchten was zijn broer Chris, die inmiddels bij de jezuïeten in Mariëndaal zat. En werk was niet te vinden. Maar met hangende pootjes terug naar Helmond ging hij in geen geval. 'Amsterdam?' had zijn vader woedend geroepen toen hij zijn plannen bekend had gemaakt. 'Dan moet meneer de kunstenaar voortaan maar voor zichzelf gaan zorgen. Ik heb offers genoeg gebracht. Jarenlang ligt een mens krom, zodat meneer naar het seminarie kan. En wat doet meneer? Gedichten lezen en muziek maken! En nu wil hij componist worden in de grote stad! Terwijl hij godverdomme al pastoor in Brabant had kunnen zijn, of klerk op een handelskantoor...'

Bijna waren de ontberingen en de eenzaamheid hem die eerste Amsterdamse 'hongerwinter' te veel geworden. Daarom was hij zich aan een ijzeren dagritme gaan onderwerpen. Van vijf tot negen 's ochtends componeerde hij, en ging vervolgens naar de verwarmde leeszaal van de Universiteitsbibliotheek om zich zo lang die open was in de boeken te storten die De Lange hem had opgegeven. En elke donderdag kon hij zich laven aan de inspirerende verhandelingen die De Lange in zijn schemerige studeerkamer afstak. Over de klassieke harmonieleer ging het vooral, en over de polyfonie uit de Renaissance, waarvan De Lange een kenner en vakkundig uitvoerder was. Eindeloze oefeningen in het contrapunt kreeg hij te doen. Maar ook ging het al snel over opwindende nieuwe Franse muziek en vooral Debussy. En natuurlijk over Wagner en Bruckner van wiens Zevende De Lange zelf de Nederlandse première had gedirigeerd. Een enkele keer toonde De Lange hem zelfs een eigen partituur, om hem te stimuleren, zoals het manuscript van zijn *Requiem*, een werk dat hij al op zijn vijfentwintigste had voltooid. En op een middag trok hij Diepenbrocks *Missa in die festo* voor tenor, dubbel mannenkoor en orgel uit de kast. Een bibliofiele uitgave, op oud-Hollands papier, met vignetten, pentekeningen en een rijk versierd titelblad. 'Achtentwintig was de componist, toen hij dit schreef. Een meesterwerk! En dat deze muziek nooit is uitgevoerd, mijnheer Van der Meulen, is een schandaal. Maar ja, voor de concertzaal is het niet bedoeld en de katholieke kerk is er niet aan toe. Na twintig jaar nog altijd niet.'

Zelfs met zijn inkomsten had De Lange hem proberen te helpen. Hij beval hem bij diverse kranten en bladen aan als concertrecensent. En toen geen enkele redactie geïnteresseerd bleek in de stukken van een onopgeleide en onervaren provinciaal, ook niet als die werd aanbevolen door de directeur van het conservatorium zelf, bezorgde De Lange hem een baantje als adressenschrijver van het tijdschrift *Toonkunst*. Tweeëneenhalve gulden in de week voor tien uur werk. Dat was niet veel, maar beter dan niks. Al werd het op den duur een onverdraaglijke klus, elke week weer die honderden namen. Want juist de rare waarmee hij zich in het begin vermaakte, zoals Van Aars, Nagtegas of Wijnkus, gingen snel de keel uithangen. Tergende mijlpalen langs een eindeloze weg. Daarom was hij blij toen een muzikaal geïnteresseerde pater die zijn broer lesgaf, aan wie hij zijn eerste pennevruchten had opgestuurd, hem uiteindelijk bij dagblad *De Tijd* introduceerde. Daar wilde men op het gebied van de cultuur gaan concurreren met *De Amsterdammer*, de *Nieuwe Rotter-*

damsche Courant en *Het Nieuws van den Dag*. In die plannen paste wel een ambitieuze jonge muziekbespreker die nog helemaal gekneed en gevormd kon worden. Alleen van componeren kwam toen niet veel meer, zeker niet toen hij definitief besloten had zijn *Welleda* terzijde te leggen. Door wat hij bij De Lange had leren kennen was hij daar al snel op uitgekeken geraakt. Hij wilde iets anders met zijn muziek, iets avontuurlijkers. Hij wist alleen nog niet wat.

'Ik lees je stukken met veel genoegen,' zegt De Lange hartelijk. 'Daar wilde ik je even mee complimenteren. En, bevalt het een beetje aan de krant?' Ze hebben elkaar nog wel eens van afstand gezien bij een concert, maar nooit meer gesproken sinds de lessen zijn opgehouden.

Van der Meulen knikt, heeft geen zin om in het bijzijn van zijn broodheer het achterste van zijn tong te laten zien.

De Lange richt zich tot Wierdels. 'U zult wel blij zijn met deze medewerker. Door zijn stukken heeft *De Tijd* er regelmatig een niet-Roomse lezer bij.'

En dan, met een knipoog: 'Al hoopt die wel dat je je over vanavond een beetje inhoudt, jongeman. Je toon is soms erg stellig voor iemand die net komt kijken.'

'Maakt u zich geen zorgen, mijnheer De Lange,' zegt Wierdels. 'Dit keer is Van der Meulen onder de indruk geloof ik. En wij houden hem scherp in de gaten. Overigens, we spraken juist over de verzen. Gaat u ons in *Het Nieuws van den Dag* uitleggen waar die over gaan?' Wierdels bedoelt het grappig, maar het komt er geforceerd uit.

De Lange wrijft eens in zijn sik. 'U hebt moeite met de modernisering van de mythe?'

'Een midzomernachtsdroom met Griekse herders is er ingeschoven...' lacht Wierdels. 'Dat is toch ridicuul. Net als dat Deiopeia uiteindelijk in verwachting blijkt van Apollo en Marsyas tegelijk.'

'En Marsyas wordt ook al niet gevild,' zegt De Lange.

Het begint leger te worden om hen heen. Wierdels wil

nog iets antwoorden, maar zijn vrouw zegt: 'Kom Ferdinand, wat dacht je ervan?'

'U hebt gelijk, mevrouw,' zegt De Lange terwijl hij op zijn vestzakhorloge kijkt. 'Het is de hoogste tijd.' Hij maakt een buiginkje naar Wierdels en zijn echtgenote. 'En mag ik jou succes wensen met je recensie, jongeman?'

Bij de loketten voor de plaatsbespreking blijft hij even kijken naar de affiches en verdwijnt dan met energieke pas door de uitgang. Her en der in de vestiaire staan nog wat dames en heren na te praten.

Mevrouw Wierdels geeft haar man een arm. 'Kom je? Ik wil nu echt gaan.'

'Morgenochtend heb ik graag je bespreking op mijn bureau. Gaat dat lukken, Van der Meulen?' zegt Wierdels nog over zijn schouder.

Op het Frederiksplein wandelen groepjes mensen naar de halte van de elektrische tram. Onder de overdekte corridor voor de hoofdingang staan de koetsiers te roken bij hun rijtuigen. De fontein in het plantsoen steekt scherp af tegen de zwarte bomen die hun blad al bijna kwijt zijn en de diepblauwe lucht. Een zeldzaam heldere, rustige oktoberavond. Enkel het ruisen van de fontein, hier en daar wat stemmen, het geklak van paardenhoeven, het geknerp van rijtuig- of wagenwielen.

Van der Meulen steekt het plantsoen over. Het is een flinke wandeling naar zijn hok en hij gaat nog even op een bankje zitten.

Diepenbrocks stemmenweefsel: de PUURSTE polyfonie!! schrijft hij in zijn notitieboekje.

Voor hem ligt het Paleis voor Volksvlijt onder de avondhemel.

Vreemd idee: nog geen halfuur geleden zat hij volledig aan zichzelf ontstegen in dat opzichtige gebouw. De lampen achter de honderden ramen branden nog, zelfs de koepel met zijn torentjes eromheen is feeëriek verlicht. Zonder licht-

21

reclames en aanplakbiljetten aan de voorgevel en die tand-wielvormige vensters zou je het misschien sprookjesachtig noemen. Nu denk je erbij aan Offenbach-operettes, 1 mei-vieringen van de SDAP, of aan tentoonstellingen van auto-mobielen of Afrikaanse dieren. Toen hij pas in Amsterdam was, heeft hij tijdens een van zijn verkenningswandelingen door de stad een keer vanaf de Weteringschans staan kijken naar een bestuurbaar luchtschip dat boven het Paleis zweefde en bijna in aanvaring kwam met het Victoriabeeld op de koe-pel. Wie had kunnen denken dat hij juist in dit gebouw de muziek in haar hoogste vorm zou horen? Dat hij uitgerekend hier zou vinden waarvoor hij koste wat kost naar Amsterdam had gewild?

Marsyas: 'Wat wonder is hier over mij gekomen?' staat er in scheve hanenpoten in zijn notitieboekje. Ja, wat wonder is hier over hem gekomen? Nog nooit heeft een concert of voorstelling hem zo in vervoering gebracht. Toen hij van-avond in die tochtige zaal plaatsnam had hij geen idee wat hem te wachten stond. Hij had de tekst niet gelezen, kon zich geen voorstelling maken van de partituur. Behalve dat het toneelmuziek zou zijn, en dus iets heel anders dan Die-penbrocks *Te Deum*, dat hij vorig najaar onder Mengelberg hoorde. Dat maakte toen ook al indruk, maar nu is hem iets veel ingrijpenders overkomen.

Twee keer eerder heeft hij zoiets meegemaakt. De eer-ste keer was hij nog klein, een jaar of vier. Dromerig wiegde hij heen en weer op zijn hobbelpaard in de warm gestook-te woonkamer van zijn ouders. Op de achtergrond het ge-dempte gezoem en gesis van de machines en de vuren in de smederij. In het raam felrode en -oranje schichten tegen een diep azuur, de wilde vlammen van een winterse zonsonder-gang. En plotseling was hij klaarwakker en zogen de kleuren hem in zich op, werd hij zelf die vlammen en was hij vol-strekt en gelukzalig alleen in een alom zingende, oneindige ruimte. De vurige kleuren waren klanken en hij was zelf dat zingen. Achteraf voelde het als een opgenomen worden in iets onmetelijk liefderijks en vertrouwds, iets dat zijn oorsprong was. Een gevoel dat hem van dat moment af had doen verlangen om priester te worden.

Jaren later werd hij op het herfstige schoolplein van het seminarie door iets vergelijkbaars overvallen. Toen er een oudere jongen op hem af kwam om te vragen of hij zich in wilde schrijven voor de muzieklessen, was het alsof het woord 'muziek' hem op een zelfde manier als die vroegere zonsondergang uit zichzelf los scheurde. 'Ja,' had hij tot zijn eigen verbazing gestameld. En vanaf dat moment had hij ingezien dat de *muziek* zijn bestemming was, de enige weg naar dat liefdevolle, zingende vuur.

Nooit heeft hij geweten wat hij van deze gebeurtenissen moest denken. Waren het visioenen? Mystieke ervaringen? Hij zou het niet durven zeggen. Hallucinaties? Hij was klaarwakker en glashelder toen het hem overkwam, en het had werkelijker gevoeld dan de hitte van de smidshaard. Ook vanavond weer.

Nu waren het Diepenbrocks melodieën die hem zo buiten zichzelf hadden gebracht. Ieder instrument leek uit peilloze diepten op te zingen en een onafhankelijke melodie te volgen, waarin iets uitgedrukt werd wat alle woorden te boven ging. En die afzonderlijke melodieën bewogen zich volkomen natuurlijk om de andere heen op een manier die weinig meer met conventionele harmonie of contrapunt te maken had. Ongehinderd door alle regels en wetten die hij bij Daniël de Lange bestudeerd heeft ontmoetten ze elkaar, haast bij toeval leek het. En door die ontmoetingen ontstond een nieuwe harmonie. Waar het verkeerd leek te klinken, ontstonden de hoogste momenten. Daar school de vervoering. In het onzegbare uitdrukkingsvermogen en het onverhoedse samenlopen van Diepenbrocks melodieën, in die *puurste* polyfonie, vlamden het vuur en het verlangen op dat hij al van kindsaf kent.

En net als de vorige keren weet hij met absolute zekerheid dat deze avond richtingbepalend voor hem is. In één klap zijn al zijn twijfels verleden tijd. In Diepenbrocks stemmenweefsel is hem in een flits zijn eigen weg getoond. De muziek die hij zelf gaat maken, zal een muziek van zulke melodieën en samenlopen zijn. Een samenklinken van onafhankelijke zangen, een *symfonie* in de meest intense en verheven zin van het woord.

Maar eerst moet hij *Marsyas* nog recenseren voor Wierdels. Als hij daaraan denkt, breekt het zweet hem uit.

Een meid die je eerder op de Zeedijk of in de Nes zou verwachten, draait zich om als ze hem al voorbij is. Ze heeft een zwarte shawl kruislings om het bovenlijf gewikkeld, en draagt het haar in een knot. 'Zin om mee te gaan, snoes?'

Dit heeft hij de laatste tijd vaker. Op straat, tijdens zijn wandelingen, maar ook op de leeszaal. Als hij even naar buiten loopt of naar de retirade, vindt hij bij terugkomst soms een briefje tussen zijn boeken. Een paar quasi-verliefde zinnetjes in moeizaam, kinderlijk handschrift, vol spelfouten. En een adres, in de buurt van de wallen meestal. Kennelijk gaan die vrouwen er vanuit dat iedereen die op de universiteitsbibliotheek werkt student is en geld heeft voor uitspattingen. Hij verfrommelt de briefjes en gooit ze weg. Noch als jongen op school, noch als gymnasiast op het seminarie heeft hij op deze manier met meisjes of vrouwen te maken gehad. En afgezien van het geld, hij heeft er ook niet de minste behoefte aan. Wat is een aanraking of een kus als er geen zielsverwantschap is, geen innerlijk vuur?

Zonder iets terug te zeggen staat hij op en loopt de Utrechtsestraat in, zijn gedachten alweer bij Diepenbrocks melodieën. Pas als hij ter hoogte van de Keizersgracht haast omver wordt gereden door een onverlichte wielrijder met strohoed, dringt tot hem door dat hij al eerder linksaf had moeten slaan, de Prinsengracht op.

3

Een oude penhouder

'Elsa weet alles, Fons!' Mechanisch roert Jo in haar koffie en kijkt hem aan met een droevige, verwarde blik. Een blik die hij niet van haar kent.

Een groepje studenten met bolhoeden op dat hem aan zijn jeugd doet denken komt de stationsrestauratie binnen en verplaatst zich luidruchtig naar een lege tafel bij een van de ramen. Ze roepen om jenever door de hoge, rumoerige ruimte. Een kind bij zijn juffrouw op schoot heeft last van de sigarenwalm en begint te huilen. De vader maant de juffrouw het kind tot bedaren te brengen.

'Heb je haar iets verteld?' Hij merkt dat zijn handen trillen als hij zijn kopje naar zijn mond brengt.

Jo schudt haar hoofd. 'Ik zie het in haar ogen. Elsa weet alles. Echt.'

Even leek zijn hele wereld – zijn huwelijk, zijn gezin, zijn positie in de kringen rond het Concertgebouw – in een peilloze afgrond weg te schuiven, maar nu sluit de grond onder zijn voeten zich weer. Hoewel hij onbewogen probeert te lijken, moet de opluchting van zijn gezicht te lezen zijn. Rustig neemt hij een slok van zijn koffie.

'Elsa beschouwt jou als een vriendin, dát zie je in haar ogen.'

Jo lacht schamper. 'Dat Elsa hemel en aarde beweegt om mij bij jouw *Marsyas*-première te laten zijn, dat ze een pension voor me regelt, dat ze zo hartelijk voor me is – dacht je werkelijk dat ze dat uit vriendschap *voor mij* doet? Kom nou toch Fons! Heel haar leven staat in dienst van jou – jouw concentratie, jouw muziek. Jij wilt dat ik je *Marsyas* zie? Dan zorgt zij dat ik erbij kan zijn.'

Wat een felheid plotseling. En ze heeft gelijk natuurlijk, al heeft hij het nooit zo helder tot zich door willen laten dringen. Elsa offert zich volledig voor hem op. Maar hij wil niet over Elsa praten nu. Tegenover hem zit Jo. Mooie, ontredderde Jo.

Talloze malen heeft hij dit prachtige gezicht in zich opgenomen, op een terras of als ze 's avonds zat te lezen, van de zomer in Ukkel. En talloze malen heeft hij eraan gedacht toen hij weer in Amsterdam was, terug in het gewone leven met Elsa en de kinderen. Zomaar op straat zag hij het dan ineens voor zich, of als hij op de *Marsyas*-orkestratie zat te ploeteren, of zelfs tijdens de repetities. Niets vertrouwders kent hij dan Jo's gezicht daar tegenover hem. En toch lijkt het ineens nieuw, er springen plooien in, boven haar neus en rond haar ogen, die hij nooit eerder zo zag. Maar ook met dit gezicht is ze mooi. Mooier dan ooit.

Jo praat verder alsof ze een schuldbekentenis aflegt. 'Vanochtend zat ik te ontbijten en probeerde me voor te stellen hoe het voor Elsa is: dat ik gekkigheid met jullie dochters maak in de salon terwijl jij maar verliefd naar mij zit te loeren vanachter je krant. En dat ik gisteravond naast haar zit in die loge en samen met haar lach om hoe je op het podium staat met die krans om je hals...'

Ze trekt raar met haar mondhoeken. Haar ogen beginnen te glanzen.

Dat het afscheid deze wending zou nemen, had hij niet verwacht. In de tram naar het station merkte hij wel dat ze stil was. Maar dat schreef hij toe aan de korte nachtrust en aan het naderend afscheid.

'Ik wil het niet meer, Fons,' zegt ze ineens. 'Om Elsa. Maar ook om mezelf. Ik wil je niet steeds weer moeten loslaten en je maanden niet zien. Ik wil niet altijd maar verlangen. Het verlangen naar het ding is niet mooier dan het ding, zoals jij altijd zegt. Mijn verlangen naar jou maakt me gek. *Je meurs de soif auprès de la fontaine.*'

Ook haar stem is anders, heeft er een prachtige ondertoon bij. Het liefst zou hij haar nu in zijn armen nemen en haar kussen. Stil maar schat, stil maar, dit is de prijs die we voor ons geluk betalen, ik begrijp het allemaal best. Maar wie weet welke ogen er in deze stationsrestauratie op hen gericht zijn.

Aarzelend strekt hij zijn armen over de tafel. Hij kan haar ook niet zo laten zitten. Hij pakt haar handen in de zijne, geeft er troostende klapjes op. 'Ons geluk, lieve Jo. Dáár moet je aan denken. Niet aan Elsa. En niet aan wat we missen.' Zijn stem klinkt rustig. En een beetje vaderlijk, hij kan het niet helpen. Maar de toverspreuk werkt niet meer.

Er loopt een traan over haar wang. Ze trekt haar ene hand los om een zakdoekje te pakken. 'Hoor je wel wat ik zeg, Fons? Ik wil niet meer!'

Hij blijft haar andere hand aaien. Een gevangen diertje dat zijn kans afwacht om ook te ontsnappen. Terwijl de vastbeslotenheid in haar stem langzaam tot hem doordringt, is er tegelijkertijd de gebruikelijke, verrukkelijke schichtigheid, het jongensachtige gevoel met vuur te spelen.

Kan dit er nog onschuldig uitzien? Een bedroefde, jonge vrouw in reistenue en met handbagage, getroost door een oudere heer die te jong is om haar vader te zijn. Zo nemen leraar en leerlinge, vaderlijke vriend en huisvriendin geen afscheid van elkaar. Te weten dat er met argwaan naar hen gekeken wordt, vervult hem zelfs nu met trots.

'Hoe kom je toch ineens zo in de war, Jo?'

Om hen heen beginnen mensen op te staan en kruiers te roepen. Hij kijkt op de klok. De trein naar Brussel vertrekt over tien minuten.

Op het perron loopt de kruier met Jo's koffers een eindje voor hen uit. Ze wil geen arm.

'Je mag dit zo niet laten bestaan, Fons. Dat kun je mij en Elsa niet aandoen.'

Hij verstrakt. Hiermee overtreedt ze een onuitgesproken wet tussen hen. Na een nadrukkelijk zwijgen zegt hij: 'Vraag me niet te kiezen, Jo. Ik zou niet kunnen, dat weet je.'

Nu begint ze echt te huilen. Hij kijkt vlug om zich heen, neemt haar dan in zijn armen. Ze lijkt hem af te willen weren, maar geeft zich toch gewonnen. Hij streelt haar haren. Ach liefste toch.

Uit de zak van zijn colbert diept hij het pakje op waarmee hij haar in de stationsrestauratie had willen verrassen.

'Maak dit straks maar open. Het is de penhouder waarmee ik mijn *Marsyas* heb geschreven. Alles wat ermee op papier is gekomen was vervuld van jou.'

Ze zegt niks, kijkt hem alleen maar aan.

Hij stopt de kruier een fooi toe en tilt Jo's bagage de coupé in. Daarna helpt hij haar het trapje op. Terwijl ze met haar vrije hand haar rok optilt, laat ze het pakje met de penhouder op het perron vallen. Hij raapt het op en geeft het haar in de deuropening terug. 'Schrijf me hiermee, als je je wat kalmer voelt. Dan zal ik je in alle rust antwoorden.'

De laatste reizigers klimmen hun coupés in. Na een scherp gefluit begint de trein stoom te maken. Jo kijkt toe hoe een jong echtpaar komt aanhollen voor de coupé naast haar.

Hij gaat op de onderste tree staan en kust haar. 'Lieve lieve Jo. Weet dat ik zielsveel van je houd en in gedachten onafgebroken bij je ben. Pieker niet te veel. Denk aan ons geluk! En kus het kleine Cathrientje van me.'

'Ik zal proberen je te schrijven,' zegt ze.

Stampend en sissend zet de trein zich in beweging. Hij slaat het portier dicht. Terwijl ze langzaam wegglijdt en doorschoten wordt met spiegelingen, blijft ze hem bedroefd aankijken met haar nieuwe gezicht. Dan draait ze zich abrupt om. Hij staart naar de langsrijdende wagons en het opwolken van de stoom onder de ijzeren balken van de overkapping. In zijn oren echoën haar woorden. Ik wil het niet meer.

Op het stationsplein staat een koude wind en het is gaan regenen. Hij zet de kraag van zijn overjas op en houdt hem dicht onder zijn kin.

In het rijtuig van lijn 2 neemt hij plaats op dezelfde bank

als waar hij op de heenweg met Jo zat. Hij kan het niet laten aan dit soort dwanggedrag toe te geven. Als hem een dienblad thee wordt voorgehouden, neemt hij het blauwe porseleinen kopje, omdat Jo daar ooit uit gedronken heeft. Als hij zich aankleedt, kiest hij een vest waarvan Jo vindt dat het hem goed staat. Soms wandelt hij met een omweg naar huis, langs een bankje waar hij met Jo heeft gezeten. Hij lacht zichzelf er vaak om uit, maar hij geniet er ook van. Zijn liefde voor Jo geeft alles betekenis en glans. Alsof de dagelijkse voorwerpen het geheim met hem delen.

Met een ruk begint de tram te rijden. Een jongen achter een handkar neemt met een zwierig gebaar zijn pet af voor de passerende rijtuigen.

Meestal als Jo in Amsterdam logeerde en hij haar wegbracht naar de trein, was ze vol goede moed en vrolijk bij het afscheid. Vaak moest zij hém zelfs opbeuren met grapjes en kleine beloftes. Dinsdag om tien uur lees ik 'En sourdine' van Verlaine. Of: Ben je verkouden? Als ik morgen weer in Tervuren theedrink, zal ik een groc voor jou bestellen. Waarom was ze vanochtend dan zo overstuur? Of was ze het gisteravond ook al? In alle opwinding na afloop van de première had hij er niet op gelet. Met wat er gebeurd is in de groene kamer kan het niet te maken hebben – aan haar brieven van na de zomer was niets te merken. Die waren ongeremder en hartstochtelijker dan ooit. Hij had verwacht dat het eergisteren ingewikkeld zou zijn, toen ze aankwam en ze elkaar voor het eerst weer zagen, met Elsa en de meisjes erbij. Maar Jo was haar vertrouwde uitbundige zelf geweest, zoals alle andere keren als ze elkaar na maanden weer zagen. Hij had lange tijd niet zo'n plezier gehad als eergistermiddag bij de thee, ondanks zijn nervositeit over hun weerzien en de ophanden première van *Marsyas*. Zijn dochters hadden blossen van de pret. Zoals Jo met ze over hun poppen praatte, zo praatte niemand met ze. Zelfs Elsa leek luchtiger, ontspannener dan in tijden. En toen hij Jo eergisteravond na het eten naar haar pension bracht zei ze: 'Als ik straks in bed lig denk ik aan je!'

Ach, waarschijnlijk was Jo vanochtend overstuur doordat ze gisteren vooral met Elsa moest optrekken, vanwege zijn drukte rond de première. Heeft ze te veel van zijn dagelijks leven met Elsa en de kinderen gezien en is daardoor haar geweten gaan opspelen. Ik zal haar snel schrijven, neemt hij zich voor, en haar dat gepieker uit het hoofd praten. En haar ook snel weer opzoeken in Ukkel.

Hij veegt een gat in het beslaande vensterglas. De kinderkoppen van de Nieuwezijds Voorburgwal glanzen op in de regen, en de hoge gevels van de winkels en kantoorgebouwen glijden vlekkerig voorbij.

Vanaf het begin, zeven jaar geleden, toen Moeder op sterven lag en Jo voor het eerst als leerling Latijn bij hem kwam 'om mooie dingen te leren lezen', had hij het gevoel dat haar uitbundigheid hem in leven hield. Negentien was ze. Als hij haar zag, leek het alsof de gordijnen opengeschoven werden en er een helder, stralend daglicht binnenviel. Het opbruisen van Jo in zijn leven had hem na het verlies van Moeder zelfs zijn levenslust laten hervinden. Tijdens de lessen stelde ze hem vragen die niemand hem zo recht op de man af stelde, ook Elsa niet: over zijn moeder, zijn jeugd, zijn muziek of zijn geloof. En na een tijdje, toen ze steeds vertrouwder met elkaar werden, begon ze ook meer over zichzelf te vertellen, over haar familie, haar dromen, haar twijfels, haar affaires, en naar zijn opvattingen te vragen in de kunst en in de liefde. Vragen die hij tot zijn eigen verbazing zo eerlijk mogelijk probeerde te beantwoorden. Wat hem soms noodzaakte duchtig na te denken, en gevoelens bloot te leggen, die hij anders nooit aan zichzelf zou hebben toegegeven. Vooral doordat Jo hem vaak tegensprak, of hem met haar naïeve vragen dwong nauwkeuriger te formuleren. Door de vrolijkheid die ze in huis bracht was Elsa ook gesteld op haar geraakt. Jo bleek een talentvol pianiste, en speelde af en toe mee tijdens de muziekavonden die Elsa aan huis organiseerde met een paar leden van het Concertgebouworkest. En al gauw kwam Jo niet meer uitsluitend voor de lessen Latijn naar hem toe, maar ook wel eens 'voor de gezelligheid', zoals ze het noemde. Ze voerden steeds langere gesprekken, tijdens wandelingen door het Vondelpark of de landerijen achter de Verhulststraat. Ze voelde zich veilig bij hem, zei ze. Hij mocht alles van haar weten. En hij voelde zich meer tot haar aangetrokken dan ooit tot iemand anders.

Als een bliksemschicht had de begeerte hem getroffen, vanaf de eerste keer dat ze naast hem boven haar boeken zat aan de tafel op zijn werkkamer en hij haar lichaam rook en de moedervlekken in haar hals zag. Elsa en hij hadden nooit een fysiek leven gehad samen. Na hun huwelijk had hij haar gezegd dat hij aan kinderen niet toe was en dat hij lichamelijke lust iets minderwaardigs vond. Zijn hartstocht had hij voor zijn muziek en zijn studie gereserveerd. Tot Elsa's verdriet, bleek later, want ze leefde helemaal op toen hij ineens wel op haar slaapkamerdeur klopte. 'Je bent veel losser sinds de dood van je moeder, Fons. Alsof je nu pas helemaal van me kunt houden.' Later had ze het jaar na Moeders dood, waarin ze in verwachting was geraakt van Joanna, de gelukkigste tijd in hun huwelijk genoemd.

Voor hem stond die periode geheel in het teken van zijn ontluikende liefde voor Jo. Al bleef hij het voor zichzelf hardnekkig vriendschap noemen en liet hij zijn gevoelens zo min mogelijk aan haar blijken, zeker toen hij steeds vaker merkte dat zij hem niet alleen bewonderde maar ook verliefd op hem was. Dat zorgvuldige spel van aantrekken en terughouden bracht een spanning in zijn leven waar hij al snel niet meer buiten kon. Een spanning die vooral niet doorbroken moest worden met een bekentenis.

Zes jaar was het zo gegaan. Tot Jo op een keer na een lang gesprek in het park in gespeelde vervoering tegen het beeld van Vondel uitriep: 'Ik hou gewoon van hem, ik kan het ook niet hellepe!' En vervolgens, bestraffend tegen zichzelf: 'Zeg dat nou niet, want dan bestáát het!' Waarop hij stamelde: 'Ik heb dat ook!' en zij hem een kus gaf. Vorig jaar, op 10 april was dat. En vanaf dat moment bestond het tussen hen: hun onherroepelijk geheim dat ze meer voor elkaar voelden dan vriendschap en dat het hun geluk was te weten dat ze naar elkaar verlangden. Ze spraken af dat geheim te koesteren en het niet te verspelen, alleen in hun correspondentie lieten ze zich ongeremd gaan.

Sindsdien voelde hij zich tegenover Elsa met terugwerkende kracht schuldig omdat hij bij haar al jaren de bevrediging zocht voor zijn verlangen naar Jo. Maar Elsa was er ook van opgebloeid in het begin, en er viel later nooit iets voor dat kwetsend voor haar was. Een heel enkele keer maakte ze een opmerking over zijn vele wandelingen en gesprekken met Jo, of hun intensieve briefcontact. 'Breng je dat kind het hoofd niet te veel op hol?' En toen Jo in verwachting bleek van een Engelse dandy die ze tijdens een vakantie in Parijs had ontmoet, merkte Elsa zijn geschoktheid op (die hij – net als tegenover Jo zelf – verklaarde met het feit dat de dandy niet van zins bleek zich om Jo of het kind te bekommeren). Bij Jo's verhuizing naar Ukkel, vroeg Elsa: 'Zou het om jou zijn, Fons? Volgens mij is ze verliefd op je.' 'Welnee,' antwoordde hij, 'ze wilde altijd al naar het buitenland.' Elsa ging er niet op door, maar ze was duidelijk blij dat Jo hem nu veel minder kon opzoeken. De jaren daarna had hij alleen nog een keer haar achterdocht gevoeld toen er kort na elkaar een paar dikke brieven uit Ukkel kwamen. 'Verhalen over een nieuwe liefde,' zei hij geruststellend en Elsa geloofde het. Ze was Jo dankbaar dat ze hem over de dood van Moeder heen had geholpen en leek haar de laatste jaren bijna als een familielid te beschouwen. Ze was Jo zelfs gaan inzetten als een probaat middel om hem van somberte en overwerktheid af te helpen. 'Ga tch weer eens een paar dagen naar Brussel,' zei ze soms in het najaar als hij zich te veel in zijn eigen hoofd opsloot of kribbig en ongeduldig tegen de kinderen deed. Alsof ze hem naar een van zijn zusters stuurde. 'Brussel geeft mij altijd weer een opgewekte en geïnspireerde Fons terug.' Dit jaar zei ze het toen hij uitgeput was van de *Marsyas-*

orkestratie en het transport van huisraad naar hun pas opgeleverde buitenhuisje plaats zou vinden. Dankbaar had hij haar voorstel aangegrepen.

'Waarom kom je niet in mijn groene kamer logeren,' had Jo hem geschreven. 'Jullie hebben al onkosten genoeg aan jullie Larense Paradijs.'

De tram rijdt de Willemsparkweg in en op de hoek van de Cornelis Schuytstraat stapt hij uit. Het is opgehouden met regenen, maar het blijft guur. De herfst zet definitief door; de iele boompjes langs de trottoirrand zijn al helemaal steenrood en oranje.

Een dame met bontkraag, een hoed met veren en een keffende keeshond aan de lijn steekt de brede rijweg over richting Van Eeghenstraat en Vondelpark. Verder is de straat leeg, op een bakkerskar na langs de stoep aan de overkant. In de Cornelis Schuytstraat ratelt een rijtuig over de keien; een paar kinderen houden hun hoepels even stil om het na te kijken.

Een verademing vindt hij het altijd om hier weer te komen vanuit de drukte in de binnenstad: in deze nieuwe, ruim opgezette buurt met luxe winkels, goed onderhouden huizen, en het beschaafder publiek. Elsa en hij hebben geboft dat ze hier een woning konden krijgen, vlak bij het Concertgebouw, in de stilte van de stadsrand, met een weids uitzicht over de polder vanuit zijn werkkamer.

Daarom schrok hij zo toen hij even dacht dat Jo alles aan Elsa verteld had. Hij heeft zich na de zomer in ernst afgevraagd of hij zijn leven niet met Jo voort moest zetten, maar hij merkte dat hij hier nooit weg zou willen. Hier in Amsterdam hoorde hij thuis. Nog afgezien van zijn dochters. Als hij ze 's avonds voor hij gaat slapen wel eens bekijkt in hun bedjes, kan hij zich niet voorstellen dat hij dit alles willens en wetens op het spel zet voor een liaison die nooit op een natuurlijke manier uit zal kunnen groeien. Alleen de gedachte al dat Jo waarschijnlijk ook kinderen met hem zou willen... En toch kan hij Jo niet missen: de vrijwel dagelijkse post, de vertrouwelijkheid en zorgvuldig afgewogen gewaagdheid van hun brieven, het verlangen, de zinnelijke spanning als ze elkaar weer zien. Het geeft de alledaagse sleur de noodzakelijke extra lading die hij als zijn inspiratie beschouwt.

'Pappie! Pappie! Is Jo weer naar Ukkel? Wil je voor ons Dee Buussie spelen?'

Terwijl hij de trappen oploopt, staan de meisjes hem al op te wachten op de overloop.

Hij knoopt zijn overjas los. 'Debussy?'

Elsa staat lachend achter ze in de eetkamerdeur. 'Jo vertelde gisteren hoe prachtig je van de zomer de "Sérénade à la poupée" voor Cathrientje gespeeld hebt en nu willen zij dat ook horen. Is Jo goed op de trein gekomen?'

'We waren mooi op tijd.' En tegen de kinderen: 'Ik zal het straks voor jullie spelen. Maar nu moet ik eerst wat brieven schrijven en me voorbereiden op de voorstelling van vanavond. Gaan jullie maar even met Koosje mee.'

Als de meisjes weg zijn vertelt Elsa dat Jo gisteren erg had moeten lachen om Joannetje. 'Ze waren zo gezellig aan het babbelen met zijn drieën, en toen zei Joannetje ineens: Jo is de liefste tante, want als pappie wel eens tegen ons gromt als wij hem storen, dan gaat hij naar Jo in Ukkel en dan vindt hij ons weer de liefste meisjes die hij kent als hij terugkomt. Pappie blijft altijd bij ons, zegt hij dan. Blijf jij ook altijd bij Cathrientje?'

Terwijl Elsa het vertelt, meent hij iets in haar ogen te zien wat Jo misschien bedoelde. Een licht spottende fonkeling: doe maar niet zo ingewikkeld, ik heb alles heus wel door. Maar op het moment dat hij het ziet is het ook weer weg.

'Verhagen was nog even aan de deur om de eerste kranten te brengen,' zegt ze.

'Gunstige reacties?'

'*Het Nieuws van den Dag* heeft een vriendelijk stuk van De Lange, en *De Tijd* een uitgebreide beschouwing door die schuwe jonge jongen die we wel eens in het Concertgebouw zien, je weet wel: die met die hoed. En dan zijn er nog een paar korte besprekingen. Iedereen vindt het grote muziek. Alleen krijgt de tekst er overal van langs. Ze vinden het slecht toneel. Maar Verhagen neemt 't goed op, zei zelfs: ik ben al gelukkig dat Diepenbrock dit met mij heeft willen doen...'

'Laat Koosje die kranten zo maar even op mijn kamer brengen.'

'Ik ben erg benieuwd hoe je *De Tijd* vindt. Die jongen heeft vorig jaar al over je *Te Deum* geschreven. Dat vond je toen zo'n opmerkelijk stuk.'

'Kritiek op mijn paukenroffels had hij toch? Maar hij leek inderdaad een zeker schrijftalent te hebben.'

'Waarom nodig je hem niet eens uit om kennis te maken? Misschien is hij iets voor Wiessing. Die zocht een nieuwe muziekbespreker voor *De Groene* vertelde je.'

'Eerst dat stuk maar eens lezen.'

Zonder verder nog iets te zeggen, loopt hij naar boven. Op zijn kamer gaat hij aan zijn werktafel zitten, staart lang naar de tekening van zijn moeder op haar doodsbed en geeft zich over aan een peilloze droefgeestigheid.

4

Bij de meester op het matje

'Mijnheer Van der Meulen. Aangenaam kennis met u te maken. Dank je Koosje.'

De dienstbode die hem aandiende, verdwijnt door een deur in een van de woonvertrekken. Mevrouw Diepenbrock drukt hem op de overloop de hand.

'Fijn dat u kon komen. Mijn man wilde u graag eens spreken.'

'Ik voel mij buitengewoon vereerd, mevrouw.'

Op een ander moment zou hij zo'n stijve zin niet snel over zijn lippen krijgen, maar nu weet hij niets beters te zeggen. Hij kan moeilijk vertellen dat hij zich in de rook van zijn sigaar verslikte toen Wierdels hem op de redactie Diepenbrocks kaartje overhandigde. 'De Meester roept je op het matje, jongeman!'

Mevrouw Diepenbrock glimlacht. 'Hebt u van ver moeten komen?'

'Ik woon in de Derde Helmersstraat, mevrouw.'

Hij voelt zich verlegen en onhandig tegenover deze voorname dame met haar onderzoekende ogen. Ze kijkt hem vriendelijk aan, maar neemt hem tegelijk van top tot teen op, met de zorgvuldig verhulde distantie van de aristocraat. Ze moet zijn muffe, al te lang niet gewassen kleren ruiken, de kale neuzen van zijn schoenen zien. Maar ze laat niets merken. Zelf ziet ze eruit zoals je het van een mevrouw in de Verhulststraat zou verwachten. Het haar losjes tot een wrong gedraaid, een sobere, linnen blouse met lange mouwen op een donkere, wollen rok. Zelfs haar houding maakt een verzorgde, beheerste indruk, vooral die kaarsrechte hals en schouders, die haar iets fiers en ongenaakbaars geven, net als het hoge voorhoofd. Hoe oud zou ze zijn? Hij heeft haar tot nu toe slechts van afstand gezien: in het Paleis voor Volksvlijt na afloop van de *Marsyas*, en een paar keer in het Concertgebouw, met haar man. Van dichtbij ziet ze er jonger uit dan hij verwachtte. Jonger dan Diepenbrock ook. Een jaar of veertig schat hij haar, niet veel ouder.

Hij kijkt nog eens naar zijn nieuwe cape aan de fraai bewerkte, eikenhouten kapstok: naast Diepenbrocks mantel hangt hij. Die jas kent hij van de zondagse mis in de Vondelkerk, waar hij zijn eigen plaats altijd zo kiest dat hij de componist goed kan observeren. Meestal pas bij het evangelie of nog later, komt Diepenbrock gehaast binnenlopen, en gaat dan met zijn knopen nog dicht op zijn vaste plek bij het wijwatervat links achterin zitten. Een erg vrome indruk maakt hij niet: hij speelt met zijn handschoenen, poetst om de tien minuten zijn bril schoon, draait aan zijn snor en lijkt zelfs tijdens de eucharistie met zijn gedachten ergens anders. Mevrouw Diepenbrock is er nooit bij in de kerk.

'Mijn man ontvangt boven,' zegt ze. Met een uitnodigend gebaar verzoekt ze hem voor te gaan, de trappen op naar de hoogste verdieping. Daar, op een kleine overloop vol boekenkasten tot aan de zoldering, klopt ze op een van de deuren. 'De heer Van der Meulen is gearriveerd!' En na een bromgeluid vanachter de deur, zegt ze tegen hem: 'Gaat u maar binnen hoor.'

Drie jaar geleden stapte hij met niets dan zijn biezen koffertje uit de trein op het Weesperpoortstation – nu wordt hij ontvangen door een van de belangrijkste componisten in Nederland.

Diepenbrock zit met zijn rug naar hem toe aan zijn werktafel naast het raam te schrijven.

'Zal ik Koosje straks thee laten brengen?' zegt zijn vrouw.
'Graag.'

En dan is hij alleen met de componist, in de kamer waar

de *Marsyas* ontstaan is en het *Te Deum*. Een ruim en licht vertrek is het, met een aangenaam, diep-ultramarijn behang en een grote tafel in het midden. Balkondeuren zien uit over de polder van Nieuwer Amstel. Rechts, tegen de zijwand, staat een langwerpige Erardvleugel, onder een brede zeventiende-eeuwse gravure van Amsterdam gezien vanaf het IJ.

'Neemt u plaats, ik moet even iets afronden.' Nog altijd heeft zijn gastheer zich niet omgedraaid.

Er is keuze uit vier stoelen rond de grote tafel. Hij kan met zijn rug naar de vleugel gaan zitten of naar het uitzicht. Aan het hoofd van de tafel of juist niet. Omdat hij niet weet wat er verwacht wordt, blijft hij maar staan.

Tergend lang laat Diepenbrock hem wachten, tot eindelijk het gekras van de pen ophoudt. 'Ach, ú bent het. Mijn vrouw zei al dat ik u eerder gezien heb. De man met de hoed.'

Van der Meulen voelt dat hij een kleur krijgt. Hij had dat gênante voorval in het Concertgebouw verdrongen. En uitgerekend nu duikt het weer op in heel zijn beschamende pijnlijkheid. Op een van de warme dagen aan het begin van de zomer had hij weer eens genoeg van zijn dikke bos krullen en liet zich in een opwelling zo kaal als een kegelbal scheren. Maar het was nog niet echt zomer; als de zon weg was koelde het sterk af, merkte hij die avond, tijdens een uitvoering van Beethovens *Eroica* onder Willem Mengelberg. In de zaal streek een continue koude luchtstroom langs zijn schedel. Halverwege het eerste deel had hij zijn hoed opgezet.

Hij ging helemaal op in de treurmars aan het begin van het tweede deel, tot er vanuit de rij achter hem hard op zijn schouder werd getikt. Verstoord draaide hij zich om en zag eerst de geamuseerde glimlach van mevrouw Diepenbrock en toen het van lang ingehouden woede vertrokken gezicht van Diepenbrock. 'Het zou alleszins op prijs gesteld worden indien mijnheer zijn hoed zou willen afnemen,' beet die hem toe. Hoe briljant Mengelberg het orkest ook door de rest van het programma leidde die avond, *hij* had er nauwelijks nog een noot van gehoord.

Goddank lijkt Diepenbrock niet van plan verder op het voorval in te gaan. Hij steekt zijn brief in een omslag en schrijft het adres erop. 'Neemt u plaats. Ik breng dit even naar beneden, dan kan het nog gepost worden.' En weg is hij.

O, die prachtige Erard! denkt Van der Meulen. Op de lessenaar staat de elfde Inventie van Bach, in G mineur, die toonsoort van terughouding en innerlijke kracht. G mineur is precies de indruk die Diepenbrock op hem maakt. Wat zou hij nu graag die eerste noten aanslaan, om de klank van het instrument te horen, maar hij is bang zijn gastheer met een nieuwe onbeschaamdheid te ergeren. Beschroomd kijkt hij om zich heen, alsof hij met zijn blikken iets zou kunnen omstoten of beschadigen. Raakt dan toch even met zijn vingertoppen de toetsen aan zonder ze in te drukken. En schrikt: precies op hetzelfde moment rinkelt de deurschel beneden.

Na wat heen en weer geloop het geluid van het touw waarmee de benedendeur opengetrokken wordt. Hij hoort de stem van de dienstbode die van boven aan de trap met de bezoeker praat, dan Diepenbrock: 'Laat maar Koosje', en: 'Ha, Verhagen... Heb je weer kranten? Kom even boven... Ik heb helaas niet veel tijd...'

Op het rommelige bureau vol papieren en kranten staat een rij in leer gebonden delen Vergilius, Horatius en Seneca achter een groene petroleum studeerlamp. Bij een eenvoudig glazen inktstel ligt het met veel doorhalingen geschreven klad van de brief die Diepenbrock ging wegbrengen. *Beste Willem, Ik had je al eerder willen bedanken voor je hartelijk schrijven, en doe dit thans met mijn oude en steeds onveranderde vriendschap. Ik verheug me dat ook bij jou die gevoelens die ons met onze jeugd verbinden, dezelfde gebleven zijn.*

Verder durft hij niet te lezen. Is het een brief aan Mengelberg? Onderaan de pagina staat het woord *jubileum*. Dan moet het een brief aan Willem Kloos zijn. *De Nieuwe Gids* bestaat 25 jaar. Wonderlijk idee dat Kloos dat tijdschrift al opgericht had vóór mijn geboorte, denkt hij. Nog niet zo lang geleden had hij zich op de leeszaal in de eerste jaargangen ondergedompeld. Kloos' vroege sonnetten hadden hem zo getroffen dat hij er een flink aantal van had overgeschreven en er de wanden van zijn zolderkamer mee had behangen. En ook de hele *Mei* van Gorter had hij in het tijdschrift gelezen. Hij was zelfs aan een toonzetting van het gedicht begonnen, voor tenor, acht harpen en orkest. Een veel te ambitieus project dat niet verder was gekomen dan wat schetsen.

Van Diepenbrock trof hij ook een paar beschouwingen in *De Nieuwe Gids*. Die hadden hem dagenlang doen duizelen van instemming en bewondering, vooral 'Melodie en gedachte', een briljant overzicht van de westerse muziek- en filosofiegeschiedenis vanaf de middeleeuwen, uitmondend in een omarming van de Schopenhaueriaanse gedachte dat iedere componist die de toekomst wilde dienen, ernaar moest streven het 'diepste wezen der wereld' te openbaren en de hoogste wijsheid uit te spreken in een taal van schoonheid die zijn eigen verstand te boven gaat.

Dolgraag zou hij het eens met Diepenbrock over die opstellen willen hebben. Maar die stukken zijn vijfentwintig jaar geleden geschreven, denkt hij, en Diepenbrock heeft ze misschien allang achter zich gelaten. Een poging tot gesprek erover zal nu na een onhandig compliment en een afwerend bedankje, ongetwijfeld stranden in een ongemakkelijke stilte. Bewondering is een moeilijk uitgangspunt – zowel voor de bewonderaar als de bewonderde. Maar wat zou hij er niet voor over hebben om met een man als Diepenbrock bevriend te zijn, om met hem als een gelijke over het leven, de muziek en de taak van de kunstenaar te kunnen praten.

De dienstbode die hem opendeed, steekt haar hoofd om de deur. 'Mijnheer is even opgehouden.'

'Ik heb geen haast hoor,' zegt hij. 'Dankjewel.'

Het meisje lacht bedeesd en verdwijnt weer.

Hij kijkt de kamer nog eens rustig rond. Aan de muur boven het bureau hangen een paar berg- en zeegezichten ('Sils Maria' en 'Santa Margherita'). Daarnaast een potloodtekening van een slapende oude vrouw, met de opdracht 'Aan mijn vriend Alphons Diepenbrock'. Het is gesigneerd door Antoon Derkinderen – de vormgever van de prachtuitgave van Diepenbrocks *Missa* die hij bij De Lange zag. Iets meer naar het raam hangt een reproductie van 'Marsyas en Apollo' van Perugino, die ook in het programmaboekje van *Marsyas* stond afgebeeld, en volgens de inleiding een van de inspiratiebronnen voor de tekstdichter is geweest. 'Dat zou je niet zeggen,' schamperde Wierdels op de krant, 'als je deze subtiel-ironische blik van Apollo op de fluitspelende faun vergelijkt met de platitudes die die Verhagen Royaards laat zeggen! Maar ja, Diepenbrock werkt nou eenmaal graag met bewonderaars en Royaards wil met Diepenbrock werken en neemt zo'n dichtertje op de koop toe. Tsja, de meester zal er ook zijn redenen wel voor hebben om jou nu uit te nodigen...' Hij liet een suggestieve stilte vallen.

'Hoe bedoelt u?' Dat hij Wierdels' insinuerende toon ronduit ergerniswekkend vond, moet van zijn gezicht te lezen geweest zijn.

Wierdels had hem sceptisch aangekeken: 'Ik wil alleen maar zeggen: pas op als je met Diepenbrock gaat kennismaken, jongeman. Hij zoekt vast een nieuwe trompet om door te blazen...'

Een kleine, geschrijnwerkte pendule op de schoorsteenmantel rechts naast de werktafel slaat vier keer. Een kwartier is hij al aan het wachten. Het fraaie uurwerk wordt omringd door een cohort van fotografische portretten. Diepenbrocks ouders waarschijnlijk en andere familieleden, mevrouw Diepenbrock, twee meisjes met grote strikken in het haar, en de jonge vrouw uit de loge in het Paleis voor Volksvlijt, met een mollige peuter op schoot. Daarnaast een paar geschenkportretten van bekende zangsolisten, zoals van de beeldschone Hongaarse sopraan Ilona Durigo, die vorig najaar schitterde in Diepenbrocks *Te Deum*. Willem Mengelberg schreef in zwierige letters over zichzelf heen: 'Voor A.D., met gevoelens van oprechte bewondering en vriendschap'. En naast Mengelberg een portretje van de snel in aanzien stijgende Gustav Mahler, 'Ihr Freund in alter Anhänglichkeit, okt. 1909'. De man kijkt een beetje schuin de lens in en lijkt een grapje tegen de fotograaf te maken. Het kiekje moet gemaakt zijn na de Amsterdamse première van zijn Zevende symfonie. Hij ziet er vermoeid en mager uit. Een vermoeidheid waar vanuit de zaal toen niets van bleek – als een bezetene had hij staan dirigeren, alsof het orkest door die eindeloze, weinig overtuigende première heen gezweept moest worden.

Van der Meulen gaat voor de balkondeuren staan. Stel je voor dat Diepenbrock hem over zijn bureau of portretgalerij gebogen zou aantreffen. De lage zon schuift achter een enorme wolk en laat de wolkenranden opgloeien.

Dat Diepenbrock goed bevriend is met Mengelberg ligt voor de hand. Als Mengelberg niet te veel op zijn routine vaart kan hij het orkest bezielen en de muziek laten klinken zoals de componist het bedoeld heeft. Maar dan die Gustav Mahler. Onbegrijpelijk is het dat iemand als Diepenbrock die kleine Weense druktemaker zo bewondert. Openbaart die nou het 'diepste wezen der wereld'? Melodisch en thematisch is Mahler vaak zwak en weinig origineel, en erg uit op klankeffect, met al die marsen en fanfares. Of, zoals in zijn Vierde symfonie, die Diepenbrock afgelopen winter in het Concertgebouw dirigeerde: met al die *volkstümliche* walsjes in het eerste en laatste deel. Veel meer dan *Kapelmeistermusik* is dat toch niet. In zijn recensie van dat concert had hij Mahler 'een iets gecultiveerder, degelijker Johann Strauss' genoemd. Misschien was dat wat kras gesteld; in de langzame delen maakt Mahler soms ook indruk. Maar wat is een symfonicus waard als hij banale melodieën schrijft?

In de verte vliegt een groep ganzen in perfecte V-vorm over de velden. Van der Meulen kijkt ze na totdat ze achter een rij bomen aan de einder verdwijnen. Wat een genot moet het zijn, denkt hij, om vanachter je werktafel zo'n uitzicht te hebben. Waar de velden ophouden en de lucht begint is nauwelijks vast te stellen, ondanks het heldere najaarslicht. Op de voorgrond wat akkertjes en groenteveldjes, een boerderij aan een wetering met een hoge houten loopbrug erover. Daarachter sloten met knotwilgen en tot de einder vervagend weilanden met koeien en hier en daar een houtwal. En daarboven die onafzienbare lucht vol wolkenpartijen, van waarachter de zon nu een waaier van stralen over het landschap werpt. Als je niet zou weten dat dit de rand van Amsterdam is, dat aan de andere kant van het huis melkkarren door de straat rammelen, dat kruideniers- en slagersjongens er 's ochtends hun bestellingen bezorgen en dat een paar straten verderop elektrische trams en automobielen rijden, zou je je op het platteland wanen. Het enige wat in dit uitzicht aan de stad herinnert is die korte, stompe romp links op de horizon: het reservoir van de Zuider Gasfabriek. Hij is er wel eens langs gewandeld, toen hij door de weilanden naar 't Kalfje liep om daar met het pontje over te steken en langs de Ouderkerkerdijk naar de stad terug te keren. Een lelijke, roodgemeniede ijzeren koker is het van dichtbij, maar van deze afstand, in de wazige verte, stoort hij niet.

'Ik zie dat u al kennis hebt gemaakt met uw collega,' zegt Diepenbrock die ongemerkt de kamer is binnengekomen. Hij wijst naar de stomp van de Gasfabriek. '"De criticus" noem ik hem, omdat hij de grens van droom en schoonheid bewaakt tegenover de oprukkende daadkracht van de moderne wereld.'

'En, gaat hij de wereld trotseren, denkt u?', zegt Van der Meulen. Het komt er minder ongedwongen uit dan hij zou willen.

'Ach, ik voorspel u,' zegt Diepenbrock met een lachje, 'dat de schoonheid waarop ik nu uitkijk, binnen enkele jaren verdwenen zal zijn achter gevels met beddengoed over de balkons en open ramen waarachter enthousiaste pianistes hemeltergend arpeggiëren. Recht hiertegenover zullen kinderen hun eerste viooloefeningen afwerken. En binnen enkele decennia zal de hele polder volgebouwd zijn tot achter de horizon. Daar zal mijn criticus niets tegen kunnen doen. De enige troost zal zijn dat sommigen van mijn vrienden' – hij kijkt even naar de portretten op de schoorsteenmantel – 'er wellicht een straat zullen hebben. Al zal niemand in die straten dan nog enig benul hebben van wie ze waren. Ik maak maar een grapje natuurlijk, maar toch...'

Er wordt op de deur geklopt. Mevrouw Diepenbrock komt binnen met een theecomfort en twee porseleinen kopjes op een blad. Diepenbrock werpt haar een bevreemde blik toe en gaat aan de tafel zitten.

'Koosje is even om een boodschap,' zegt ze, en tegen Van der Meulen: 'Neemt u toch plaats.' Ze zet het blad neer en gebaart naar de stoel tegenover haar man.

'Wilt u een sigaar?' vraagt Diepenbrock.

Imperio del Mundi: zo duur kan Van der Meulen ze zich niet veroorloven. Diepenbrock geeft hem vuur.

'Componeert u ook?' vraagt mevrouw Diepenbrock terwijl ze de kopjes op tafel zet. 'Die indruk kreeg ik uit uw beschouwing.'

Net als op de krant, toen Wierdels hem Diepenbrocks kaartje overhandigde, verslikt hij zich bijna in de rook. 'Ik heb wat pogingen ondernomen,' zegt hij. 'En sinds ik *Marsyas* hoorde heb ik plannen voor een symfonie.' Het is eruit voor hij het weet.

'Pogingen?' vraagt Diepenbrock.

Hij vertelt kort iets over zijn *Welleda*. 'En ik heb geprobeerd om Gorters *Mei* te zetten.'

Mevrouw Diepenbrock kijkt verrast op. 'U hebt *Mei* gecomponeerd? Mijn man was in zijn studietijd bevriend met Gorter en erg betrokken bij de totstandkoming van het gedicht. Gorter kwam hem steeds de fragmenten voorlezen die hij voltooid had.'

'Ongetwijfeld bent u erachter gekomen dat *Mei* meer dan

genoeg muziek van zichzelf heeft,' zegt Diepenbrock, zonder verder op de woorden van zijn echtgenote in te gaan.

'Het was inderdaad te hoog gegrepen.' Bedremmeld, een ander woord is er niet voor hoe Van der Meulen zich nu voelt.

Mevrouw Diepenbrock schenkt de thee in en geeft hem een vriendelijk, nauwelijks merkbaar teken met haar ogen. 'Als je mijn man beter leert kennen valt hij best mee, hoor,' zegt ze.

Wanneer ze weg is, pakt Diepenbrock een rood gemarmerd oblong cahier van een van de stapels muziek op de Erard. De orkestpartituur van *Marsyas*. Hij legt hem op tafel en bladert er even in.

Het lijkt wel een droom. Daar staan ze, al die vervoerende melodieën, in het precieze, sierlijke handschrift van de meester zelf.

'Ik moet zeggen: u merkt knappe dingen op over de bezetting en de leidmotieven.'

Van der Meulen trekt bescheiden aan zijn Imperio del Mundi.

'Maar wilt u eens naar deze pagina kijken.' Diepenbrock wijst een passage aan van de contra-fagotten in het eerste voorspel. 'Dit "snurkend basmotief", zoals u het noemt, dringt zich al te zeer op, schrijft u.' Hij staat weer op en pakt *De Tijd* uit een van de stapels op zijn werktafel. 'Wat zegt u er nog meer over... even zien: "Met deze rommelende contra-fagotten heeft Diepenbrock naar onze mening de grenzen der muzikale schoonheid overschreden." Wilt u dat eens toelichten?'

'In een stuk dat verder zo vervoerend en rijk van zeggingskracht is, kwamen deze harmonieën mij leeg voor,' zegt Van der Meulen met het zweet in zijn handen.

'Lege harmonieën? Dat durft u te beweren na één keer horen?'

'Ik heb een aantal passages stenografisch genoteerd.'

Diepenbrock kijkt verrast op. 'In het donker, tijdens de voorstelling? Dat zou ik u niet nadoen.'

'Ik zou graag nog eens een analyse van de hele motieven-opbouw van uw *Marsyas* schrijven, aan de hand van de partituur. Wellicht dat ik dan ook mijn mening over de contra-fagotten moet herzien.'

Eindelijk lijkt Diepenbrock te ontdooien. 'Een analyse van de opbouw. Dat zou u kunnen doen,' zegt hij. 'Al zit *De Tijd* daar niet op te wachten, vrees ik. Zoudt u uw journalistieke vleugels niet eens wat breder willen uitslaan?'

'Als ik daar de mogelijkheid toe had. Een extra bron van inkomsten zou meer dan welkom zijn.'

Diepenbrock blaast een rookwolk uit. 'U weet dat de hoofdredactie van *De Amsterdammer* enkele jaren geleden is overgenomen door Henri Wiessing. Dat is een oud-leerling van me. Ik ben in de vorige eeuw een tijdje leraar geweest aan het gymnasium in 's-Hertogenbosch. Een merkwaardige jongen, Wiessing, toen al een non-conformist. Opgegroeid in de koloniën, na zijn studie een paar jaar als correspondent voor verschillende kranten in Parijs gezeten, en daarna dus *De Amsterdammer*. Nu wil hij dat blad verjongen en zoekt hij iemand die een verfrissend geluid kan laten horen over de hedendaagse muziekbeoefening in Nederland. Mag ik uw naam eens bij hem laten vallen?'

'Als u dat wilt doen, graag.' Van der Meulen neemt een iets te diepe trek van zijn sigaar. 'Heeft u in 's-Hertogenbosch niet uw *Missa* gecomponeerd?'

Diepenbrock is opnieuw verrast. 'U kent mijn mis?'

'Daniël de Lange heeft mij de partituur laten zien. Het is de belangrijkste muziek die er in de jaren negentig in Nederland geschreven is en u hebt er volledig in bereikt wat u zich ten doel stelde in "Melodie en Gedachte" en uw artikel over de mystieke Latijnse hymnen in *De Nieuwe Gids*... En na twintig jaar is het nog altijd een actueel werk: muziek van een onstoffelijke verhevenheid, vol liefde, schoonheid en vervoering. Dat de leiders van de katholieke kerkmuziek een uitvoering tot nu toe hebben tegengehouden is een grof schandaal en tekent hun middelmatigheid!'

Diepenbrock glimlacht met milde ironie, maar duidelijk ook gevleid. 'Nou nou. U bent goed op de hoogte, dat is mij in de krant ook al opgevallen. En u windt er geen doekjes om. Precies wat Wiessing zoekt.'

'Een criticus moet zeggen waar het op staat. Geen zoete broodjes bakken. Het belang van de muziek is het enige wat telt!'

En nog eens dat glimlachje om Diepenbrocks mond. 'Komt u wellicht uit het Zuiden, als ik vragen mag? U lijkt een Brabantse tongval te hebben.'

'Ik kom uit Helmond, mijnheer. Mijn vader is smid.'

'Lieve hemel! Uit Helmond! *Nomen est omen.* Maar vertelt u eens, hoe raakt de zoon van een smid uit het land der Menapiërs verzeild in de bibliotheek van Daniël de Lange?'

5

Het Larense buitenhuis

'Elsa!'

Ze hoort hem niet. Het gegil en gestamp in het kleine woonkamertje naast zijn werkkamer gaat gewoon door. Het lijkt verdomme wel of ze elkaar op klompen achterna zitten over de houten vloer, of dit hele nieuwe huis één grote klankkast is.

'El-sa!!'

Eindelijk verschijnt ze in de deuropening. Als ze hem met zijn getergde kop aan zijn schrijftafel ziet zitten, betrekt haar gezicht.

'Kun je de kinderen niet iets rustigs laten doen? Ik word stapelgek van het lawaai. Eerst de hele ochtend die piano van de overburen en nou dit!' Hij klinkt bozer dan zijn bedoeling is.

'Ze hebben zo'n plezier, Fons. Je zou ze eens moeten zien.'

'Ik doe een poging te werken!'

Ze werpt hem een kille blik toe. 'Je weet dat het hier gehorig is en ik kan de kinderen moeilijk de hele dag vastbinden als het regent. Maar jij wilde kost wat kost komen. Dan ben je hier dus met ons. Als je met dit weer ongestoord wilt werken, kun je beter in Amsterdam blijven.'

Voor hij iets terug kan zeggen, slaat ze zijn kamerdeur met een klap achter zich dicht. Een van de meisjes begint te huilen. Elsa praat op kalmerende toon tegen haar, het is woordelijk te verstaan, alsof ze het eigenlijk tegen hem heeft. 'Jij mag best dansen, lieve Thea. Alleen niet nu pappie er is. Pappie moet nadenken en muziek schrijven. Weet je wat? Doe jullie laarzen en regenjasjes maar aan, dan gaan wij naar buiten, door de plassen stampen.'

Vanachter zijn werktafel ziet hij ze even later door de regenvlagen de dampige hei op marcheren. Aan Elsa's iets te grote passen en haar geheven hoofd merk je haar ingehouden woede. Een woede die ze voor de kinderen verbergt, maar die zich vanavond, als hij met haar alleen is, vast en zeker gaat ontladen in een stortvloed van verwijten. Zo te zien loopt ze in gedachten nu al tegen hem te fulmineren. De meisjes steken in hun gele gummi-jasjes onwerkelijk af tegen het grauwe landschap en de loodgrijze lucht; Joannetje huppelt meters vooruit en de kleine Thea laat zich voortslepen aan Elsa's hand, een beetje bedrukt nog. Zij kijkt even achterom naar zijn raam.

Deze zich groot houdende, inwendig ziedende Elsa heeft hij sinds de kinderen geboren zijn niet vaak meer gezien. Nu is ze meestal moe, humeurig of prikkelbaar, maar niet meer zo explosief. Als ze de laatste jaren wel eens een deur achter zich dichtsloeg, was ze daarna snel weer uit op vrede. Dat strijdlustig geheven hoofd, die naar binnen gerichte ogen en die vervaarlijk beheerste bewegingen herinnert hij zich vooral uit de tijd in Den Bosch toen ze elkaar net kenden. Dan kon ze precies zo naast hem lopen op het landgoed rond haar ouderlijk huis, als hij haar met zijn stelligheid of ironie weer eens op de kast had gejaagd.

Halverwege de twintig was ze toen, net zo oud als Jo nu. Een niet onaantrekkelijke Brabantse freule die zich Elisabeth noemde en nog bij haar moeder woonde. Elisabeth de Jong van Beek en Donk. Hij weet nu nog hoe hij die naam voor het eerst las. Ze had een groot artikel over Wagner ingestuurd voor *De Nieuwe Gids*. Omdat Kloos en zijn andere literaire vrienden in de redactie geen verstand van muziek hadden, vroegen ze hem die opmerkelijke inzending te beoordelen. Een onbevangen enthousiast, ietwat warrig stuk was het, niet goed genoeg voor publicatie. Maar ook niet zonder mogelijkheden: nadat de redactie het op zijn advies officieel had afgewezen, stuurde hij haar er persoonlijk nog een brief over. Waarop hij – aangezien hij toch in de buurt woonde – onmiddellijk door de moeder van het meisje werd uitgenodigd eens thee te komen drinken. Even had hij geaarzeld, alsof hij voorvoelde dat deze visite grote gevolgen voor de rest van zijn leven ging hebben. Waarna hij de invitatie toch maar had aangenomen als een welkome onderbreking van zijn moeizame leraarsbestaan en een prettige afleiding ook van het monomane werken aan zijn *Missa*.

Tot zijn verrassing trof hij op het Hinthamse buiten in plaats van een bedeesd en geïmponeerd adellijk meisje, een strijdlustige jonge vrouw, die onder het aanmoedigend oog van haar moeder vurig met hem in debat ging. Vooral zijn opmerkingen over de protestantse ondertonen in haar stuk leidden tot felle discussie. Pas toen hij op de Bechstein voorspeelde uit de *Tannhäuser* en de *Walküre* kwamen de gemoederen enigszins tot bedaren. Haar overleden vader, bij leven officier van Justitie aan het Bossche hof, scheen ook zo'n polemisch type geweest te zijn.

Het verraste hem dat hij een paar weken later opnieuw werd uitgenodigd. En de week daarna weer. Hij, of in ieder geval zijn pianospel, had ondanks zijn onwrikbare katholicisme indruk gemaakt op de dames. Inmiddels gingen de discussies al lang niet meer over het protestantse in Elisabeths Wagner-artikel. Als vrijgevochten en vrijzinnige freule bleek ze mede-oprichtster van de 'Bond ter Bestrijding van een Gruwelmode', een in zijn ogen lichtelijk geschift clubje van gegoede, diervriendelijke dames die zich keerden tegen het 'wreed doden van vogels' als opschik van dure hoeden. Vuurrood werd ze toen hij zich eens hardop afvroeg waar die Bond zich in vredesnaam druk over maakte. Een paar gekeelde patrijzen en fazanten. Als die op hun bord belandden hoorde je de dames niet. Daarnaast was freule Elisabeth gegrepen door Aletta Jacobs en Mina Kruseman. Vol vuur kwam ze op voor de rechten van de werkende vrouw. Ze was zelfs een voorstander van het kiesrecht voor vrouwen. 'Met alle respect,' had hij gezegd, 'maar ik kan het feminisme niet anders zien dan als een modieuze dwaalweg die indruist tegen de natuurlijke gesteldheid en taken van de vrouw.'

Het was vooral aan haar immer beminnelijke moeder te danken dat ze nooit werkelijk ruzie kregen. Telkens als de schermutselingen te hoog dreigden op te lopen, vroeg de douairière schijnbaar onnozel vanaf de canapé: 'Ach mijnheer Diepenbrock, speelt u ons nog eens wat voor.' Het duurde niet lang of hij bracht ook een paar van zijn eigen composities ten gehore waaronder het *Sanctus* uit de *Missa*. Waarmee hij Elisabeth dermate imponeerde dat ze alleen nog maar stralend naar hem kon lachen en minstens vijf minuten geen netelige kwestie aansneed.

Sindsdien liet ze steeds vaker merken dat ze hem, in weerwil van hun meningsverschillen, toch erg hoog had en aantrekkelijk vond en dat haar strijdlust misschien wel mede daaruit voortkwam. Ze bleek zijn artikelen in *De Nieuwe Gids* grondig bestudeerd te hebben, en ondanks – of misschien wel dankzij – de nevelen van mooischrijverij waarin hij zijn gedachten toen dacht te moeten hullen, hadden zijn beschouwingen diepe indruk op haar gemaakt. Ze kon zich volledig vinden in zijn opvatting dat ze leefden in een verloederde, materialistische tijd, die door het geloof in de afgoden van Feit en Wetenschap, moedwillig de ogen sloot voor 'het vroegere weten' – het bezielend in contact staan met het ondoorgrondelijk wereldraadsel. En vooral ook vonden ze elkaar in zijn visie op Beethoven en Wagner. Die waren in zijn ogen geen zonsondergang, geen einde of vervulling, maar een morgenschemering, een lente. Zij kondigden een nieuw tijdperk aan, waarin de jonge kunstenaars en in het bijzonder de componisten 'het zicht van het gesloten oog' weer aan het volk zouden openbaren, met werken die niet uitsluitend subjectief-persoonlijk zouden zijn, maar een 'monumentale, verbindende kracht' hadden.

Als ze naar aanleiding van zijn muziek spraken over deze dingen, voelde hij zich nog onhandiger in haar nabijheid. Aan Elisabeths vrijgevochtenheid en felheid was hij enigszins gewend geraakt. Maar tijdens deze gesprekken sloeg haar felheid om in enthousiasme en ging uit haar blik iets spreken wat hij niet anders kon opvatten dan als verliefdheid. Zelf voelde hij zich niet verliefd, hoogstens meegesleept of overdonderd. En ook begeerte wekte ze nauwelijks in hem op. Die speelde geen rol in zijn leven. Als zijn vrienden vroeger naar de bordelen in de Nes of de Warmoesstraat gingen, trok hij zich terug om te studeren. En als Van Deyssel bij hem logeerde in Den Bosch en de café chantants op de kermis wilde zien, ging hij met gezonde tegenzin mee. Juist vanwege de eenzaamheid en de afstand tot de 'grote wereld' had Den Bosch hem aantrekkelijk geleken als plek om te wonen: hij beschouwde zichzelf als een celibatair van nature, een asceet die uitsluitend leefde voor de geest en voor de schoonheid. Niet als iemand op wie jonge freules verliefd werden. En al helemaal geen vrijzinnig-protestantse, feministische freules. Maar daar liet Elisabeth zich allemaal weinig aan gelegen liggen.

'Wat doe jij in vredesnaam nog in Brabant?' vroeg ze hem op een middag tijdens een wandeling. Hij had haar juist een nieuw fragment van de *Missa* voorgespeeld, en nu verweet ze hem bijna dat hij nog leraar was aan dat provinciale gymnasium. 'Jij bent een kunstenaar – jij moet in Amsterdam wonen, omgaan met geestverwanten en je volledig aan je roeping wijden.' En op zijn vraag waar hij dan van zou moeten leven antwoordde ze: 'Je zou bij kunnen verdienen als repetitor of privé-leraar in de oude talen. En ik zou een pension voor studerende vrouwen kunnen opzetten.' Geschrokken bleef hij staan. Niet alleen vanwege haar verliefde voortvarendheid of haar onverwachte plan, maar ook om zijn ontdekking, plotseling, op dat moment, dat hij ondanks alles begon te voelen voor een verloving. Het feit dat ze vastbesloten was om het hem financieel mogelijk te maken terug te keren naar de stad waar hij zich mee verbonden voelde en hem volledig wilde steunen in zijn kunstenaarschap, kwam hem steeds aanlokkelijker voor. Dat hij niet verliefd was en ze in alles elkaars tegenpolen waren, leek ineens geen beletsel meer. Aan een vrouw als Elisabeth zou hij veel meer hebben dan aan de onderdanige gansjes waarmee de meeste mannen trouwden. Als je iets onderdanigs wilde, kon je beter een dienstbode nemen.

Feilloos voelde ze aan dat zijn terughoudendheid barsten begon te vertonen. Ze was niet meer te stuiten. 'Als je geen damespension wilt, zou ik een opleiding tot logopediste kunnen volgen, die is er tegenwoordig in Parijs.' Weer zo'n wonderlijk idee, dacht hij. Maar bij het afscheid zei ze die middag met grote, ernstige ogen: 'Geen offer zal mij te groot zijn om mijn leven met jou te kunnen delen, Fons.' Daarmee had zij hem definitief overtuigd.

En toen bleek zelfs Elisabeths protestantisme niet onoverkomelijk. Weliswaar hadden ze nog steeds meningsverschillen die hem danig uit het lood sloegen – zoals over de manier waarop ze hun toekomstige kinderen zouden opvoeden. En ook stond vast dat zij nooit rooms-katholiek zou worden, wat tot grote bezwaren van zijn ouders en vooral zijn moeder leidde. Maar toen Elisabeth beloofde dat ze zijn verbondenheid met de grote latijns-katholieke traditie altijd zou respecteren hoewel *zij* de 'spirituele leiding' over de kinderen op zich zou nemen, werden ze het eens. Ten diepste begrijpen we elkaar, had hij gedacht. Als we eenmaal getrouwd zijn groeien we ook verder wel naar elkaar toe. Een grotere vergissing heeft hij in zijn leven niet gemaakt.

Hij steekt een sigaar op en kijkt door de geel omlijste verandadeuren uit over de lege hei, waar de regen in vlagen overheen waait. Dat Elsa daar nu ergens woedend met de meisjes rondloopt en zich demonstratief laat natregenen, heeft nauwelijks met zijn geïrriteerdheid over het lawaai van de kinderen te maken. Dat was een aanleiding, niet de oorzaak. Dit huis is ook weer zo'n offer dat Elsa voor hem brengt. Het is gebouwd met geld uit háár familie. Ze heeft het ingericht zoals *hij* het prettig vindt, zodat hij hier goed zou kunnen werken. En nu waardeert hij het in haar ogen niet voldoende, doet hij er te vanzelfsprekend over. Maar hij waardeert het wel degelijk. Hij heeft alleen last van de gehorigheid, en van die Neanderthaler in het buurhuis die uren achtereen de ellendigste deuntjes zit te oefenen op een in 1810 voor het laatst gestemde piano. Hij had het zich zo anders voorgesteld hier!

Stilte, rust, natuur – daarvoor hebben ze deze plek gekozen. Het kon niet beter: een eind buiten het dorp, met maar een paar huizen in hun nabije omgeving, aan de rand van uitgestrekte heidevelden en bossen die hem deden denken aan zijn logeerpartijen als jongetje bij zijn grootvader op het Westfaalse platteland. De kinderen zouden de hele dag over de hei achter vlinders aan kunnen rennen en 's avonds met blossen in hun bed liggen. En hij zou zich kunnen terugtrekken uit de stad wanneer hij maar wilde, lange wandelingen maken en in alle concentratie werken.

En hier zit hij dan in het Larense paradijs en wat heeft hij de hele dag welbeschouwd kunnen doen? Hölderlins elegie weer eens goed lezen. En hij heeft wat zitten peuteren aan de snarenspel-passage in de introductie van zijn nieuwe orkestlied, de muzikale voorafschaduwing van wat voor hem de kernregels van het gedicht zijn:

Aber das Saitenspiel tönt fern aus Gärten; vielleicht dass
Dort ein Liebender spielt oder ein einsamer Mann
Ferner Freunde gedenkt und der Jugendzeit.

Wiegende tertsen in de hoorns stelt hij zich bij deze regels voor, waaroverheen een zacht mandolinegetokkel moet opklinken. Zoiets als Mahler doet in de tweede 'Nachtmusik' van zijn Zevende symfonie. Als het lukt, wordt het iets volkomen nieuws in de Nederlandse orkestmuziek.

Hölderlins vers zit vol muzikale mogelijkheden: het murmelen van een fontein in de avondstilte, ruisende bomen, wegstervende stads- en natuurgeluiden, flakkerende lichten in stilwordende stegen, het opkomen van de maan en het sterrengefonkel boven dat alles. De wonderlijkste klankritselingen en -zinderingen heeft hij in zijn hoofd, om het vallen van de nacht over het wegebbend menselijk bedrijf op te roepen. De zangstem bloeit verlangend op uit Hölderlins hexameters, omgeven door geheimzinnige, fluisterende melodieën. De violen brengen met hoge lijnen het gevoel van ontzag en nietigheid teweeg dat de oneindigheid van een sterrenhemel in een mens kan oproepen. In confrontaties tussen trompetten en hoorns snijden de twee werelden van het daagse, uiterlijke leven en dat van het ingekeerde, vergeestelijkte van de nacht elkaar.

Hij legt zijn sigaar in de asbak en kijkt hoe de opstijgende rook langzaam diffuus wordt. Vlak vóór de zomer, nog midden in de *Marsyas*-orkestratie, kwam dit plan hem ineens als één groot, flonkerend tableau voor de geest – een euforische ervaring die alles te maken had met zijn gevoelens voor Jo op dat moment. Ze stonden op het Nieuwendamse stoombootje over het IJ en hadden net de hele dag in Waterland gewandeld en daarna gegeten bij 't Sluisje aan de Nieuwendammerdijk. Op het terras met uitzicht over het water hadden ze de zon zien ondergaan en hij had telkens naar de omhooggroeiende haren in haar nek moeten kijken, naar de moedervlekken op haar armen en naar haar decolleté. In de manier waarop zij naar hem keek, voelde hij heel haar verlangen. En toen namen ze dat stoombootje terug naar Amsterdam. De vredige, avondlijke atmosfeer op het IJ en het kleiner wordende dorp waar ze van wegvoeren bracht hem het gedicht te binnen. Minutenlang stond hij in vervoering aan de reling. 'Ken je dat eerste vers van Hölderlins "Brot und Wein",' vroeg hij uiteindelijk. 'Ik geloof het niet,' zei Jo. Hij vertelde hoe hij dat vers als kind voor het eerst van zijn Duitse grootvader gehoord had: 'Die was rentmeester op Holtwick, een landgoed bij Bocholt. Als kind mocht ik vaak bij hem logeren en dan leerde hij me verzen die me dagenlang betoverden.' En toen droeg hij de openingsregels voor:

Rings um ruhet die Stad; Still wird die erleuchtete Gasse,
Und, mit Fackeln geschmückt, rauschen die Wagen hinweg.

'Hier ga ik muziek bij maken,' zei hij. 'Alles wat we nu meemaken komt erin.'

Het donkere water klotste zacht tegen de boorden, en ze keken met hun ellebogen op de trillende reling naar de laatste karren en wandelaars in de langzaam verdwijnende straatjes van het dijkdorp, en naar de opkomende maan die de staalblauwe vlakte rond de boot deed opschitteren. Op dat moment luidden de klokken van het Nieuwendamse kerkje, elke toon was als een lichtkogel in de avondstilte boven het IJ. Voor het eerst sinds ze elkaar kenden legde Jo even haar hoofd tegen zijn schouder.

'En ik ga het maken voor die Hongaarse alt die vorig jaar in mijn *Te Deum* zong.'

'Ilona Durigo?'

Tot zijn tevredenheid hoorde hij aan Jo's stem dat ze nog steeds jaloers was op de zangeres. Na die aangrijpende uitvoering had hij geschreven dat hij Durigo subliem vond en had smakelijk uitgeweid over een vrolijk souper met de jonge mezzo-sopraan na afloop. *Ze sprak indringend over mijn muziek en bij het afscheid zei ze te hopen dat ik nog eens speciaal iets voor haar zou componeren.* Jo antwoordde koeltjes. *Ik begrijp dat je muzikaal en ook anderszins erg van die zangeres onder de indruk bent.* In latere brieven noemde ze Ilona Durigo telkens 'die mooie Hongaarse'.

'Durigo kan zingen wat wij nu beleven,' zei hij terwijl hij overeind kwam van de reling.

Jo gaf hem alleen maar een steviger arm.

Weer zag hij die onpeilbare blik in haar ogen, rook hij haar geur. Het zou nog twee maanden duren voor ze hem in de groene logeerkamer in Ukkel verleidde; ze deden nog net of ze vrienden waren. Maar wat was hij die dag van het Nieuwendamse tochtje verliefd.

Toen hij Jo 's avonds laat naar haar Amsterdamse logeeradres had gebracht en geheel van haar vervuld alleen thuiskwam in de Verhulststraat, lag er een brief van Elsa, die op dat moment hier in Laren was om toezicht te houden op het afschilderen. Ze stelde voor om afgezien van het kalkwerk, alle deuren, ramen, de schoorsteen en de boekenkast van zijn aanstaande werkkamer eigeel te laten schilderen. Wel een beetje gewaagd misschien, maar hij vond geel toch zo'n aangename kleur? De woonkamer wilde ze azuurblauw hebben, met de muren en de plafondstukken tussen de balken wit. De volgende dag antwoordde hij haar dat haar suggesties hem uitstekend leken. Hij zou het nieuwe zomerhuis graag 'Holtwick' noemen, en verheugde zich erop na de zomer in Laren een nieuw plan uit te kunnen werken voor een groot orkestlied: *Die Nacht*.

En nu is het alweer herfst, lijkt dat alles een eeuwigheid geleden en probeert hij in die door Elsa geheel naar zijn wensen ingerichte werkkamer op Holtwick die onvergetelijke junidag met Jo tot muziek te maken. Heel zijn gevoel voor haar wil hij mee tot uitdrukking brengen in *Die Nacht*, zoals hij het ook al in *Marsyas* deed. Al is het na de *Marsyas*-première en de lange 'worstelbrief' die ze hem daarna stuurde, tussen hen allang volkomen anders dan op dat bootje over het IJ. Op 'ik wil het niet meer' leek ze weliswaar teruggekomen in die brief, en ze begreep heel goed, schreef ze, dat hij niet *in het vuur van zijn liefde voor haar, al het andere wilde verbranden*. Maar aan ieder woord voelde hij dat ze niet langer de sprankelende, verliefde Jo was. En een klein terloops zinnetje krijgt hij niet uit zijn hoofd: *Ik weet niet of ik altijd beschikbaar voor je kan blijven.* Ongerust en haast onpasselijk van jaloezie maakt dat zinnetje hem. Ze gaat veel uit in Brussel, naar de Schouwburg, maar ook aan de Boulevard en in de Grand

Cafés aan de Place Rouppe. En ze heeft eerder amants gehad en zelfs een kind gekregen – als hij daar weer aan denkt draait zijn maag om, hoezeer hij ook vindt dat zij alle recht heeft elders te zoeken wat hij haar niet kan geven, althans niet onbeperkt. Maar misschien is het nog niet te laat. Misschien kan *Die Nacht* haar weer met de situatie verzoenen. Voor zijn muziek is ze altijd gevoelig.

Hij drukt zijn sigaar uit en loopt naar het raam. Komend voorjaar moet de orkestpartituur klaar zijn. Mengelberg reageerde enthousiast op het vooruitzicht van een nieuw symfonisch lied en zette het meteen op zijn programma. Ilona Durigo voelde zich 'ten diepste vereerd' dat deze compositie aan haar opdragen wordt, schreef ze, en ze ziet uit naar een studie-uittreksel en vooral ook naar het weerzien in 'zonnig Amsterdam'.

Als hij Jo nou eens vraagt het piano-uittreksel te kopiëren, net als bij *Marsyas*. Dan zou hij het in januari of februari in Ukkel kunnen gaan ophalen en er een paar vakantiedagen aan vastknopen. Wanneer ze gelegenheid hebben weer eens rustig te praten en muziek te maken, wordt alles hopelijk als vanouds tussen hen.

Het regent nog steeds. In de verte ziet hij Elsa en de meisjes aankomen. De verbeten uitdrukking op Elsa's gezicht lijkt verdwenen en Thea huppelt weer. Hij gaat met handdoeken naar de deur om ze op te wachten en zijn dochters in het badkamertje naast de voordeur droog te wrijven. Misschien kan hij ze bij het vuur voorlezen, terwijl Elsa eten maakt.

Wanneer ze druipend binnenkomen, en Elsa hem met de handdoeken klaar ziet staan, is er van haar boosheid niets meer te merken. Ze glimlacht zelfs even naar hem.

'Heb je goed kunnen werken?'

''t Gaat. Ik probeer er weer in te komen.'

Die avond zit hij met een boek onder de lamp aan de tafel met het bonte Turkse kleed en denkt aan de beklemmende droom, die hij 's ochtends vlak voor het wakkerworden had. Hij zat aan de Bechstein in de hal van een groot huis. Niet Elsa's ouderlijk huis in Hintham, al voelde het op dezelfde manier vertrouwd, misschien doordat hij achter Elsa's oude vleugel zat. Jo kwam op blote voeten in nachtjapon en met los haar de brede, marmeren trap af en begon hem verwijten te maken omdat hij Wagner speelde. Haar tepels prikten boos door het witte katoen. Toen hij naar haar benen keek, kronkelde er een urinestroompje langs de binnenkant van haar kuiten over haar enkels, en vloeide uit in de merkwaardige groene en rode figuren van een dik oosters tapijt dat bijna de hele vloer van de hal bedekte.

De hele dag heeft hij er niet meer aan gedacht, en nu staat die droom hem ineens weer glashelder voor ogen.

Elsa komt geruisloos het woonkamertje binnen, gaat op haar plek naast de open haard zitten en pakt haar verstelwerk op. De regen slaat nog altijd tegen de ruiten.

'Slapen ze weer?' vraagt hij.

'Thea is onrustig. Ik denk dat ze een nachtmerrie had, maar ze wil niet zeggen waarover.'

'Misschien weer over muizen?' In de zomer had Elisabeth hem geschreven hoe de meisjes in het bos een muizenhol gevonden hadden, en Joannetje aan Thea had wijsgemaakt dat muizen ook wel eens in kinderbedden kropen. Toen waren 's avonds de poppen aan het dansen: Thea was panisch dat er aan haar tenen geknaagd zou worden en durfde niet onder de dekens. Hij had er in Amsterdam hard om moeten lachen en de hele passage aan Koosje voorgelezen toen ze hem zijn avondbier kwam brengen.

'Over muizen? Dat denk ik niet,' zegt Elsa. Ze bedoelt natuurlijk dat zijn boze uitval van vanmiddag Thea nu onrustig maakt.

Idyllisch ziet het eruit in de donkere ruiten: Elsa naast het vuur in de oude boerenarmstoel die nog van Moeder komt, en hij met zijn boek aan de tafel onder de lamp. Een gelukkig echtpaar in hun prachtige buitenhuisje. Want prachtig is het, met dat blauwe houtwerk, de antieke hoekkast en de twee Jan Steenkastjes uit Elsa's familie aan weerszijden van de openslaande deur naar de veranda. In de zomer, als die deur openstaat, kijk je tot aan de horizon uit over de hei. Maar de idylle staat op het punt in duigen te gaan: in Elsa broeit iets, hij hoort het aan haar stem en merkt het aan de manier waarop ze de naald in de stof steekt en haar wenkbrauwen optrekt. Kennelijk was haar vertedering om de handdoeken maar schijn.

'Die jongen van *De Tijd* is nog een middag bij me geweest in Amsterdam,' zegt hij. Vroeger kon alleen pianospelen een dreigende ruzie afwenden, nu laat ze zich soms ook door iets anders afleiden.

'De woeste Brabander,' zegt ze vlak.

'Hij ziet eruit als Zarathustra en gedraagt zich als een schichtig dier, maar hij doet zich niet beter voor dan hij is en zegt waar het op staat. En hij weet veel. Kent zijn Palestrina, maar ook zijn Desprez en Okeghem. Terwijl zijn vader smid is in Helmond.'

'Dat vertelde je al na zijn eerste bezoek.'

'En hij kende mijn *Missa*, had hem in mogen zien bij De Lange; ik heb hem vorige keer de partituur uitgeleend en hij wist me er opmerkelijke dingen over te zeggen. Nu heb ik hem Nietzsches *Geburt* eens meegegeven in verband met *Marsyas*. Alleen van Mahler begrijpt hij niets, net als de rest van Nederland.'

Elsa zucht. Dat laatste heeft ze al vaker gehoord.

'Ik herken mijzelf in die jongen. Een typische autodidact: studeert zich suf omdat hij denkt dat iedereen meer weet dan de zoon van een Helmondse smid, en beseft niet dat hij iedereen al lang achter zich heeft gelaten. Zo is het met veel groten gegaan. Misschien wordt hij ook wel een grote, wie zal het zeggen. Ik heb hem bij Wiessing aanbevolen als de man die hij zoekt voor *De Groene*. En ik heb hem uitgenodigd nog eens vaker op bezoek te komen.'

'Goed idee.'

En dan valt er een lange stilte.

Tot ze de onafwendbare vraag stelt: 'Vind je het eigenlijk wel prettig met ons hier?'

'Natuurlijk. Hoezo?'

'Je ergert je alleen maar. We zijn je tot last. En dit huisje is ook niet erg naar je zin. Voel je je niet veel prettiger alleen, in Amsterdam?'

'Ik heb er de hele zomer naar verlangd om hier te kunnen zijn.'

Ze kijkt lang naar het vuur. Dan zegt ze: 'Sinds je hier bent heb je me nog geen enkele keer iets liefs gezegd, Fons. Overdag zit je achter je bureau, 's avonds lees je en verdwijn je met een afgemeten "slaap wel" naar je kamer. Je hebt me enkel maar laten merken dat je niet goed in je werk komt. Je vindt het fijn om bij de meisjes te zijn, als ze je niet te veel storen. Dat merk ik wel. Maar vind je het ook fijn om bij *mij* te zijn?'

Ze kijkt hem indringend in de ogen, alsof ze nu een bekentenis verlangt, alsof ze met die oude strijdbaarheid van haar eist dat hij het achterste van zijn tong laat zien. Kom maar op. Vertel me nu alles maar eens over Jo. Dacht je dat ik niets doorhad? Maar ze houdt het niet vol en wendt haar ogen af.

'Dat ik vanmiddag zo geïrriteerd deed,' zegt hij rustig, 'was omdat ik niet goed werkte, door die buurman en het vreselijke weer. Ik kwam er eenvoudigweg niet in. Terwijl ik me zoveel had voorgesteld van het werken hier. En toen werd jullie gestamp me even te veel. Dat had *niets* met de meisjes of met jou te maken. Als ik mijn teleurstelling op jullie afreageerde, dan spijt me dat.'

Elsa staat op en gaat met haar rug naar hem toe voor de verandadeur staan. 'Je houdt niet van me, Fons.'

Dit doet ze nou altijd. Hem dwingen haar zijn liefde te belijden. Als hij nu niet onmiddellijk roept dat hij wel van haar houdt, bevestigt hij haar verwijt en dat zou niet terecht zijn.

'Hoe kom je daar nou bij. Natuurlijk hou ik van je.' Dat het onoprecht klinkt is niet erg. Ze moet voelen dat hij het onder dwang niet van harte kan zeggen. En toch is het waar, hij houdt werkelijk van haar. Misschien niet zoals zij het zou willen. Maar hij zou haar nooit kunnen missen.

Ook dat zegt hij maar weer eens.

Elsa draait zich om en bekijkt hem met bedroefde ogen. 'Je moet geen dingen zeggen die je niet meent.'

'Ik meen het wel. Anders zou ik het niet zeggen.'

En dan begint Thea weer te huilen en loopt Elsa snel de kamer uit om het kind te gaan troosten.

6

De Amsterdammer

Het is kil in het hoge vertrek. De grote vulkachel in de hoek brandt niet, hoewel het al dagen regent en het veel kouder is dan normaal eind oktober. Tegen de bruingerookte wanden staan kantoorkasten vol ordners, stapels papieren en kranten. Ouderwetse schuiframen, slecht in de verf, kijken uit op een mossige binnenplaats een verdieping lager: een rechthoekje grind met wat doorgeschoten liguster- en hulststruiken langs de rand. Niets van de zeventiende-eeuwse grandeur die de voorgevel met het koperen naambord aan de Herengracht uitstraalt, is terug te vinden in dit sobere redactielokaal.

Met druipend haar zit Van der Meulen op een rechte houten stoel midden in de ongezellige ruimte, naast het met paperassen overladen bureau waaraan Henri Wiessing *De Amsterdammer* leidt. De mouwen van zijn jasje en zijn overhemd zijn doorweekt en hij rilt over zijn hele lichaam.

De jonge hoofdredacteur komt weer binnen met een handdoek. 'Zo, mijnheer Vermeulen. Hier hebt u iets om u mee af te drogen.'

'Dank u.' Hij durft hem niet te corrigeren.

Wiessing is levendig en innemend, praat aan één stuk door terwijl hij plaatsneemt aan zijn bureau. Over het vreselijke weer heeft hij het, over de uitgever-directeur ('nog van de oude stempel'), over de bedaagde inrichting van het pand.

'Je vraagt je waarschijnlijk af waarom hier geen schrijfmachine staat. Heb je bezwaar als ik tutoyeer?'

'Geenszins.' Hij wrijft zijn gezicht en haren zo goed mogelijk droog.

'Nergens in dit pand staan schrijfmachines. Aan de schrijf-machine is "ons groene weekblad" nog niet toe. Ik als nieu-we hoofdredacteur wel, maar de uitgever en de meeste me-dewerkers niet. Op de administratie zitten de klerken de godganse dag te pennen aan een lange tafel. Alles wordt hier nog met de hand geschreven, iets waar ik gauw verandering in hoop te brengen.'

'Op *De Tijd* zijn al wel machines,' zegt Van der Meulen. 'Ikzelf heb nooit getijpt.'

Wiessing neemt de handdoek van hem aan en hangt die over de open deur van een van de kantoorkasten. 'Wat vind je van *De Amsterdammer*?'

'Ik lees hem met genoegen.'

'Mooi. En heb je ook kritiek?'

'Misschien ontbreekt er een zeker elan, als ik zo vrij mag zijn.'

Nu knikt Wiessing instemmend en gaat er eens goed voor zitten. 'De onverbiddelijke stem van een vrijdenkend en maatschappelijk progressief Nederland, dat was *De Groene* ooit. Maar dat was in de tijd van de Tachtigers. Vervolgens is mijn voorganger oud geworden. Het weekblad dat hij over-droeg was steeds meer gaan lijken op dit grachtenhuis: een comfortabel onderkomen waar een paar stramme polemis-ten nog wat napruttelen tegen machthebbers die de touwtjes al lang niet meer in handen hebben. Hier, moet je zien.'

Hij trekt een recente bijlage met een politieke tekening van Braakensiek onder een stapel handgeschreven kopij op zijn bureau vandaan. 'Is dit nou een spotprent van vandaag?'

Voordat de gedetailleerde afbeelding met meerdere dames en heren in avondtoilet goed te bekijken is, grist Wiessing de bijlage alweer weg en leest met een overdreven verdraaide stem de uitvoerige onderschriften voor. Daarna heft hij in gespeelde wanhoop zijn armen ten hemel. 'Zeg nou zelf! Dit is toch slap en volkomen passé! Een goede politieke prent heeft hoogstens een of twee woorden tekst. Kijk naar de te-keningen in *Gil Blas* of *Simplicissimus*. Wat moet een modern hoofdredacteurtje met zo'n laat-romantisch meubelstuk als Braakensiek? Braakensiek is heilig vanwege zijn prenten over de Boerenoorlog! En het publiek smult nog altijd van zijn werk! Moet ik zo iemand er zomaar uitknikkeren? De uitgever zou me zien aankomen! En zo zijn er meer in *De Amsterdammer*, mijnheer Vermeulen!'

Van der Meulen lacht meelevend.

'Je begrijpt: ik moet voorlopig roeien met de riemen die ik heb. Maar uiteindelijk zie ik het als mijn roeping deze krant te hervormen, hem weer te maken tot een vlammend *journal d'opinion*, tot de stem van de jeugd en de moderne tijd, ook op het gebied van de cultuur. Tot het medium van alle jonge intellectuelen die strijden voor een rechtvaardiger maatschappij, waarin ieder mens vrij is en waarin niet langer één zelfgenoegzame klasse, maar het hele volk het voor het zeggen heeft...'

'U bedoelt het socialisme,' zegt Van der Meulen. Daar heeft hij het met Diepenbrock uitvoerig over gehad. Die noemde het socialisme 'een materialistische gruwel' en 'een oppervlakkige reactie op de verschrikkingen van de industrialisatie en mechanisering – geen glorende dageraad, maar een nachtmerrie van kaalslag en nivellering'.

'Jazeker bedoel ik het socialisme,' zegt Wiessing, 'al wil mijn liberale directie dat woord niet horen in dit pand. Maar ik heb je niet uitgenodigd om over de politiek of de toekomst van mijn krant te praten. Laat ik eenvoudig met de deur in huis vallen. Ik zoek een nieuwe medewerker voor de muziek.'

'Dat meende ik uit uw invitatie op te mogen maken.'

'En ik wil meteen open kaart met je spelen,' gaat Wiessing verder. 'Je bent niet de eerste die ik vraag.'

Er loopt nog een druppel Van der Meulens boord in en hij moet zijn best doen niet te klappertanden.

'Op het moment dat mijn oude muziekman – je kent hem ongetwijfeld uit zijn vakkundige...'

'Averkamp?'

'...maar veel te aarzelige stukjes... Op het moment dat Averkamp zijn ontslag indiende, ben ik onmiddellijk op de tram gesprongen naar de Verhulststraat, om mijn oud-leraar Latijn, Alphons Diepenbrock, te vragen of hij het nieuwe geluid over de Nederlandse muziekbeoefening wilde laten horen in *De Amsterdammer*. Je hebt Diepenbrock ontmoet, begreep ik.'

'Hij heeft mij een paar keer ontvangen,' zegt Van der Meulen. Dat Wiessing eerst Diepenbrock zelf gevraagd heeft is nieuw voor hem.

'Diepenbrock is een wonderlijk man – "de wandelende tak" noemden wij hem op school vanwege zijn onnavolgbare motoriek. Hij heeft een vlijmend intellect, maar is schuw. Als hij zich kwaad maakt is hij een groot schrijver. Alleen hij maakt zich tegenwoordig niet vaak kwaad meer, lijkt het wel.'

'Ik ken zijn stukken uit *De Nieuwe Gids*.'

'Juist ja.' Wiessing wrijft opgewonden in zijn borstelige haar. 'Dan weet je wat ik bedoel. Omdat ik de indruk heb dat er in de contreien van het Concertgebouw wel eens een paar reputaties afgestoft zouden mogen worden, dacht ik: ik vraag mijn oude leermeester een nieuwe Tachtiger-revolutie in de muziekkritiek te ontketenen, misschien breng ik zo het bloed van die schichtige leeuw weer aan de kook. Maar wat doet Diepenbrock als ik hem mijn verzoek kom voorleggen? Hij kijkt me verschrikt aan en zegt: "Maar dat kan ik helemaal niet..." En op mijn tegenwerping dat hij juist een van de weinigen is die het *wel* zouden kunnen, antwoordt hij dat hij in de eerste plaats componist is en dat zijn composities nog altijd nauwelijks gespeeld worden omdat Mengelberg alleen *belooft*, en dat als hij nu ging doen wat ik van hem vroeg, hij de komende jaren elke uitvoering van zijn muziek zou kunnen vergeten. Om kort te gaan: hij was bang de poten onder zijn eigen stoel vandaan te zagen. Laf, maar begrijpelijk. Dus toen heb ik hem gevraagd of hij niet iemand anders voor me wist.' Wiessing pakt een briefje van zijn bureau en overhandigt het aan Van der Meulen. Het bekende crèmekleurige papier met Diepenbrocks sierlijke handschrift.

Geachte heer Wiessing, mij zijn, moet u weten, nu en dan kleine recensies in De Tijd opgevallen, ondertekend met M. Ik dacht daar toen u bij me was niet aan, maar ik heb nu geïnformeerd. Het is een jonge jongen, Vermeulen heet hij, of Van der Meulen, hij komt uit Brabant. Ik heb een lang gesprek met hem gehad. Hij kan een extra inkomen goed gebruiken en hij moet u zelf maar dat leven van hem hier in Amsterdam uitleggen. U kunt gerust met hem in zee gaan, hij is juist degene die u voor de muziek hebben moet. Was getekend, dr. A. Diepenbrock.

'Hij had mij uitgenodigd naar aanleiding van mijn beschouwing over zijn *Marsyas*,' zegt Van der Meulen terwijl hij het briefje teruggeeft. 'Ik voel mij vereerd door hem bij u aanbevolen te zijn.'

'Zo mag je je inderdaad wel voelen,' zegt Wiessing. 'Diepenbrock beveelt niet zomaar iemand aan. Vroeger op school, als jongen van dertien, had ik altijd het gevoel dat ik nooit aan zijn eisen zou kunnen voldoen, een gevoel dat ik eigenlijk nog steeds heb. Naast deze stuurse erudiet voel ik me altijd een oppervlakkige kleingeest, wat toen ik zijn leerling was nog versterkt werd doordat zijn welwillende vriendelijkheid op de onverwachtste momenten kon omslaan in ironie, of doordat hij je negeerde, alsof hij je vanaf zijn hoogte niet eens opmerkte. Pas veel later heb ik begrepen dat die ongenaakbaarheid en ontoeschietelijkheid voortkwamen uit zijn eigen schuchterheid. Hij had geen idee hoe hij moest omgaan met adolescenten, die natuurlijk heel andere zaken aan hun hoofd hadden dan de esthetische en filosofische parels uit de klassieke oudheid die hij ons toewierp. Sommigen beschouwden hem als een zonderling en lachten hem achter zijn rug uit. Anderen, zoals ikzelf, wisten dat hij beroemde schrijversvrienden had, opzienbarende beschouwingen publiceerde in *De Nieuwe Gids*, en dat hij muziek componeerde in zijn vrije tijd. Wij voelden een diep ontzag voor deze kunstenaar en beschouwden hem als superieur aan al onze andere leraren, tegenover wie hij zich overigens net zo vreemd en afstandelijk gedroeg als tegenover ons. Hij moet zich in een volstrekt geestelijk isolement gevoeld hebben op die school.'

Wiessing staat op en loopt naar het raam.

'Eén keer ben ik toen bij hem thuis geweest, een bezoekje dat me altijd is bijgebleven, hoe kort en teleurstellend het ook was. Aan het eind van de derde klas moest ik een herexamen Latijn doen om over te kunnen. "Ga maar aan Mijnheer Diepenbrock vragen welke stof je moet bestuderen," zei de rector. Omdat het al vakantie was, begaf ik mij naar de Grote Markt, waar Diepenbrock een kamer huurde boven een winkel in heiligenbeelden en kerkbenodigdheden. Schoorvoetend ging ik de schemerige verkoopruimte door, afkeurend nagestaard door alle gipsen Madonna's, Sint Antoniussen en Heilige Jozefs, en beklom een donker trapje. Op de eerste verdieping klopte ik met bonzend hart op de deur. Zijn kamer hing vol met schilderijen, platen en orientaalse doeken, en werd voor een groot deel gevuld door de prachtige rozenhouten vleugel die hij tegenwoordig nog steeds op zijn werkkamer heeft staan. Die hebt u ook gezien toen u bij hem was.'

Van der Meulen knikt.

'Diepenbrock zat over zijn muziekpapieren gebogen, en begon die gehaast te ordenen. "Wat komt u doen?" vroeg hij nors. Ik stelde hakkelend mijn vraag. Hij keek me ontstemd aan. *Welke* stof ik moest bestuderen? *Alle* stof natuurlijk. Vervolgens wendde hij zich af, alsof ik hem aan iets vreselijks herinnerde, dat afschuwelijke leraarschap waaraan hij liefst zo min mogelijk dacht. En omdat hij verder niks meer zei, begreep ik dat ik kon gaan, het donkere trapje weer af, langs de meewarige heiligen terug naar het daglicht op de Grote Markt. Merkwaardig genoeg herinner ik me van dat herexamen niets.'

'Die bladen muziek,' zegt Van der Meulen, 'dat moet de *Missa in die festo* geweest zijn. Die is later wel uitgegeven maar nooit uitgevoerd.'

'Dat zou goed kunnen,' zegt Wiessing. Hij trekt een horloge uit zijn vestzak en gaat weer achter zijn bureau zitten, alsof hij ineens beseft dat hij meer te doen heeft, deze middag.

'Ter zake nu. Na Diepenbrocks aanbeveling heb ik een paar stukken van je bekeken in *De Tijd*, die ik zelden meer opsla sinds ik agnost ben. En ik moet je zeggen: wat ik te lezen kreeg beviel me. Vooral over Diepenbrock was je goed op dreef...' Er klinkt ironie in zijn stem. 'Maar ook je andere besprekingen vond ik uitstekend. Soms nog wat ingehouden, al heb ik niet de indruk dat je bang zou zijn Mengelberg of andere grootheden aan te pakken.'

'O nee, mijnheer. Mengelberg verdient een uitgesproken criticus, die hem niet naar de mond praat maar terechtwijst als dat nodig is. Hij is de grootste dirigent die we hebben in Nederland, en dat geeft hem een zware verantwoordelijkheid tegenover de muziek, waar ik hem zo nodig graag op zal wijzen.'

'En waar zou je hem dan *concreet* op wijzen?'

'Doordat het buitenland zijn kwaliteiten ook ontdekt heeft, is hij steeds vaker op reis. Daardoor bereidt hij zijn Nederlandse concerten soms slecht voor. En hij is erg gevoelig voor het publiek en laat zich te graag huldigen. Na elk griepje of buitenlands reisje krijgt hij wel een krans.'

'Ga door,' zegt Wiessing.

'Wat ik bedoel te zeggen is dat een groot kunstenaar als Mengelberg zich uitsluitend en belangeloos in dienst van de muziek moet stellen. Hij heeft hartstocht en flair, invoelingsvermogen en spontaniteit; een heldere kijk op de bouw van een compositie. Zijn contrasten en overgangen kunnen subtiel zijn als de lichtschakeringen van Rembrandt. Als hij dan met al die vermogens de grote meesterwerken tekortdoet met een zelfgenoegzame of slordige uitvoering, moet hij daarop gewezen worden, zodat hij weer weet wat hij te dienen heeft: de muziek en de muziek alleen!'

Wiessing wipt een beetje achterover met zijn stoel. 'Voor iemand met jouw overtuiging ben je erg voorzichtig in je stukken.'

69

'Dat komt omdat de uitgever van *De Tijd* mij nauwelijks toestaat mijn werkelijke mening te geven. Mijn stukken worden zonder overleg ingekort of afgezwakt en aangepast aan de smaak van de simpelste parochiepriesters. En er mag vooral niemand voor het hoofd gestoten worden. Ik heb mij daar wel eens woedend over gemaakt, maar wat kan ik eraan doen als ik mijn baan niet wil verliezen? Ik heb het geld hard nodig. Dus gaandeweg heb ik mij misschien aangepast en ben ik onbewust terughoudender gaan schrijven. Al passeerde er een enkele keer ook wel eens iets. Heeft u mijn stuk over het jubileumconcert voor het Amsterdamse Conservatorium gelezen?'

'Kende Wierdels geen Roomse achterneefjes van de componisten die daar gespeeld werden?' vraagt Wiessing.

'Hij was een paar dagen weg toen ik moest inleveren en heeft me er achteraf op aangesproken. Als ik dat stuk nu zelf teruglees, zie ik wel dat ik inderdaad ver ga.'

'En vind je zelf ook dat je *te ver* bent gegaan?'

'Het was eigenlijk nog veel erger dan ik het beschrijf.'

Wiessing begint te lachen. 'Als je bij mij een stuk zou inleveren met de mededeling dat het eigenlijk nog veel erger was dan je beschrijft, zou ik dat stuk niet eens lezen en je onmiddellijk weer naar huis sturen. Ga eerst maar eens opschrijven hoe het echt was. *De Amsterdammer* stelt van oudsher de vrijheid voorop, in het bijzonder de vrijheid van meningsuiting. Daarom ook worden alle stukken in *De Amsterdammer* voluit ondertekend. In mijn weekblad geef je dus ongezouten je mening en kun je je niet verschuilen achter een initiaal. Als je je in dit alles kunt vinden, mijnheer Vermeulen, dan mag je voor me komen schrijven.'

'Ik kan mij daar geheel in vinden, mijnheer.'

Wiessing staat op en geeft hem een hand. 'Dan zullen wij zeker tot een vruchtbare samenwerking komen. Ik heb er geen bezwaar tegen als je ook voor *De Tijd* blijft schrijven, aangezien ik begrijp dat je het geld nodig hebt. Over je honorarium zal ik op korte termijn met de directie spreken.

Kopij lever je hier op dinsdagochtend bij mij in, de gezette proef kom je op donderdag corrigeren bij drukkerij Ellermans & Co in de Warmoesstraat. Volgende week zie ik graag je eerste bijdrage tegemoet. En doe mijn complimenten aan Diepenbrock als je hem weer spreekt.'

'Ik zou graag beginnen met een structuuranalyse van *Marsyas*,' zegt Van der Meulen. 'Zou ik daar ook notenvoorbeelden bij kunnen geven?'

Wiessing kijkt verrast op, en glimlacht dan. 'Schrijf het stuk dat je wilt schrijven en dan kijken we dinsdag verder.'

Als Van der Meulen even later langs de gracht loopt, is het droog en breekt een waterig zonnetje door. Hij gooit zijn hoed de lucht in en slaakt een triomfkreet die tot op de Westermarkt te horen moet zijn. Vermeulen, denkt hij. Vanaf nu heet ik Matthijs Vermeulen.

1911

7

Een Amerikaan die het
Larense landschap kwam schilderen

'Jo is in Haarlem voor de vijftigste verjaardag van haar tante,' zegt Diepenbrock aan de ontbijttafel als Koosje de meisjes naar school is gaan brengen. 'Morgen heeft ze een groot familiediner in Palais Royal. Ik ga vanmiddag met haar wandelen in Zandvoort.'

'Volgend jaar word jij vijftig,' antwoordt Elsa alleen maar.

Vanwege Goede Vrijdag zijn er niet veel reizigers. In de eerste klas wachtkamer op station Haarlem is bijna niemand.

Jo zit in gedachten verzonken op een bank langs de muur en ziet hem niet meteen. Dan lacht ze en staat op om naar hem toe te komen. Na zijn bezoek aan Ukkel in februari hebben ze elkaar niet meer gezien en op haar verzoek ook niet meer geschreven. En toen kwam na twee maanden ineens haar briefje.

Ze begroet hem hartelijk en ze omhelzen elkaar. Ze houdt hem niet echt af, maar hij voelt dat zij ook zenuwachtig is. 'Zullen we meteen het stoomtreintje nemen?' stelt ze voor.

De hele rit naar Zandvoort doen ze onhandig en schutterig tegen elkaar; er zitten mensen om hen heen, er komt geen einde aan het gerammel en gehots door de duinen. En na een tijdje, als zij geen initiatief tot conversatie neemt, vraagt hij maar naar Cathrientje. Het kind was vorige week erg verkouden, vertelt ze, met hoge koorts, negendertig vijf. 'Deze week ging het weer beter, ik heb zelfs overwogen haar mee te nemen naar het feest. Maar uiteindelijk leek het toch verstandiger haar thuis te laten, ze zag nog erg bleekjes.' En dan

75

vraagt zij naar Thea en Joanna en of die de kerstpakketjes aardig vonden die ze gestuurd heeft, en naar zijn vorderingen met de orkestratie van *Die Nacht.*

Hij beantwoordt haar vragen, stelt er zelf nog een paar en denkt alleen maar: ze wacht tot we aan het strand zijn, dit nieuwsgierige lawaaitreintje is geen plek om te praten.

'Heb je gelezen dat Mahler terugkomt uit Amerika?' vraagt hij terwijl ze vanaf het Zandvoortse station de trap oplopen om via de Passage naar de boulevard te wandelen. 'Ziek. En het schijnt ernstig te zijn, hoorde ik. Ik ben bang dat we hem niet terug zullen zien.'

'Wat verschrikkelijk voor je,' zegt ze.

Aan het strand jaagt een harde wind, zo koud als je hem in april niet meer zou verwachten, de golven en het schuim ver het land op. De zee is asgrauw en woest, aan de einder liggen donkere wolken in de grilligste vormen. Jo houdt het uiteinde van de wollen shawl die ze om haar hoofd geslagen heeft voor haar mond. Een ontsnapte sliert haar fladdert onder de stof vandaan in de wind. Haar overmantel en rok wapperen strak langs haar lichaam naar achteren. Zelf moet hij zijn hoed stevig op zijn hoofd drukken en de kraag van zijn jas dichthouden. Een horizontale nevel van opstuivend zand waait op enkelhoogte langs hun benen. Ook geen ideale omstandigheden voor een gesprek.

'Laten we een strandtent zoeken,' zegt Jo.

Maar bij alle paviljoens die ze passeren rukken de vastgesnoerde rieten strandstoelen en badkoetsen aan hun ketenen en hangen bordjes 'gesloten' voor het raam. Ze wijst naar een brede strandtrap verderop. 'Misschien is het Groot Badhuis open.'

'Dat hoop ik van harte,' roept hij tegen de wind in. Zijn gezicht voelt strak van de kou. Ze lopen naar de vlonders met dwarslatten, klimmen de lange houten trap op en stampen op het onttakelde zomerterras bij de ronde glazen entree het zand van hun schoenen.

Binnen in de met scheepsattributen en potpalmen versierde ruimte brandt een grote kolenkachel die midden in de ruimte staat. Een ouder echtpaar kijkt aan een tafeltje voor het raam uit over zee. Schuin achter hen leest een heer met sigaar en lorgnet een krant.

Diepenbrock overhandigt zijn bolhoed en overjas aan een toegeschoten kelner. Hij is tot op het bot verkleumd. Jo trekt haar handschoenen uit, wikkelt de shawl van haar hoofd, brengt haar kapsel op orde en opent haar mantel, die hij van haar aanneemt en aan de kelner doorgeeft. Ze heeft de lichtblauwe japon aan met het prachtige kunstnaaldwerk langs kraag en manchetten, de jurk die ze in februari droeg toen ze in Brussel uit eten gingen. Adembenemend is ze erin. Hij bestelt thee en ze lopen naar een zitje voor het raam in de verste hoek. 'Met dit weer wil ik er wel een rode port bij,' zegt ze.

Hij loopt terug om bij de kelner achter in de zaal nog een port te bestellen en gaat dan tegenover Jo zitten.

Ze houdt haar hoofd lichtjes voorovergebogen, ontwijkt zijn blik. Aan haar handen merkt hij hoe gespannen ze is. En ineens ziet hij dat ze de ring die hij in Brussel voor haar kocht niet om haar vinger heeft. 'Wat heb je me te zeggen, Jo?'

Ze wacht nog enkele seconden, slikt en kijkt hem dan strak in de ogen.

'Ik ga trouwen, Fons.'

Hij is te verbijsterd om iets terug te zeggen. *Ik weet niet of ik altijd beschikbaar voor je kan blijven,* flitst het door zijn hoofd.

'Met een Amerikaanse schilder die in Pension De Born logeerde om het Larense landschap te schilderen.'

'Wat deed jij in De Born?' vraagt hij kil.

'Na jouw bezoek had ik behoefte mijn familie en mijn Nederlandse vriendinnen te zien en ben met Cathrientje twee weken in pension gegaan.'

'Dus jij zat twee weken in Laren en ik wist van niks.'

'We zouden elkaar een tijdje rust gunnen,' zegt ze.

'Heb ik me zo misdragen,' roept hij, 'dat je plotseling met

een Amerikaan gaat trouwen? Of neem je me in de maling?'
Het echtpaar bij het raam kijkt even naar hen.

'Nee,' zegt ze. 'Ik neem je niet in de maling.'

Voor ze nog meer kan zeggen staat hij met een ruk op, botst bijna tegen de kelner met de bestelling op en rent als een bezetene de glazen deur uit. Zonder op of om te kijken steekt hij het terras over, holt de lange trap naar het strand af, de vlonders over, en loopt door het mulle zand tot hij hijgend aan het water staat en de golven zijn schoenen omspoelen. Zijn haren slaan wild om zijn hoofd en de kou bijt in zijn gezicht, maar hij voelt het nauwelijks. Het liefst zou hij doorgelopen zijn, tot zijn knieën, zijn middel, zijn schouders het water in, maar ondanks het brandende verdriet in zijn borst beseft hij dat zoiets met dit weer geen verstandig idee is. Evenmin als zomaar naar buiten rennen zonder hoed en overjas.

Hij kijkt over zijn schouder. Er komen een paar wandelaars de strandtrap af. Even hoopt hij dat Jo hem achterna zal komen, maar er gebeurt niks. Natuurlijk komt ze hem niet achterna. Wat kan zij doen dan vriendelijk naar de kelner lachen – niks aan de hand hoor, mijnheer haalt even een frisse neus –, haar thee inschenken, een nipje van haar port nemen en wachten tot hij weer binnenkomt. Maar hij wil niet terug naar binnen. Hij zou weg willen gaan, nu, maar waarheen dan? Verder het strand langs? De duinen in? Terug door de Passage naar het station? Wat zou hij tegen Elsa moeten zeggen? Ik heb mijn mantel en hoed in Zandvoort laten hangen want Jo gaat trouwen. Met een Amerikaan die het Larense landschap kwam schilderen.

Dus blijft hij maar staan in de wind en het gekrijs van de meeuwen, terwijl de zee om zijn schoenen spoelt. Zoals gloeiend heet water koud aan kan voelen als je er plotseling mee in aanraking komt, zo voelt het verdriet in zijn borst: als een ijskoude leegte.

Een regelrecht drama was het geweest, zijn laatste bezoek aan Ukkel. Terwijl het in december juist allemaal weer goed leek te komen tussen Jo en hem. Na haar 'worstelbrief' stuurde ze weer af en toe een 'babbelverslag' over haar belevenissen in de Brusselse beau monde. Hij vertelde over zijn vorderingen met *Die Nacht* en zijn wandelingen over de besneeuwde Larense hei. Met Kerstmis waren er verrassingspakketten voor Thea en Joanna. Ze maakte zelfs weer grapjes. Zodat hij in februari vol goede moed naar Ukkel afreisde. Daar deed hij er alles aan om het zo'n oude, ontspannen week te laten zijn: ze gingen oesters eten in de stad, hij kocht een veel te dure ring voor haar, ze gingen in de Pole Nord kijken hoe de hetaeren van Brussel begeleid door muziek op kunstijs walsten; in een cinematograaf zagen ze romantische beelden van Italië – allemaal dingen waar Jo dol op was. 's Avonds in het huisje speelde ze hem voor uit het piano-uittreksel dat ze gekopieerd had, en samen studeerden ze zijn pianobewerking voor vier handen in van het Adagio uit Mahlers Vierde. En toch wilde het maar niet vanzelfsprekend tussen hen worden.

Als hij moe was van de uitjes en behoefte had nog wat te lezen of rustig bij elkaar te zitten, begon Jo telkens weer over wat haar sinds de *Marsyas*-première kwelde: 'Ik wil niet altijd maar wachten en verlangen, altijd maar leven in een droom. En ik wil ook niet langer geheimzinnig doen, de praatjes en nieuwsgierige vragen ontwijken. *Je joue et ris, quand je me sens en peine.* Waarom moet ik me schuldig voelen over iets volkomen zuivers? Onze liefde is toch zuiver? Waarom mag hij dan niet openlijk bestaan? En waarom moet iets wat zuiver en goed is anderen ongelukkig maken?' Enzovoort enzovoort. Natuurlijk zei ze uitdrukkelijk niet dat hij nu eindelijk eens een beslissing moest nemen, maar de boodschap was duidelijk.

Door die niet aflatende en telkens in dezelfde kringen draaiende gesprekken was de hele week een onuitsprekelijke vermoeienis geworden. En omdat Cathrientje voortdurend aandacht vroeg, was hij een paar keer streng tegen het kind, wat Jo hem kwalijk nam. Toen Jo op hun laatste avond

wéér van voren af wilde beginnen, viel hij geïrriteerd tegen
haar uit: 'Kunnen we niet iets prettigs van deze avond maken?' Waarop zij hem een 'koude vis' noemde. Later legden
ze het nog wel bij in de groene kamer, maar ze liet zich niet
echt meer gaan. En na zijn terugkeer in Amsterdam schreef
ze hem weer een lange worstelbrief, die uitliep op het voorstel elkaar een tijdje rust te gunnen. Dat voorstel kwam hem
eigenlijk wel goed uit – hoe ongelukkig hij zich ook voelde over de logeerpartij en hoezeer hij na haar brief het liefst
meteen weer naar haar toe was gereisd om haar van zijn onvoorwaardelijke liefde te overtuigen. De orkestpartituur van
Die Nacht moest af voor de uitvoering in mei. En Elsa had
gemerkt dat er onder haar vriendinnen 'gekletst' werd over
zijn logeerpartij, en was sinds lange tijd weer achterdochtig. 'Misschien heb je gelijk,' schreef hij Jo terug. 'Misschien
moeten we een tijdje geen contact hebben.' Maar nu, terwijl
hij het zeewater in zijn sokken voelt dringen, denkt hij: hoe
heb ik zo'n idioot kunnen zijn. Ik had haar nooit aan haar
lot mogen overlaten. Nu gaat ze trouwen met een Amerikaan.

Alle ogen zijn op hem gericht als hij het badhotel weer binnenkomt. Kalm, alsof er niets gebeurd is, gaat hij in zijn fauteuil tegenover Jo zitten. Rillend over zijn hele lijf.
    'Ik wist van tevoren dat ik je zou overvallen,' zegt ze.
    'En daarom leek een strandwandeling je veiliger dan een
kop thee in Haarlem. Maar helaas, het weer zat niet mee. Nu
is het toch nog een gênante vertoning geworden.'
    'Ik wilde rustig kunnen praten, maar ik ben er altijd vanuit
gegaan dat jij mijn besluit op een waardige manier zou respecteren.'
    'En je ging er zeker ook vanuit dat we als goede vrien-
den uit elkaar zouden gaan? Zonder verwijten, zonder bitterheid? Hou je van die Amerikaan zoals je van mij hebt gehouden?'
    Ze neemt een slok port. Het is haar tweede glas, het eerste

staat leeg op het tafeltje. 'Denk je dat ik met Joe trouw omdat ik niet meer van jou hou? Ik heb voor mezelf gekozen, Fons. Voor een toekomst die jij me niet kunt geven, voor rust. En ja, dat wij ooit weer vrienden kunnen zijn, echte, goede vrienden, dat hoop ik van harte.'

Haar vastberadenheid steekt hem. 'Jo en Joe,' zegt hij. 'Het klinkt in ieder geval goed. Krijg je weer een kind?'

Ze lijkt zijn vraag niet gehoord te heben. 'Joe speelde steeds zo leuk met Cathrien. Ik heb veel met hem gepraat, over jou, over ons. Hij was erg lief en begrijpend. En toen zijn we verliefd op elkaar geworden.'

'Een echte *amour fou*, ik zie het voor me. Ach Jo, ik heb me altijd al afgevraagd wat een jonge vrouw als jij in een oude man als ik zag. O, de muziek in mij, die vond je aantrekkelijk. Maar de rest...'

Ze zwijgt, maar hij ziet dat ze boos is.

'Weet je nog Jo, hoe je die eerste keer met je dambordmantel en je schollehoed mijn kamer binnenkwam om te vragen of ik je Latijnse les wilde geven? Ik moest me inhouden om je niet meteen een zoen te geven. En jij zei alleen maar "Wat een mooi uitzicht hebt u" en weg was je weer...'

'Wil je dit niet doen, Fons.'

'Als je hoopt dat wij ooit "goede vrienden" zullen zijn, dan besef je kennelijk niet wat jij voor mij geweest bent, en nog bent, vanaf het moment dat ik je voor het allereerst zag. En waar het geluk dat wij dit afgelopen jaar gekend hebben in wortelt. Jij bent mijn grote liefde, Jo, mijn enige verlangen. Door jou heb ik ontdekt wat liefde is. Eén jaar heb ik ervan mogen proeven, één jaar heb ik mogen ervaren wat het betekent door jou bemind te worden. En tot het moment dat ik sterf zal ik, vanuit het diepst van mijn ziel en met alles wat in me is van je blijven houden, en ik zal ieder uur dat ik leef aan je denken, met onveranderlijke en onmetelijke liefde, ook al wil jij mij vergeten en kies jij nu voor iemand anders. Jij kunt voor mij niet zomaar een "vriendin" zijn. Nooit. En ik kan je niet zeggen hoezeer het me kwetst dat je zoiets kunt hopen en dat je alles wat er tussen ons geweest is in één klap het verleden in denkt te kunnen vegen.'

'Dat denk ik helemaal niet, dat weet je toch wel?' Ze begint te huilen.

Hij staat op, loopt naar de kelner en bestelt een glas brandewijn. Als het gebracht is, drinkt hij het huiverend van afschuw in een teug leeg.

In het stoomtreintje zitten ze lange tijd zwijgend tegenover elkaar.

'Weet je nog hoe we vorige zomer in het bos van Tervueren dat sonnet "Epoche" van Goethe lazen?'

'Fons. Nu moet je echt ophouden, het is zo al pijnlijk genoeg.'

'*Petrarca's Liebe, die unendlich hohe,*' citeert hij, '*War leider unbelohnt und gar zu traurig, / Ein Herzensweh, ein ewiger Karfreitag.* Vandaag is *mijn* ewiger Karfreitag begonnen.'

Ineens is ze woedend. 'Wat denk jij eigenlijk wel, Fons! Dat het voor mij makkelijk is? Weet je hoe ik geleden heb? En moet je er nu Goethe en Petrarca bij halen om mij te straffen? *Ein ewiger Karfreitag!* Kom nou toch.'

'Zo voel ik het, Jo! Maar je hebt gelijk.' En dan slaat zijn bittere stemming om en bedankt hij haar voor al het moois dat ze in zijn leven heeft gebracht, alle innigheid, alle bruisende jeugd en schoonheid. Met tranen in zijn ogen zegt hij dat het hem spijt dat ze door hem verdriet gehad heeft. 'Misschien was ik te egoïstisch, dacht ik te veel aan mijn eigen geluk. Maar ik beloof je dat ik je niet meer zal schrijven, je zal ontwijken, je niet meer zal lastigvallen, geen beslag meer op je zal leggen. Als het voor jouw geluk nodig is mij te vergeten, doe dat dan. Jouw geluk is het belangrijkste voor mij.'

Zijn omslag kalmeert haar enigszins. 'Ik zal jou nooit vergeten, Fons, hoe zou ik dat kunnen.' En na een tijdje legt ze haar hand op de zijne. Zo rijden ze station Haarlem binnen.

'Dan ga ik maar,' zegt hij op het perron. 'Moge dit het begin van een nieuw gelukkig leven voor je zijn. En weet dat ik je altijd lief zal hebben. Heb het goed!' Hij draalt nog even, wil haar een kus geven, maar ze weert hem af.

'Zal ik je een uitnodiging sturen voor *Die Nacht*?'

'Als je dat wilt. En zal ik jou je ring terugsturen?'

Hij verstijft. 'Mijn ring. Ja, doe dat maar. En doe er dan ook mijn oude penhouder bij.'

Zonder nog naar haar om te kijken loopt hij met grote passen het perron af, precies de verkeerde kant op voor de trein naar Amsterdam.

8

Petrus

Het is bedompt en rumoerig bij Keetje als Vermeulen er binnenstapt en aan zijn vaste tafel achter in de hoek schuift. De vertrouwde lucht van het fornuis, petroleumstellen, lang doorgekookte groenten, roetige lampen en tabak. Geen bekenden dit keer: een paar studenten, veel arbeiders en knechten uit de bedrijven aan de Warmoesstraat en het Damrak, wat oude mannetjes uit de buurt voor wie dit eethuis een dagelijkse ontmoetingsplek is. Er wordt gelachen, sommigen zijn in gesprek, anderen werken zo snel mogelijk hun eten naar binnen, de elleboog op tafel en de pet nog op. Vrijwel iedereen die zijn bord leeg heeft, zit te roken.

Keetje heeft hem al gezien en brengt hem een bord met kapucijners, rijst en vlees. Hij vist twee kwartjes uit zijn zak en overhandigt ze haar. Echt lekker eet je hier niet, en gezellig kun je het ook niet noemen, maar sinds hij voor *De Amsterdammer* schrijft en regelmatig op de drukkerij verderop in de straat moet zijn, komt hij hier graag. Voor niet al te veel geld krijg je een maaltijd waar je even op voort kunt: bieten met spek, stamppot of pannekoeken.

Dat hij zich nu kan veroorloven in een eethuis te eten voelt als een luxe na alle ontberingen op zijn zolderkamers. Net als dat hij een nieuwe broek kan laten maken wanneer de oude sleets wordt, zijn schoenen kan laten verzolen, een tram nemen. Misschien gaat hij zich zelfs fotografisch laten portretteren. En toen hij vorige maand naar Diemen verhuisde heeft hij voor het eerst van zijn leven een piano kunnen huren, waardoor hij eindelijk kan oefenen en de muziek die hij van Diepenbrock leent doorspelen wanneer hij wil en zo lang als hij wil – in Diemen heeft niemand last van hem.

Wonderlijk hoe alles door één verandering in een stroomversnelling kan komen. Alsof door één verschoven steen de rivier een andere loop neemt. Doordat Diepenbrock hem bij Wiessing heeft aanbevolen, eet hij nu vaak hier bij Keetje. Een jonge schilder die hij af en toe in de Vondelkerk zag, bleek dat ook te doen en zo kwamen ze aan de praat. Ze bleken allebei opgegroeid in Brabant, raakten min of meer bevriend en hij was een paar keer model gaan zitten in Diemen. Dat atelier was mooier dan hij ooit voor zichzelf zou hebben durven dromen: geen gewone pensionkamer maar een afgeschutte ruimte achter in een schuur op een boerenerf, wel vier keer groter dan de grootste zolderkamer die hij ooit heeft gehad. De ruimte werd verwarmd met een houtkachel en keek uit over de besneeuwde Diemer polder met populieren aan de einder – een minstens even prachtig uitzicht als dat vanuit Diepenbrocks werkkamer. De gemetselde muren en de zoldering leken wel rotswanden: met woeste streken beschilderd, in bruingroene en blauwgrijze tinten, op de manier van Breitner of Israëls. Mijn Spelonk, noemde de schilder het. Al gauw bleek dat hij wilde ophouden met de Academie en naar Bergen verhuizen, zodat zijn atelier in het voorjaar vrijkwam. 'Ik wil best aan de boer vragen of je het over mag nemen.'

En nu zit hij alweer een paar weken in de Spelonk, met piano en al, en kan dag en nacht spelen, schrijven en componeren, zonder met iemand rekening te hoeven houden. Door zijn verbeterde inkomen is hij voor het eerst in zijn leven zo vrij als een vogel. Het enige nadeel is de afstand tot de stad, maar ook dat valt wel mee: nog geen uur lopen over de Middenweg langs Frankendael en door de weilanden van de Watergraafsmeerpolder, of langs de Omval en de Weespertrekvaart tot aan de Diemer polder. Na afloop van de concerten 's avonds, of 's nachts na het corrigeren van zijn kopij voor de ochtendeditie op de zetterij, geniet hij vaak van die wandelingen, zeker nu het minder koud begint te worden. Ze bieden hem ruimschoots de gelegenheid na te denken over wat hij te schrijven heeft of over de muziek die hem voor ogen staat. En met de IJzeren Maatschappij richting Zutphen ben je vanaf Centraal Station of Muiderpoort binnen twintig minuten bij de halte Diemerbrug. Met de Gooische Stoomtram vanaf Weesperpoort is het nog korter. Een heel enkele keer, bij al te slecht weer, gunt hij zich zo'n ritje.

Hij trekt de nieuwe *Amsterdammer* uit zijn jaszak en bekijkt even snel zijn eigen stuk. Daarna bladert hij verder. Als bijlage bevat het nummer een prent van Braakensiek over de recente Marokkaanse opstand: 'Honing zoeken in een wespennest'. Wiessing mag Braakensiek dan een laat-romantisch meubelstuk vinden – deze prent is schitterend. In een Noord-Afrikaans landschapje staat de in militair tenue gehulde Franse Marianne onder een wolk van wespen te graaien in een holle boom met het opschrift 'Marokko', terwijl de Duitse keizer van afstand wantrouwig toekijkt. 'Wat zwijg je nou,' vraagt ze uitdagend. 'Mag ik dit soms niet?'

De afgelopen weken heeft hij de dagbladberichten over de ontwikkelingen in Marokko op de voet gevolgd en hij sprak er ook al uitvoerig over met Diepenbrock. Een deel van het Marokkaanse volk is in opstand gekomen tegen de sultan, onder meer vanwege de vooral voor het hof lucratieve samenwerking met de Fransen, die na Algerije graag ook Marokko als kolonie zouden inlijven. Om de sultan te helpen en – zoals het officiële argument luidt – om de eigen landgenoten ter plaatse te beschermen tegen de rebellen, heeft de Franse regering een grote troepenmacht gestuurd. Een aantal steden is al terugveroverd op de opstandelingen en nu staan de Franse troepen op het punt Fez binnen te trekken.

De Duitsers hebben al jaren handelsbelangen in Marokko. *Der Kaiser* laat de wereld weliswaar nog in spanning en zwijgt, zoals op de prent van Braakensiek, maar iedereen verwacht dat hij deze Franse actie niet over zijn kant zal laten gaan.

Volgens Diepenbrock zou het nog wel eens rampzalig kunnen uitpakken. Die beschouwt het militaristische Duitsland van na 1870 als een gevaar voor de vrede in Europa. En hij vreest nu zelfs dat de Duitsers in hun grootheidswaan en kapitaalkrachtige overmoed de Marokkaanse kwestie zullen aangrijpen om een groot militair conflict te ontketenen.

Aan een lange tafel schuin tegenover Vermeulen zitten drie mannen te eten. Werklui, van het spoor misschien. De oudste, een magere, kalende vijftiger met fanatieke, diepliggende ogen, meent hij wel eens eerder hier bij Keetje gezien te hebben. Terwijl de andere twee praten, zit deze zwijgend boven zijn bord en neemt af en toe een hap. Over de ramp in de Emma-mijn te Hoensbroek gaat het en over de nalatigheden van de directie, en even later over het feit dat de Werkgeversvereniging op Scheepvaartgebied zonder overleg met de vakvereniging een nieuwe loonregeling voor het lossen van hout heeft vastgesteld. 'Schandelijk,' zegt de jongste man met zijn mond vol. 'En die regeling dan ook nog op 1 mei van kracht verklaren. Een regelrechte provocatie!' Hij is blond, een jaar of dertig, kauwt nauwelijks op zijn eten. 'Overigens, gaan jullie zondag ook naar het Paleis voor Volksvlijt? Troelstra spreekt. En die Wibaut wil ik wel eens horen.'

'Ik dacht dat jij alleen voor de muziek ging,' lacht de tweede man, een grote lobbes met een baard en een kleine ronde bril. Hij is klaar met eten en steekt een pijp op. 'Wat Troelstra te zeggen heeft over de achturendag en het algemeen kiesrecht weet ik nou wel. Maar ik loop maandagavond zeker mee met de betoging vanaf de Conradstraat.' Hij verspreidt een dikke, zoetige walm om zich heen. 'En jij,' vraagt hij aan de kale man met de diepliggende ogen, 'loop jij ook mee in de meibetoging?'

Die heeft tot nu toe zitten luisteren als een vader naar het gebabbel van zijn kinderen. Nu zegt hij met superieure stelligheid: 'Ja ik loop mee, maar niet voor Troelstra en zijn algemeen kiesrecht.'

'Waarvoor dan wel?'

'Ik loop mee voor alle onderdrukte arbeiders op de wereld en voor de wereldvrede. Niet voor de tot de tanden gewapende "vrede" die het kapitalisme ons gebracht heeft, en die feitelijk een door de arbeiders betaald kruitvat is dat elk moment de lucht in kan vliegen. Ik loop mee tegen het kapitalistische militarisme en voor de totale omverwerping van alle heersende klassen!'

De andere twee kijken hem beduusd aan. 'Maar je bent toch ook voor de achturendag en het algemeen kiesrecht?'

'Natuurlijk. Alleen heeft dat geen prioriteit. Op dit moment moet het socialisme internationaal, radicaal en revolutionair zijn. Een paar zetels in het parlement zijn prachtig. Maar wat bereikt Troelstra ermee? We moeten radicaler denken. De hele burgerlijke maatschappij moet omver. In het belang van Europa en de wereldvrede. En van het algemeen kiesrecht en de achturendag. Door braaf deel te nemen aan de parlementaire democratie maak je geen revolutie!'

Het is het bekende verhaal, denkt Vermeulen. Een zetter van *De Amsterdammer* zei laatst ook dat 'de enige remedie tegen de oorlogszuchtige grootheidswaan van de Duitse generaals en het industriële grootkapitaal' niet een zinloze wapenwedloop is, of een pompeus Vredespaleis zoals dat nu in Den Haag gebouwd wordt, maar 'de vreedzame, internationale proletarische revolutie'.

Daar zit veel in, maar volkomen overtuigend is het niet. 'Weet je waar ik in geloof?' had hij laatst tegen Wiessing gezegd. 'Vrijheid, Gelijkheid en Broederschap. En die worden niet bereikt met uitsluitend politieke en economische middelen, zeker broederschap niet. Daar is iets veel krachtigers voor nodig. Natuurlijk heeft iedereen in de samenleving recht op zeggenschap, op loon naar werken, een dak boven zijn hoofd en onderwijs. En natuurlijk is het geweldig dat de socialisten daar met steeds meer succes voor strijden. Maar dat het internationale proletariaat wereldvrede zal brengen als het eenmaal aan de macht is geloof ik niet. In een werkelijk menswaardige samenleving draait het om meer dan materiële welvaart en gelijke rechten alleen, zelfs om meer dan solidariteit. Een gemeenschap moet ook geestelijk bezield worden. En die bezieling is alleen te voeden door visionaire kunstenaars, die de mensen door de schoonheid in contact brengen met hun gemeenschappelijke oorsprong in het buiten-tijdelijke.'

'Ik kan horen dat je bij Diepenbrock in de leer bent,' lachte Wiessing.

Vermeulen schraapt de laatste kapucijners van zijn bord en merkt ineens dat er aan de andere kant van het eethuis, achter een tafel naast de ingang, onafgebroken een jongen naar hem zit te staren. Een bekend gezicht heeft die knaap. Blootshoofds, met zijn handen naast zijn bord kijkt hij maar en kijkt, zonder zijn ogen af te wenden. Erg jong is hij nog, een jaar of zestien, zeventien – een schooljongen, als hij tenminste op school zit. Aan zijn kleding te zien heeft hij het thuis niet breed. Het is het soort jongen dat je in de stad bestellingen rond ziet brengen of als hulpje met een timmerman of schoorsteenveger mee ziet lopen. Al heeft hij geen dom of volks gezicht, eerder kwetsbaar en gevoelig. En prachtige, donkere schroei-ogen.

Waar ken ik die jongen toch van? denkt hij. In de Universiteitsbibliotheek zal ik hem niet tegengekomen zijn. Misschien kwam hij ook vaak muziek luisteren achter de hagen rond de Concertgebouwtuin. Ja, dat is het. Die jongen is een 'hek abonnee', net als ikzelf vóór ik aan *De Tijd* kwam.

Ineens ziet hij de knaap weer staan tussen de armlastige luisteraars op de Jan Willem Brouwersstraat. Een kind nog, op dat moment; dertien, veertien jaar – een kind dat kennelijk zo van muziek hield dat het de plagende opmerkingen om hem heen trotseerde voor een paar flarden Mozart of Brahms door de ruisende begroeiing heen. Door die blonde krullen, dat tere gezicht en die vlammende ogen leek hij wel een engel tussen de grauwe werkmannen en straatjongens. Vreemd dat je iemand die je in een andere omgeving zo is opgevallen eerst niet herkent.

De drie socialisten staan op en verlaten het eethuis, nog altijd in gesprek. Over de bolsjewieken in Rusland gaat het nu. En over de radicalen in Nederland: Wijnkoop en Gorter en de Tribunisten. Vermeulen staat zelf ook op en gaat naar de jongen bij de deur, die opspringt zodra hij hem aan ziet komen.

'Heb ik jou niet bij de tuin van het Concertgebouw gezien?'

De jongen knikt overrompeld. 'Ik ga er nog altijd heen in de zomer. U bent daar nooit meer.'

'Ik kan tegenwoordig binnen luisteren. Sinds ik voor de krant schrijf.'

'Ja voor *De Tijd* schrijft u. Ik zag u 's ochtends wel eens over straat lopen met de hoofdredacteur.'

'Ken je die dan?'

'Ja, van vroeger. Uit de kerk.'

Alphons Laudy, de voornaamste voorvechter van de vernieuwingen bij *De Tijd*, had net als Daniël de Lange meteen iets in hem gezien en hem onder zijn hoede genomen alsof hij familie was. Hij mocht zelfs af en toe komen eten bij het gezin – waarbij Laudy's kleine kinderen aanvankelijk in hun moeders rokken waren gevlucht vanwege zijn uitgemergelde en woeste kluizenaarskop. Op de redactie beschermde Laudy hem zoveel mogelijk tegen Wierdels' bemoeizucht en leerde hem persoonlijk de kneepjes van het vak. Ook had hij fatsoenlijke kamers geregeld in de buurt van zijn eigen woning, omdat een onverwarmd zoldertje in de Cornelis Anthoniszstraat wel erg armoedig was voor een journalist van *De Tijd*. Tot de verhuizing naar Diemen, ontbeet Vermeulen 's ochtends vaak bij Laudy en dan liepen ze samen naar de krant op de Nieuwezijds.

Komisch, denkt hij, dat ontzag waarmee die jongen het woord 'hoofdredacteur' uitspreekt. Hij praat met een innemend Amsterdams accent, en je ruikt hem zelfs in dit eethuis op afstand. Niet doordat zijn kleren muf of ongewassen zijn, zoals bij de meeste jongens, maar door zijn pittige, verse zweet, alsof hij net geholld heeft.

'En nu schrijft u ook voor *De groene Amsterdammer*.'

'Ongelofelijk. Hoe weet jij dat allemaal?'

'Soms zag ik u iets opschrijven in een boekje als wij stonden te luisteren bij het Concertgebouw. Vast een schrijver dacht ik dan, en toen ik u toevallig eens met mijnheer Laudy zag lopen, dacht ik dat u dan misschien wel degene was die die mooie stukken over muziek in *De Tijd* schreef. Ik heb mijnheer Laudy later gewoon een keer aangesproken op straat en gevraagd of u v.d.M was. Hij was erg verbaasd, maar het verheugde hem dat ik de muziekstukken in *De Tijd* las. En toen vertelde hij dat u ook Matthijs Vermeulen bent.'

'Ik hoop dat je de stukken van Vermeulen net zo mooi vindt als die van v.d.M.'

De jongen knikt weer heftig. 'O ja mijnheer. Ik leer dingen van u die ik anders nooit te weten zou komen. Ik kan geen boeken lenen of kopen. Ik kan hoogstens af en toe naar een koffiehuis om kranten door te kijken aan de leestafel. Voor mij betekenen uw stukken alles.' Hij trilt van opwinding en zijn ogen worden groot, zo meent hij wat hij zegt.

'Zullen we een stukje samen opwandelen? Ik moet richting Plantage. Waar moet jij heen?'

'Naar de Pijp, mijnheer.'

Ze verlaten het eethuis en lopen voor Krasnapolsky langs de Damstraat in. De knaap blijft steeds naar hem kijken, alsof hij niet kan geloven dat hij werkelijk naast Matthijs Vermeulen loopt.

'Hoe komt het dat je zo van muziek houdt?'

Er komt een verre blik in zijn ogen. 'Toen ik klein was droomde ik een keer dat ik viool speelde, dat ik het zomaar kon, dat de muziek zomaar uit mijn handen stroomde. Naar dat gevoel verlang ik nog altijd terug. Daarom heb ik een viool gekocht op het Waterlooplein. Maar ik kan er niet op spelen en ik kan ook geen noten lezen.'

'Heb je geen geld voor lessen?'

'Als mijn vader erachter komt dat ik geld aan een viool heb uitgegeven mag ik blij zijn als hij hem niet stuktrapt. En hij heeft me al geslagen toen ik door wilde leren. Van leren word je lui, vindt hij.'

'Gelukkig heb je wel leren lezen.'

'Ja mijnheer.'

'Hoe kwam je aan geld voor die viool?'

'Achtergehouden fooien. Mijn vader heeft me in betrekking gedaan bij een meubelmakerij. Daar moet ik van negen tot zeven alle klussen doen: opruimen, boodschappen, bezorgingen. Soms hou ik het niet uit en ga door de stad lopen of ik sluit me op in mijn zolderkamer thuis. Daar heb ik een duiventil met twee witte tortels op het plat. Als mijn vader ervan hoort dat ik gespijbeld heb, krijg ik weer slaag.'

'En je moeder?'

'Ik heb geen moeder.'

Ze lopen zwijgend een eind op door de Oude Hoogstraat, en dan vertelt de jongen over zijn duiven tot ze bij de Kloveniersburgwal komen. 'Hier moet ik rechts,' zegt hij.

Ze blijven even staan. Willen allebei duidelijk nog geen afscheid nemen.

'Dus je grootste wens is muziek maken.'

'Viool spelen en daar mijn kostje mee verdienen, dat wil ik het liefste. Geld verdienen met muziek. Sinds ik die droom had.'

'Ik kan je wel noten leren lezen...'

'Zou u dat willen?'

'En misschien weet ik ook wel een viool leraar voor je. Maar dan moet jij vanaf nu Thijs tegen me zeggen. Thijs Vermeulen. Hoe heet jij?'

'Petrus.'

'Misschien kunnen we nog eens afspreken, Petrus. Wil je een keer naar een concert? Ik heb een passe-partout waarop je best eens mee kunt.'

De ogen van de jongen worden weer groot. Er overkomt hem een wonder. 'Meent u dat serieus?'

'Alleen als je Thijs tegen me zegt.'

'Nou goed. Thijs. Zou ik echt mee kunnen naar het Concertgebouw?'

'Volgende week donderdag dirigeert Willem Mengelberg in de Grote Zaal. Als je om kwart voor acht bij de zij-ingang staat, ben je mijn gast.'

'Volgende week donderdag. Kwart voor acht. Nou, tot dan, eh... Thijs.'

Als de jongen uit zicht is, loopt Vermeulen de Jodenbreestraat in, richting Plantage. Wat bezielde me ineens, denkt hij.

Tot voorbij Frankendael blijft hij de bewonderende, ernstige ogen van Petrus voor zich zien, ruikt hij de zweetgeur van de jongen, die hem helemaal raar maakte van binnen.

9

Een brief van Moll

Diepenbrock hangt zijn mantel aan de kapstok en wil meteen naar zijn werkkamer gaan om nog wat correspondentie
af te handelen voordat Vermeulen langskomt. Om de hoek
van de eetkamerdeur verschijnt Koosjes hoofd. 'Er is post
voor u, mijnheer.'
Even springt zijn hart op. Nog altijd hoopt hij op een bericht van Jo. Sinds hun rampzalige afscheid in Zandvoort
heeft hij niets meer van haar gehoord. Ze zal inmiddels in
ondertrouw zijn.
Maar nee. Koosje overhandigt hem een brief van Carl
Moll, Mahlers schoonvader in Wenen, die hij om informatie gevraagd heeft over Mahlers gezondheidstoestand.
Mahler is eind april ernstig ziek uit New York teruggekeerd
en wordt in Parijs door specialisten behandeld. In de Nederlandse kranten verschenen een paar alarmerende berichten.
Mengelberg had het er ook over, toen hij hem net *Die Nacht*
voorspeelde in de Van Eeghenstraat.
Terwijl hij de trap oploopt scheurt hij de envelop al open.
Moll antwoordt vriendelijk maar kort – Mahler heeft vrienden over de hele wereld en er zullen de laatste weken meer
verzoeken om informatie gekomen zijn.
De toestand is weinig hoopvol volgens Moll, al zijn de
laatste berichten uit Parijs iets gunstiger. Mahler heeft een
zware streptokokkeninfectie, na een angina. Zijn hart is zwak
en zijn algehele weerstand slecht. Hij wordt met autovaccin
en serum behandeld. Zijn echtgenote Alma en haar moeder
zijn ook in Parijs en verplegen hem. Met vriendelijke hoog-
achting.

Hij zet de balkondeuren van zijn werkkamer op een kier en steekt een sigaar aan. Buiten is het redelijk voorjaarsweer en sinds Elsa en de meisjes weer in Laren zijn, zit hij hier maar te roken boven. 'U zou eens wat vaker moeten luchten, mijnheer,' zei Koosje gisteren.

Aan de grote tafel bekijkt hij de brief van Moll nog eens goed.

Alles wat hij vreesde is waar. Ook al schrijft Moll niet dat Mahler stervende is, tussen al zijn regels door is het te lezen. Die sprankelende, geestige Mahler, die hem menigmaal met ontzag heeft vervuld en tot tranen heeft weten te roeren – zijn vriend en geestverwant ook, ligt op ditzelfde moment te sterven in Parijs. Mahler is voor hem een natuurverschijnsel: groots, vanzelfsprekend, tijdloos. Hoe zou dat intense hoofd met die priemende ogen ineens niet meer kunnen bestaan, dat kleine gespierde lichaam, met die vreemde motoriek, dat tijdens repetities zo gemakkelijk het podium op sprong?

De laatste keer dat ze elkaar zagen moet Mahler al ziek geweest zijn. Vorig jaar september was dat, nog geen driekwart jaar geleden, na afloop van de wereldpremière van de Achtste, in die overvolle solistenkamer van de Münchense Ausstellungshalle. Mahler zag er bleek en uitgeput uit; geen wonder – hij had juist dat gigantische werk gedirigeerd: drie koren, acht solisten en een exuberant grote orkestbezetting. De 'Symphonie der Tausend' zoals de concertorganisator het werk genoemd had. Waarom zou je na zo'n krachtsinspanning aan een ziekte denken als iemand er moe uitziet, laat staan beseffen dat het de laatste keer is dat je je vriend ziet? 'Ach mein lieber Diepenbrock, nu heb ik u dan *mijn* mis kunnen laten horen...' zei Mahler met half-ironisch, vriendelijk opgetrokken wenkbrauwen. 'Waaraan werkt u op het moment?'

'Ik heb zojuist een *Marsyas* voltooid,' antwoordde hij. 'Toneelmuziek. En binnenkort hoop ik verder te gaan aan een groot orkestlied op tekst van Hölderlin.'

'Das ist ja interessant... Was haben Sie von Hölderlin gewählt?'

En toen werd Mahler al weer meegetroond door een fee-erieke mevrouw in een lang gewaad en met pauweveren in haar bandeau, die hem absoluut even moest voorstellen aan... Mahler glimlachte nog terwijl hij in de drukte verdween, min of meer verontschuldigend, en maakte een beweging met zijn schouders alsof hij wilde zeggen: je weet hoe het gaat bij dit soort gelegenheden, volgende keer praten we verder.

Een eindje verderop was Mengelberg in uitvoerig gesprek verwikkeld met een druk gesticulerende Duitse concertorganisator. 'Ha, Diepenbrock, kom er even bij. Ken je de heer Fröbe...'

Hij pakt Mahlers portret van de schoorsteenmantel. 'Ihr Freund, in alter Anhänglichkeit, okt. 1909.' Lachend kijkt hij erop, bijna olijk. Alsof hij net een van zijn vele anekdotes heeft verteld.

Meteen de eerste keer dat Mahler in Nederland was, raakten ze bevriend. In 1903 was dat. Ze zaten naast elkaar tijdens het souper na de Amsterdamse première van de Derde symfonie en waren onmiddellijk uitvoerig in gesprek. Altijd als Mahler daarna naar Amsterdam kwam om te dirigeren zagen ze elkaar uitgebreid, en op Mahlers verzoek woonde hij alle repetities bij. Prachtige wandelingen hebben ze ook gemaakt samen, door Amsterdam (het Rembrandthuis!) en, met Mengelberg, over de Larense hei en langs de Zuiderzeekust bij Valkeveen. Mahler was moeilijk bij te houden; door die merkwaardige, syncopische manier van lopen van hem. Licht voorovergebogen stapte hij voort, altijd blootshoofds, en leek niet te wandelen maar naar voren te stormen, 'allegro furioso'. Soms bleef hij ineens stilstaan om naar een vogeltje te luisteren, waardoor iedereen weer op hem moest wachten. 'Luister toch hoe deze zanger zijn schepper verheerlijkt!' Gewoon rustig mee oplopen kon hij niet. Mahler hield altijd iets gewoons, sportiefs, bijna jongensachtigs. In dat opzicht deed hij soms aan de jonge Gorter denken. Beschaafde omgangsvormen lapte hij met genoegen aan zijn laars. Als hem een midden op tafel geplaatst bloemstuk hinderde tijdens een gesprek, zette hij het eigenhandig op het buffet achter zich. Als hij genoeg gegeten had, en dat had hij al snel, stak hij ongegeneerd een sigaar op terwijl de rest van het gezelschap verder at. Zelfingenomen heren of dweperige dames antwoordde hij beleefd, maar met superieure distantie en vrijwel onmerkbare spot; aan conversatie deed hij niet. Als je met hem sprak ging het onmiddellijk ergens over, of het nou Multatuli was, die hij in het Duits gelezen had en zeer bewonderde, het clair-obscur van Rembrandt of Goethe's opvattingen over de onsterfelijkheid. Wie niet mee kon komen in het gesprek, keerde hij de rug toe. Niet uit hooghartigheid of omdat hij geen belang stelde in zijn medemens, integendeel. Mahler kende geen onverschilligheid of hoogmoed, had geen sterallures zoals sommige zangers of solisten, zoals Mengelberg soms ook. Mahler was altijd geïnteresseerd, hield alleen niet van geklets of poeha. Het liefst trok hij zich tijdens de officiële recepties en diners na afloop van de concerten snel terug bij de 'echte mensen', bij wie geen pose opgehouden hoefde te worden en met wie er te lachen viel of gepraat kon worden. 'Kom snel naast me zitten, Diepenbrock,' riep hij dan en wenkte hem met enthousiaste, dwingende gebaren naast zich aan tafel. 'Wilt u dat ik de hele avond naast Frau Mengelberg zit? Alleraardigst hoor, maar wel een beetje *droogstoppelig...*' Met een genoeglijk rollende, Boheemse r sprak hij het woord uit. En dan begon hij weer: over de Japanse prentkunst ('Alles in Japan is pure schoonheid!'), over een boek van Eduard Hartmann dat veel voor hem betekende: *Das Problem des Lebens.* Of hij vertelde met smaak een van de vele anekdotes uit zijn jeugd of conservatoriumtijd. Zo had de toenmalige directeur van het Weense conservatorium een keer over de gevreesde conservatieve criticus Hanslick gezegd dat hij 'leberleidend' in Karlsbad was gaan kuren, en dat hij er 'leider lebend' weer vandaan was gekomen. Dat verhaal vond Mahler zo geestig, dat hij het door de jaren heen bij verscheidene gelegenheden telkens weer vertelde, en er iedere keer weer even hard om moest lachen. Een belevenis op zich was dat, het lachen van Mahler: een binnenwaarts, hikkend giechelen, dat soms ineens kon overgaan in een schaterende uithaal. Als je hem dan goed weerwerk gaf, haalde hij nog een paar keer uit, en moest zich de tranen uit de ooghoeken vegen en zijn bril oppoetsen terwijl er dikke aders over zijn slapen zigzagden zoals hij ze tijdens het dirigeren ook had.

Maar hij kon ook vilein en spottend lachen, als iets of iemand hem kwetste of ergerde. Zoals een keer hier op deze kamer, na een vernietigend verhaal over een Weense criticus die een insipide opmerking over zijn Tweede had gemaakt, de grote Opstandingssymfonie, die hij die avond in het Concertgebouw zou dirigeren.

Onvoorstelbaar is het, denkt Diepenbrock. Daar, recht tegenover me aan deze zelfde tafel, op de plek waar straks Vermeulen weer zal zitten, zat Mahler. Met zijn lange, gebruinde gezicht, zijn zwarte, fonkelende ogen en rode oogleden van het vele lezen en werken bij slecht licht, de lachkuiltjes in zijn wangen, de kort afgebeten vingernagels van de handen die geen moment stil op tafel konden liggen. Hij wilde onmiddellijk de Erard horen, liefst met werken uit de kamferhouten kist. 'Spielen sie mir doch ihre Lieder vor.' Vervolgens namen ze passages uit het *Te Deum* en de *Missa* door ('Is deze mis het enige grote werk dat van u gedrukt is?') en ze verzeilden uiteindelijk in een gesprek over de rolverdeling tussen solostem en orkest in het symfonische lied. Die middag voelde hij zich volkomen vertrouwd met Mahler; er was geen sprake van bewondering of distantie. 'Jullie waren net twee opgewonden jongens,' zei Elsa na afloop. Sinds zijn jaren met Gorter had hij nooit meer zo sterk het vriendschapsgevoel ervaren.

En tot zijn intense vreugde was Mahler zeer te spreken over zijn muziek. 'Uw werk verdient een internationaal publiek,' zei hij. In de Weense Hofopera kon hij het uiteraard niet doen, maar hij beloofde het *Te Deum* zodra hij in Wenen terug was aan te bevelen bij een dirigent die er wél mogelijkheden voor had. Enkele weken later kwam er een verzoek om zijn partituur op te sturen. Waarom er van een Weense uitvoering uiteindelijk toch niets gekomen was werd nooit duidelijk. De partituur kwam zonder begeleidend schrijven terug.

Toen Mengelberg dat verhaal later hoorde, zei hij: dan doe *ik* jouw *Te Deum* toch in het buitenland, Fons! Daar was hij toen maandenlang opgewonden over. Een uitvoering door Mengelberg in Frankfurt of Berlijn zou minstens even belangrijk zijn als een aanbeveling van Mahler. Alleen is er tot op heden nog niet veel van gekomen. Willem belooft graag – zijn beloftes nakomen is een ander verhaal. Maar binnenkort klinkt *Die Nacht* in het Concertgebouw. En na het voorspelen vanochtend zei Willem zelfs: 'Dit doet in diepgang en muzikale inventiviteit niet onder voor Mahlers orkestliederen. Net zoals *Marsyas*' – voegde hij er in één moeite aan toe – 'gemakkelijk Debussy's *La Mer* evenaart, ja, het qua nuance en muzikale inhoud zelfs overtreft.'

Zijn sigaar is bijna uit. Hij trekt er een paar keer flink aan tot de kop weer gloeit en doet de balkondeuren dicht. Dan bergt hij de brief van Moll weg in een la van zijn bureau en gaat weer aan tafel zitten.

Het beste zou zijn de buitenlandse promotie van je werk zelf ter hand te nemen, zoals Mahler deed, denkt hij. Maar daarvoor moet je een ervaren dirigent zijn, wat ik niet ben, het juiste temperament hebben, wat ik niet heb, en daarvoor moeten je werken gedrukt zijn, wat mijn werken niet zijn – op de *Missa* en een paar liederen en pianobewerkingen na. Eén flinke brand hier in huis en mijn complete levenswerk bestaat niet meer.

Hij voelt weer gebeuren, wat hem de laatste tijd steeds vaker overkomt als hij hier alleen op zijn kamer zit. Hij begint te piekeren. Hij was al somber over Jo, en over de ziekte van Mahler, en nu wordt hij het ook over zijn werk. Hij weet dat hij zich er niet aan over moet geven, want de enige manier om zijn aangeboren neiging tot melancholie de baas te blijven was altijd zijn werk. Maar het is al te laat.

'Is deze mis het enige grote werk dat van u gedrukt is?' had Mahler gevraagd. Ja – vijfentwintig jaar geleden. En nog altijd is het niet uitgevoerd omdat de kerkelijke instanties wel tot in de eeuwigheid bevreesd zullen blijven voor de Wagneriaanse klankvermengingen – zijn mis is te sensueel, te *modern* voor de kerk. Als ze nou bang zouden zijn voor Mahler of Debussy! Elke hedendaagse componist die ertoe doet heeft de Wagneriaanse invloed al lang achter zich gelaten. In dat licht is *te modern* wel een buitengewoon curieus verwijt. En een flagrante miskenning van zijn oprechte bedoelingen en de diep doorleefde religieuze gevoelens die hij in de *Missa* heeft uitgedrukt. Als de kerk niet kan inzien dat de componist altijd moet nastreven de schoonheid van de oeroude religieuze ervaring, hoorbaar en invoelbaar te maken in een taal die de hedendaagse, moderne mens verstaat, dat wil voor de musicus zeggen: met de modernste muzikale middelen – als de kerk dat niet inziet, hoe moet het dan verder met de religie en met de wereld? Hedendaagse dichters schrijven ook niet meer in de taal van Vondel, hoe prachtig die op zich ook is. Hoe vaak heeft hij het over dit soort dingen niet met Mahler gehad. Om nog gehoord te kunnen worden in dit nieuwe tijdperk van automobielen, telefoons en bliksemtreinen vraagt de schoonheid een andere muzikale taal dan die van Palestrina. Die taal te vinden, dat is de grote opdracht van iedere componist.

Altijd heeft hij die opdracht willen vervullen en altijd heeft hij er zijn beste krachten aan gegeven. En met vrucht, dat mag hij inmiddels toch wel zeggen, als iemand als Mahler zijn mis en zijn *Te Deum* goed vindt. En toch is er van alles wat hij muzikaal bereikt heeft nog bitter weinig hoorbaar geworden in de wereld. Laat staan dat hij 'school gemaakt' heeft. Een onhandige autodidact die niet kan orkestreren vinden de critici hem. En vooral: te moeilijk, te ernstig, te wereldvergeten. Dat past niet in deze materialistische, gemechaniseerde tijd. Terwijl deze tijd juist snakt naar idealisme en geest. Een schrale troost dat zelfs een veel weerbaarder en handiger componist als Mahler zijn hele leven met hetzelfde soort weerstand te kampen heeft gehad...

Maar het heeft geen zin bitter te doen en je druk te maken over je gebrek aan weerklank als componist. Mahler zei ooit tegen hem dat het niet ging om hen, om de aandacht en erkenning die zij als individuen krijgen, maar uitsluitend om hun bijdrage aan de muziek. En hij was ervan overtuigd dat elke kunstenaar – hoe geniaal ook – op een zeker moment door zijn tijd wordt ingehaald, omdat hij te veel wortelt in de ervaringen van zijn jeugd om onbevangen te kunnen blijven. Daarom was het volgens hem onontbeerlijk voor de muziek dat elke oudere generatie grootmoedig plaatsmaakt voor de jongere – een jongere generatie die de veranderde tijdsomstandigheden met frisse, open blik tegemoet kan treden, zodat die generatie op zijn beurt de muziek weer een stap verder kan helpen, muziek kan maken die in de nieuwe tijd nodig is. Mahler zelf zag die volgende generatie vooral verpersoonlijkt in zijn vriend Arnold Schönberg – al zei hij erbij dat hij diens muzikale opvattingen soms nauwelijks kon volgen. Toch was hij overtuigd van zijn talent en van het belang Schönberg door dik en dun te steunen, financieel, moreel en op iedere andere mogelijke manier – om de muziek een stap verder te helpen.

Of Mahler zich daadwerkelijk ingehaald voelde door de moderne tijd? Wie zal het zeggen. Maar voor hemzelf geldt dat inmiddels wel degelijk. Hij was nooit een liefhebber van de vulgaire realiteit, maar de meeste zogenaamde verworvenheden van het moderne leven beginnen nu wel een opmerkelijk grote afschuw in hem op te wekken. Net als de voortgaande militarisering en het moedwillige isolement waarin Duitsland zich manoeuvreert en de al maar dreigender situatie in Europa. Zo'n grote afschuw voelt hij, dat hij eigenlijk geen kracht meer heeft er zijn muziek tegenover te stellen. En door de algehele onverschilligheid, het onbegrip en de vastgeroestheid van het Nederlandse muziekleven en in het bijzonder de schrijvende pers verliest hij ook steeds meer het vertrouwen dat zijn muziek heus het publiek wel zal bereiken dat ze volgens mensen als Mahler en Mengelberg verdient, laat staan dat ze het doel zal verwezenlijken waarvoor ze gemaakt is: de mens weer in contact te brengen met zijn goddelijke oorsprong.

Volgend jaar wordt hij vijftig. Ziet hij nu in Nederland iemand van de jongere generatie die wat hem betreft de fakkel over zou kunnen nemen? Iemand met ontegenzeggelijk talent, die de muziek een stap verder zou kunnen helpen zoals hij dat zelf heeft geprobeerd? Die naar het leven kijkt onder de gezichtshoek van het eeuwige en het goddelijke, en van daaruit wil scheppen en naar nieuwe muzikale mogelijkheden wil zoeken? De enige die hij zou kunnen bedenken is die wonderlijke, onbehouwen Vermeulen, al kent hij nog geen noot van hem. Ook Vermeulen doet in bepaalde opzichten denken aan de jonge Gorter, misschien is hij hem daardoor al snel als vriend gaan beschouwen. En nu Mahler er binnenkort niet meer zal zijn, is Vermeulen misschien wel de enige muzikale geestverwant die hij nog heeft. In ieder geval is Vermeulen een talent. Als criticus is hij een jonge hond, die zijn poot niet altijd tegen de juiste boom opheft. Maar hij heeft het hart op de goede plek, en de juiste 'begeistering'. Als je Gorter en Mahler 'daemonische' mensen noemt: mensen die beheerst worden door de goddelijke kracht in hun binnenste, door het gestaag brandende vuur van de allerfelste geestdrift, dan zou je Vermeulen misschien ook zo kunnen noemen. Dat voel je al als je één gesprek met hem voert. Ideeën en opvattingen heeft hij in overvloed, zelfvertrouwen en schrijftalent ook, componeerplannen ongetwijfeld nog meer. Had hij het niet over een symfonie? De enige reden dat hij niet aan componeren toekomt, zei hij laatst, is geld; hij moet schrijven voor de kost en als hij schrijft kan hij niet componeren. Misschien valt er in de nabije toekomst iets voor die jongen te regelen. Een klein bedrag om hem een tijdje rustig te laten werken is niet zo moeilijk bijeen te sprokkelen. Dat is wel het minste wat je voor de jonge generatie kan doen. En voor de muziek.

Hij werpt een blik op de pendule op de schouw. Dan trekt hij de partituur van Mahlers Achtste uit de boekenkast en legt die alvast klaar op tafel. Als een hommage aan zijn vriend zal hij vanmiddag met Vermeulen die goetheanische 'Mis' eens goed bekijken, om te beginnen het overdonderende openingsgebed tot de Scheppende Geest van Liefde: *Veni Creator Spiritus*. Sinds Beethoven en Bruckner is er niet meer zoiets magistraals geschreven.

10

Een tussendoortje van Mengelberg

Gespannen loopt Vermeulen rond tussen de dames en heren bij de zij-ingang van het Concertgebouw. Nog altijd geen Petrus. Hij had ook niet echt gedacht dat die jongen zou komen, hij is veel te hard van stapel gelopen met zijn plotselinge uitnodiging.

Het programma is niet bijster interessant: Haydn, Dopper en Mendelssohn. Een typisch Mengelberg-tussendoortje voor het grote publiek. Als Petrus niet komt, gaat hij zelf ook niet naar binnen.

Nog één keer kijkt hij om zich heen en wil al weglopen. En precies op dat moment schiet Petrus tevoorschijn, alsof hij ergens verdekt heeft staan wachten. Hij heeft een blauwe plek op zijn jukbeen en een flinke snee in zijn rechterwenkbrauw. Verder heeft hij zich zo keurig mogelijk aangekleed: een kuitbroek en een korte jas die iets te nauw om zijn middel zit, zodat hij naar onderen toe grappig uitstaat. Er wordt naar hem gekeken; zo'n jongen uit de Pijp verwacht men niet bij de ingang van het Concertgebouw.

'Hé, ben je er toch. Wat is er gebeurd? Heb je gevochten?'

'Mijn vader heeft me het huis uitgetrapt, mijnheer.'

'Je zou toch Thijs zeggen? Het huis uitgetrapt?' Weer die heerlijke, pittige zweetgeur.

'Omdat ik naar het Concertgebouw ging. Ik dacht: ik ga er niet om liegen. Bij het woord Concertgebouw begon hij te schreeuwen en toen ik zei dat ik was uitgenodigd door een mijnheer van de krant die me muziekles wilde geven sloeg hij me in mijn gezicht en schopte me de trap af. Als ik met een mijnheer naar het Concertgebouw ging hoefde ik nooit meer thuis te komen riep hij.'

'En toch ben je hier.'

'Ja.' Hij lijkt bijna weer mijnheer te gaan zeggen.

Ze schuifelen in de rij concertbezoekers langs de kaartcontroleurs naar binnen. Overal om hen heen verwonderde en zelfs afkeurende blikken naar Petrus.

'Niks van aantrekken. Jij hebt net zoveel recht om muziek te horen als zij. Misschien nog wel meer. Jij bent musicus.'

'Musicus, ik?'

'Je moet alleen het vak nog leren, en daar ga ik je bij helpen.'

De jongen kijkt beschroomd om zich heen: naar de gedempt pratende en lachende dames en heren in avondtoilet onderweg naar hun plaatsen, naar de deftige zaalwachten in livrei, naar de stuc-ornamenten op de wanden, de dikke rode vloerbedekking in de gangen en op de trappen, de rijen pluchen stoelen op het balkon en beneden in de zaal, de gaskronen aan het immense plafond, het grote orgel boven het podium.

'Heb je een vaste plaats?' vraagt Petrus.

'Ja, daar.' Hij wijst naar de rechterhoek van het frontbalkon.

Als ze zitten begint de zaal beneden zich te vullen, de balkonrijen zijn nog bijna leeg.

'Dat ik hier nog eens zou komen.' Petrus krijgt er geen genoeg van over de balustrade naar de langzaam vollopende zaal te kijken, en naar het stemmende orkest op het podium 'Bach, Haendel, Sweelinck,' mompelt hij, en gaat met zijn ogen de eregalerij van gouden componistennamen langs in de lichtblauwe cartouches onder het plafond. En als Mengelberg eindelijk de deur naast het orgel uitkomt en onder applaus met korte, zelfverzekerde pasjes de lange trap afdribbelt en door het orkest naar de lessenaar loopt, klapt hij verwoed mee en zegt eerbiedig: 'Willem Mengelberg', alsof hij een god van de Olympus af ziet dalen. Hij kijkt even opzij als Mengelberg de baton heft: een gelukzalige, verwachtingsvolle blik in de korte stilte voor de eerste klanken; een blik vol ongeloof ook, alsof hij bang is dat alles maar een droom is die op het moment dat de muziek begint als een zeepbel uit elkaar zal spatten. En dan *begint* de muziek: zacht, bekoorlijk, vol gevoel – Haydns Vierendertigste symfonie.

Een prachtig gezicht is het, zoals Petrus zit te luisteren naar dat openingsadagio, meteen helemaal meegevoerd door de klankenstroom; mooi als een geschonden Adonis, met die schram over zijn wenkbrauw en dat blauwe oog. Met dat kruintje links boven zijn voorhoofd ook, waar zijn blonde haar recht omhoog tegen de krullen in groeit. En kijk, nu worden zijn ogen vochtig, al dirigeert Mengelberg vanaf het begin routineus en gemakzuchtig. Haastig veegt hij met zijn mouw over zijn wang als het allegro begint, terwijl hij even opkijkt om zich ervan te vergewissen dat niemand zijn ont-roering gezien heeft. Daar hoef je je toch niet voor te scha-men, jongen.

Tijdens het allegro wipt Petrus met zijn benen mee op het ritme, en weer werpt hij af en toe een blik opzij, een blik van zon en wind, van geluk en triomf. En ook naar Doppers *Rembrandt-symfonie* luistert hij met overgave en zo te zien in-tens genoegen. Tot hij verbaasd opkijkt en lijkt te denken: waarom zit je zo te snuiven of met je hoofd te schudden? En dan beseft Vermeulen ineens dat hij moet ophouden met zijn kinderachtige vertoon van superioriteit. Wat moet die jon-gen met zijn blijken van afkeuring en meewarigheid bij elke voordehandliggende harmonische overgang of melodische wending? Het vergalt alleen zijn plezier maar. Hoe zou Pe-trus moeten weten wat er niet goed is aan deze muziek? Hij hoort voor het eerst van zijn leven het Concertgebouwor-kest. Als Mengelberg na afloop Cornelis Dopper met veel omhaal op het podium roept, staat hij als een bezetene te klappen, diep geïmponeerd.

In de pauze dwalen ze door de gangen. Petrus luistert gretig naar het verhaal over de Rembrandtfeesten van 1906 waar-voor Dopper zijn *Rembrandt-symfonie* schreef.

'En hij was niet de enige componist die toen een opdracht kreeg. Ken je Alphons Diepenbrock?'

'Ja,' zegt Petrus. Die naam is hij regelmatig tegengekomen aan de leestafel.

'Diepenbrock schreef toen een *Hymne aan Rembrandt*. Als je Dopper mooi vindt zou je die eens moeten horen.'

Na een korte aarzeling zegt Petrus: 'Als ik zo'n symfonie hoor, begrijp ik niet hoe een componist dat voor elkaar krijgt: al die instrumenten zo te laten samenwerken dat het allemaal klopt en zo'n prachtig geheel oplevert.'

Wat is hij naïef, denkt Vermeulen. En wat kost het hem moeite woorden te vinden voor zijn gedachten. Het maakt hem alleen maar aantrekkelijker.

Ze lopen langs de grote benedenfoyer.

'We hadden het net over Diepenbrock. Kijk, daar heb je hem.'

Petrus werpt een hulpeloze blik op de beschaafd converserende menigte in de foyer.

'Daar, die magere man met die bril en die snor. Naast die vrouw met dat hoge voorhoofd.'

Diepenbrock is even in gesprek met een paar heren, staat dan weer alleen met zijn echtgenote. Zij zijn wel de laatsten die je hier vanavond zou verwachten, bij dit 'gewone' abonnementsconcert. Voor Haydn en Mendelssohn zullen ze niet gekomen zijn, en voor Doppers Derde al helemaal niet. Een van Mengelbergs zoveelste herhalingen ook nog. Diepenbrock voelt zich vast verplicht om zijn gezicht te laten zien, nu hij binnenkort uitgevoerd wordt.

'Kom, laten we even een hand gaan geven.' Hij trekt Petrus mee de foyer in.

'Ken jij Alphons Diepenbrock persoonlijk?'

'Ja, ik ga vaak bij hem praten. Hij is mijn *maître spirituel*, mijn leermeester, niet alleen in de muziek.'

Diepenbrock kijkt verrast wanneer Vermeulen Petrus aan hem voorstelt als 'een vriend' en neemt de jongen van top tot teen op. Mevrouw Diepenbrock schudt hen beiden hartelijk de hand. 'En, bevalt het concert de heren?'

'Mengelberg maakt het zichzelf weer veel te makkelijk,' zegt Vermeulen. 'En over Dopper zal ik het maar niet hebben. Er is wel betere Rembrandt-muziek geschreven.'

Diepenbrock vertrekt geen spier. Mevrouw Diepenbrock glimlacht.

'En u, hoe vindt u het, jongeman?' vraagt ze aan Petrus.

Die raakt ernstig in verwarring dat zo'n voorname dame zomaar het woord tot hem richt. De echtgenote van een beroemd componist nog wel.

'Het is Petrus' eerste concert, mevrouw.'

Plotseling ziet Diepenbrock een paar bestuursleden van het Concertgebouw en loopt na een korte groet naar ze toe.

'Mag ik u nog veel genoegen wensen met Mendelssohn,' zegt mevrouw Diepenbrock. Ze geeft hen beiden een hand en volgt haar man. Even later voegt Cornelis Dopper zich bij het groepje. Vermeulen probeert op te vangen wat er gezegd wordt. Verscheidene keren hoort hij de naam Mahler vallen.

Na afloop van het concert lopen ze snel weg uit de drukte van napratende en vertrekkende bezoekers voor het Concertgebouw. Ze steken de Van Baerlestraat over en staan dan op het trottoir langs het IJsclubterrein tegenover elkaar.

'Hoe vond je het?'

'Dit was de mooiste avond van mijn leven,' zegt Petrus.

Tijdens de *Midzomernachtsdroom* had hij af en toe weer glanzende ogen gekregen en met open mond zitten luisteren naar het sprookjesachtige elfen- en insektengezoem in de violen, de sprankelend geïnstrumenteerde dansen en de elegante koorzang.

'Daar ben ik blij om.'

'Nou, dan ga ik maar. Heel erg bedankt.'

Maar hij mag nog niet weg. 'Wat ga je nu doen? Laat je vader je wel binnen?'

'Nog een beetje door de stad lopen tot ik ergens een plek vind om te slapen. Een bank in het park ofzo.' Hij zegt het alsof hij dagelijks buiten overnacht.

'Slaap je vaker in het park?'

'Als het goed weer is zoals nu, vind ik het niet erg. Soms loop ik ook de stad uit, tot Muiden of Weesp wel. Dan slaap ik ergens in het hooi. Het is heerlijk om 's nachts in het open veld onder de sterren te zijn. En meestal als ik de volgende dag terugkom voor mijn duiven is mijn vader zijn woede alweer kwijt.'

'Heb je geen zin om een stuk met mij op te lopen, dan kunnen we nog wat praten. Ik ga naar Diemen.'

'Moet je niets meer schrijven vanavond?'

'Morgen weer. En niet over dit concert.'

'Nou graag dan. Dan loop ik een eind met je mee.'

Het is een prachtige lenteavond. De lucht is helder met een paar kleine wolkjes, er staat nauwelijks wind. De eerste sterren zijn al te zien. Aan de vochtige koelte en de frisse geur van de bomen merk je dat het nog maar begin mei is. En vredig is het ook: hier en daar nog een late wandelaar of wielrijder, de stille gevels, het zachte geruis van het groen, de lichtcirkels van de lantaarns op het plaveisel. Nauwelijks voor te stellen dat er elders op de wereld op dit moment opstanden zijn, zoals in Marokko, plunderingen, soldaten die steden binnentrekken; dat er allerlei geheim diplomatiek overleg plaatsvindt of strijdlustige revolutionaire plannen gesmeed worden om de burgerlijke maatschappij omver te werpen. Dat er een belangrijk componist ligt te sterven.

Halverwege de Ceintuurbaan zegt Petrus: 'Weet je wat ik het allermooiste vond vanavond?'

'Nou?'

'Dat stuk met die hoorns in Mendelssohn.'

'Je bedoelt het rustige deel voor die bruiloftsmars?'

'Ja... en ook dat tweede gedeelte van de *Rembrandt-symfonie*, dat was zo mooi statig. En het begin van Haydn. Of eigenlijk die hele symfonie, maar speciaal het begin...'

'Eigenlijk vond je dus vooral de langzame gedeeltes mooi.'

'De rest vond ik ook prachtig, maar die langzame stukken raakten me het meest.'

'Dat merkte ik.'

'Ik begrijp dat niet, het was nergens echt droevig.' Petrus kijkt hem even aan, met dezelfde afwachtende blik als bij Keetje.

Aan de overkant van de straat passeert een gesloten rijtuig, waarvan het paard een flinke vijg laat vallen. Daarna is het weer stil.

'Ik denk dat ik het wel begrijp. In een adagio of een andante proberen componisten hun diepste gevoelens uit te drukken en zich volledig op de melodieën te concentreren. In een allegro of andere snelle passages is de melodie minder belangrijk, daar gaat het vooral om het virtuoze spel met motieven en variaties. Waar het puur om de melodieën gaat wordt het vaak ontroerend. Heb je je wel eens afgevraagd wat een melodie is?'

'Een melodie?' zegt Petrus aarzelend, bang misschien om een teleurstellend antwoord te geven.

'In de eerste plaats is dat natuurlijk de manier waarop verschillende tonen op elkaar volgen. Als je een paar tonen achter elkaar zet, heb je een melodie.'

Petrus knikt.

'Maar in die opeenvolging van tonen en in hun lengtes, hun beweging, hun ritme, wordt ook iets uitgedrukt. Niet zoals er met woorden iets gezegd kan worden. In muziek kun je niet vertellen of betogen. In een melodie wordt een gevoel uitgedrukt, sterker nog, melodie is de "geluidgeworden essentie van de ziel" zoals Diepenbrock zegt. Je merkt, de eerste les is al begonnen.'

Petrus lacht verlegen. Hij hoort waarschijnlijk dingen waar hij nog nooit over na heeft gedacht. Maar hij lijkt het gesprek niet onaangenaam te vinden.

Ze steken de Nieuwe Amstelbrug over en slaan dan rechtsaf de Weesperzijde op, richting De Omval. De lucht is nu diepblauw en helder. Meer en meer sterren worden zichtbaar. Petrus heeft even lopen nadenken.

'Wat je daarnet zei begrijp ik niet,' zegt hij. 'De essentie van de ziel?'

'Hoe zal ik dat eens uitleggen. Als jij iets meemaakt of ziet, bijvoorbeeld dit gesprek, of die glinsteringen in het water daar, of de kleur van de lucht boven die huizen aan de overkant, of een ruzie met je vader, dan krijg je daar een bepaald gevoel bij. Dat gevoel komt zomaar in je op. Meestal ben je je daar niet of maar half van bewust. En dat gevoel groeit dan in je en kleurt je waarnemingen en gedachten. En dan vervaagt het weer of wordt overspoeld of omspeeld door nieuwe gevoelens. Zoals dat gevoel in je is, zoals het zich ontwikkelt en weer verdwijnt, zo is een melodie. De melodie is dat gevoel in klank. Bij elk gevoel hoort een melodie. Een componist kan die melodie, of alle melodieën die op een bepaald moment in zijn binnenste, in zijn ziel, door elkaar en naast elkaar en achter elkaar opklinken noteren. Zo ontstaat muziek. En zo kan muziek een hele persoonlijkheid tot uitdrukking brengen zoals die op een bepaald moment is. In degene die die melodieën te horen krijgt tijdens een concert, komen al die gevoelens weer op, ook al is er bij hem op dat moment geen uiterlijke aanleiding voor. Als de melodieën goed en waar zijn, dan ontroeren ze. Omdat de luisteraar dan voelt wat er door de componist tot uitdrukking gebracht wordt. Omdat hij een woordeloos contact met een andere ziel ondergaat en in zich ervaart wat er in die andere ziel leeft. En de werkelijk grote componisten hebben een grote ziel, een ziel waarin niet alleen gevoelens leven die voortkomen uit alledaagse gebeurtenissen, maar ook gevoelens die aan iets groters dan de dagelijksheid en tijdelijkheid ontspruiten. Religieuze ervaringen, visioenen, dromen, eeuwigheidsbeleving.'

Petrus kijkt een tijdje uit over de rivier. Misschien voelt hij zich overdonderd. Maar het is zo heerlijk om eens met iemand over dit soort dingen te kunnen praten, denkt Vermeulen. Gewoon, zomaar op straat, met iemand die er helemaal voor openstaat.

'Daaraan hoor je ook meteen hoe goed een componist is. Aan hoe expressief en waar zijn melodieën zijn.'

In de verte blaft een hond.

'Jij vindt Dopper niet goed hè?' zegt Petrus ineens. 'Ik merkte dat wel. Maar zijn melodieën zijn toch prachtig? Iedereén vond het prachtig.'

'Ja, iedereen vindt het prachtig. Dopper is een vakman. Maar geen belangrijk kunstenaar. Doppers melodieën zijn leeg, voordehandliggende opgewarmde prak uit de negentiende eeuw die we al duizend keer beter geproefd hebben. Hij houdt zich keurig aan de gebaande harmonische paden. Niet de melodieën bepalen bij hem de harmonieën, maar omgekeerd. Volkswijsjes gebruikt hij ook. Iedereen veert daar vanuit zijn eigen vaderlandslievende burgerlijkheid blij van op. Het is alsof een dichter in zijn versregels niet probeert te zeggen wat hem ten diepste beroert, maar uitsluitend spreekwoorden op rijm zet. Spreekwoorden zijn prachtig, en bevatten vaak een diepe waarheid. Een waarheid die iedereen al lang kent. Daardoor zijn spreekwoorden naast waar ook hol. Ze drukken niets persoonlijks of nieuws uit.'

Op het Jaagpad bij de Omval staan ze even stil. Achter hen, in de verte aan de overkant van de rivier, ligt de stad zacht te fonkelen onder de hemel. Schuin tegenover ze rijst het donkere silhouet op van het Zuidergasfabriekreservoir, 'de criticus' zoals Diepenbrock hem noemt, de 'wachter tussen Droom en Daad'. En vóór hen, in de richting van de Trekvaart, beginnen de weilanden, met daarboven het uitspansel vol sterren.

'Goh,' zegt Petrus alleen maar. Hij lijkt nog steeds niet te denken aan afscheid nemen. 'Zo heb ik het nog nooit bekeken. Ik vond die symfonie van Dopper gewoon mooi.'

Ineens voelt Vermeulen zich ongemakkelijk dat hij zo op Dopper inhakt. 'Natuurlijk vond je het mooi. Ik wil je je plezier ook niet ontnemen. Maar als je meer muziek leert kennen, ga je vanzelf horen wat ik bedoel. Ik heb een paar studiepartituren thuis, als je een keer bij me langskomt zal ik je wel eens iets van Berlioz voorspelen.'

11

Pappie is naar Mader in Wenen

Met een ruk schrikt Diepenbrock wakker. Wat hem gewekt heeft, zou hij niet kunnen zeggen. Uiteindelijk moet hij toch een paar uur geslapen hebben; tussen de rode velours gordijnen kiert ineens licht de coupé in.

Voor zijn gevoel heeft hij geen oog dichtgedaan. Telkens verstrikte hij zich in het laken, het was warm en benauwd in het kleine compartiment en hij wilde het raam niet openen vanwege het lawaai. Veel maakte dat niet uit; als hij af en toe toch even insluimerde, stopte de trein weer op een station of ratelde over een spoorbrug.

De hele nacht heeft Mahler door zijn hoofd gespookt. Als in een caleidoscoop is hun vriendschap nog eens aan hem voorbij getrokken. Tijdens zijn korte bezoek aan Mahlers schoonfamilie in Wenen, hoorde hij van Carl Moll dat Mahler twee weken geleden met de nachttrein vanuit Parijs naar Wenen is vervoerd. Met de intensiteit van de halfslaap waren al zijn gedachten daar telkens weer op uitgekomen: Mahler, doodziek, maar volledig bij kennis en in de wetenschap dat het zijn laatste treinreis zou zijn, op weg naar huis in precies zo'n smal slaapwagenbed als waarin hij zelf lag te woelen.

Hij gaat overeind zitten en trekt zijn horloge uit de zak van zijn vest dat aan de haak achter het korte bed hangt. Half zeven. Te vroeg om er al uit te gaan. En dan denkt hij: 23 mei. Vandaag wordt Jo 27.

Hij probeert zich voor te stellen wat zij op datzelfde moment doet. Waarschijnlijk zit ze nu in haar witte zijden nachtjapon rechtop in de kussens en brengt Cathrientje haar een tekening of zelfgemaakt geschenkje. Aan de Amerikaanse schilder wil hij niet denken. Vorig jaar op deze dag logeerde Jo bij familie in Zeist en was hij haar *En sourdine* gaan brengen dat hij speciaal voor haar gecomponeerd had. Een heerlijke, verliefde dag was het geweest, aan de piano eerst en daarna die lange boswandeling. Nog maar een jaar geleden is dat, ongelofelijk hoe veel er kan veranderen in zo'n korte tijd.

Een zware dofheid drukt achter zijn ogen en voorhoofd, waardoor hij niet goed wakker wordt. In de loop van de dag zal het wel hoofdpijn worden – op dit soort lange treinreizen blijft hem dat zelden bespaard. Hij klimt uit het bed, stapt op blote voeten het mahoniehouten kabinetje in om een slok water te drinken en bekijkt zichzelf even in de spiegel boven het wasbekken. De trein schudt onverwacht en hij stoot pijnlijk met zijn elleboog tegen de wand. Doodmoe ziet hij eruit, met wallen onder zijn ogen en scherpe vouwen van zijn neusvleugels tot aan zijn mondhoeken. Aan de rechterkant van zijn hoofd, langs de scheiding, ligt zijn haar plat alsof er een wervelwind overheen is geraasd. Hij heeft erop gelegen, en zelfs met plensjes water uit de lampetkan laat het zich niet in model brengen. Het is maar goed dat Jo hem nu niet kan zien.

Hij kruipt weer in bed en probeert nog wat te slapen, maar geeft het na een uur definitief op. Hij wast en scheert zich en kleedt zich aan. Hij knoopt zijn boord aan zijn overhemd, strikt zijn das voor de spiegel en probeert nog eens tevergeefs zijn kapsel in model te krijgen. En dan valt zijn oog op zijn linkerwenkbrauw. Tussen de normale, platliggende haartjes springen een paar lange kronkelharen uit, als geknapte vioolsnaren. Hij herinnert zich dat hij zulke haren ook bij Mahler zag, in die overvolle solistenkamer na afloop van de Achtste in München. Dat verbaasde hem toen, omdat Mahler er anders altijd zo jeugdig en verzorgd uitzag, zoals alle mannen met een veel jongere vrouw of minnares.

Met het schaartje voor zijn snor knipt hij de anarchistische haren zo dicht mogelijk bij de huid af, voorzichtig om zichzelf niet te prikken door de onvoorspelbare schokken van de wagon. Mahler moet toen in München al ziek geweest zijn. Zelf is hij dat godzijdank niet, voorzover hij weet. Maar zijn lichaam begint toch ook al flink op zijn eigen vergankelijkheid te attenderen: pigmentvlekken op zijn handen, sprieten uit zijn neus en oren (waar Jo hem al eens mee plaagde), 'Geheimratsecken' en nu weer deze wildgroei in zijn wenkbrauw.

En terwijl hij zijn vest en colbertjas aantrekt voelt hij even de bevreemding opkomen die hij deze hele reis al voelt – bevreemding over het leven in hem en over dat eigengereide lichaam waarmee een mens zichtbaar blijkt te zijn in deze onverklaarbare tijdelijke werkelijkheid. Hij bergt het schaartje weg, slaat met vegende bewegingen op zijn schouders om er zeker van te zijn dat er geen roos op ligt, en stapt dan zijn coupé uit, het smalle gangpad in, op weg naar de restauratiewagen.

'Morgen, Fons. Goed geslapen?' Achter in de lege wagon zit De Booy al met een krant aan een van de gedekte tweepersoonstafels. Het mandje met broodjes onder de elektrische schemerlamp voor het raam is nog onaangeroerd.

Diepenbrock neemt plaats tegenover zijn reisgenoot, aan wiens knevel en postuur nog goed te zien is dat hij vroeger luitenant ter zee is geweest. Ze zijn eergisteren apart naar Wenen gereisd en zien elkaar nu voor het eerst zonder gezelschap. 'Slaap jij wel eens goed in een couchette?'

De Booy glimlacht en vouwt zijn krant dicht. 'Natuurlijk niet. Geen mens doet een oog dicht tijdens zo'n reis.'

'Behalve Mengelberg.'

Nu lacht De Booy voluit. 'Ja, Mengelberg. Die moet wel, die zit tegenwoordig alleen nog maar in de trein...'

Het bossige heuvellandschap achter de vensters is grauw en nevelig. In de verte ligt een dorp als een stapel vuile vaat halverwege de helling. Dat zou je niet verwachten in dit hygiënische, tot op elk boomblaadje georganiseerde Duitsland. Een onberispelijke ober zet een zilveren theepot voor hem neer op een dienblad met hagelwit kanten kleedje.

Hij is blij dat hij hier niet met Mengelberg zit. Toen die vanwege verplichtingen in Turijn niet mee bleek te kunnen, was hij even teleurgesteld. Maar dat was meer voor Mahler; een onzinnige, plaatsvervangende teleurstelling. De Booy is veel aangenamer reisgezelschap: sensibel, bescheiden en op zichzelf, in het geheel niet luidruchtig of opdringerig. Terwijl Mengelberg hem nu de oren van het hoofd zou zwetsen.

'Ik hoorde in de bestuursvergadering dat *Die Nacht* naar het volgende seizoen wordt doorgeschoven,' zegt De Booy. Hij zet de broodkorf midden op tafel.

'Ja, oktober wordt het nu.'

'Ik begrijp dat Mengelberg Frankfurt er niet voor wil laten schieten,' gaat De Booy verder. 'Maar persoonlijk vind ik het toch jammer. Ik had me erg verheugd op een nieuw werk van jouw hand.'

'Ach, zoals Mengelberg al tegen me zei: jouw werk is voor de eeuwigheid, wat maakt een half jaar dan uit?'

'Dat is waar,' lacht De Booy. 'Jouw werk is voor de eeuwigheid.'

'Al hoop ik intussen van harte dat de uitvoering in het najaar wél door zal gaan...' Hij ziet dat zijn sarcasme De Booy niet ontgaat.

Even praten ze nog door over recente Concertgebouwaangelegenheden, tot dat onderwerp uitgeput raakt en er een stilte valt waarin ze beiden van hun thee drinken.

'Ik moet je zeggen dat de eenvoud van het hele gebeuren mij gisteren erg getroffen heeft,' zegt De Booy na een tijdje.

Diepenbrock knikt. 'Die immense stilte van al die zwijgende mensen in de regen.'

'Ja,' zegt De Booy en ze kijken weer een tijdje uit het raam.

Met een door de Weense NRC-correspondent geregelde automobiel reden ze gisteren aan het begin van de middag naar Grinzing, de afgelegen Weense buitenwijk waar de begrafenis plaats zou vinden, feitelijk nog een dorp van wijnbouwers in de bergen. De anders zo kleurrijke stad met zijn imposante jugendstilarchitectuur en levendige promenades, was troosteloos verregend en leek half uitgestorven; afgezien van de gebruikelijke wirwar van rijtuigen en trams. Zelfs de alomtegenwoordige reclameborden en aanplakzuilen leken minder schreeuwerig dan anders. Diepenbrock probeerde de route te volgen, maar herkende alleen de Stephansdom toen ze eraan voorbij reden en een paar bekende winkelstraten en pleinen. Toen ze in een gedeelte van de stad kwamen waar de bebouwing dunner en lager werd raakte hij volledig gedesoriënteerd. Door het informatieve gepraat van de NRC-man voelde hij zich eerder op een toeristisch tripje dan onderweg naar de begrafenis van zijn vriend. Hij moest denken aan de keer dat hij met Mahler langs het Rokin in Amsterdam liep en ze een groepje jonge toeristen met opgedraaide snorren voor een rondrit in een automobiel zagen stappen. 'Daar zien we nu de huidige tijdsgeest in volle glorie!' had Mahler uitgeroepen. 'Onberispelijk gekleed, modern, zelfverzekerd, rationeel en materialistisch tot op het bot. Als zulke heren al over iets ontastbaars nadenken, erkennen ze hoogstens de kracht die hun automobiel voortstuwt. Al het andere vinden ze naïeve onzin. Kom op jongens, laten we plezier maken en geld verdienen! Het leven is kort en dood is dood!' Mahler had erbij gelachen, maar zijn onverwachte boutade had een scherpe ondertoon. Het kunnen niet anders dan Duitse jongeren zijn, had hijzelf gedacht. Verwende zoontjes van Pruisische landjonkers, die goed geprofiteerd hadden van Bismarcks 'Realpolitik'. Of Mahler het moderne Duitsland net zo verafschuwde als hij, had hij niet durven vragen.

Door bemiddeling van de NRC-man was er een krans gemaakt met witte rozen, lelietjes van dalen en een lint met de Nederlandse kleuren: 'Dem grossen Meister'. Als afgezant van de Nederlandse muziekbeoefening legde Diepenbrock die bij de baar in het kapelletje naast het kerkhof. Lange tijd lag hij geknield bij het kleine zinken kistje en prevelde de woorden van het Onze Vader voor zich uit, plotseling overweldigd door het besef dat zijn vriend nu zijn lichaam in dat kinderkistje ontstegen was, dat hij deze tijdelijke wereld van vergankelijkheid en verdriet, van zijn en worden, van iets en niets achter zich gelaten had, en opgegaan was in de Liefde waaruit alles voortkomt: het voor aardse zintuigen onkenbare Oerlicht, dat al zijn symfonieën doorstraalt.

Pas toen er een paar heren het kapelletje in kwamen om ook kransen bij de baar te leggen, stond hij op en ging weer naar buiten, waar zich inmiddels een kleine menigte verzameld had.

De kist werd op een lijkkoets geladen, en voor de inzegening over een onverharde, met kransen afgezette laan naar de dorpskerk van Grinzing gereden, gevolgd door de stoet van familie, vrienden, bekenden en bewonderaars – een onafzienbare rij zwarte paraplu's en hoge hoeden in de stromende regen. En op dezelfde manier keerden ze na de korte plechtigheid terug naar het kerkhof, in stilte, en werd het kistje onder stortregens neergelaten in de aarde, naast het graf van Mahlers overleden dochtertje. Precies op het moment dat de kist daalde bloeide er in die ruisende stilte vanuit een struik een stralend gekwinkeleer op, hield de regen even in en brak tegelijk de zon door – een onbeschrijfelijk moment, bijna te mooi om waar te zijn. Je voelde een huivering door de menigte rond de kuil en langs de zijpaadjes tegen de berg omhoog gaan. Midden in die grauwe somberte de onwerkelijke kleurigheid van die ene lentevogel, de glinsterende regendruppels en die honderden dankbare kransen en boeketten rond de kuil. 'Luister toch hoe deze zanger zijn schepper verheerlijkt!' Hij hoorde het Mahler weer zeggen.

Geduldig wachtte iedereen om een schep aarde op de kist te kunnen werpen. Een paar militairen postten naast de

priesters bij het graf om alles in goede banen te leiden. 'Het
ga je goed, beste Mahler,' kon hij alleen maar denken toen hij
eindelijk aan de beurt was. Zijn schep aarde was nog niet op
de kist geploft of een van de soldaten verzocht hem al weer
door te lopen. In zijn verwarring kon hij de automobiel niet
vinden, die later zonder hem vertrokken bleek, en hij moest
met een jonge Nederlandse fluitist die in de Hofoper speelde
en diens gezelschap mee terugrijden naar de stad.

'De Beethoven van onze tijd noemt Mengelberg hem,' zegt
De Booy. 'En zijn dood het einde van een tijdperk.'
    'Daar lijken ze in Wenen jammer genoeg anders over te
denken. Waar was het Oostenrijkse Hof? En ook Richard
Strauss heb ik niet gezien. Van je tijdgenoten moet je het niet
hebben, zal ik maar zeggen.'
    'Hij was natuurlijk van het "oude volk",' zegt De Booy.
'Daar hebben ze het in Wenen niet zo op. Maar er waren verheugend veel jongeren: Schönberg, Zemlinsky...'
    'Ook allemaal joden.'
    'En de Hofoper was goed vertegenwoordigd,' zegt De
Booy.
    'Ja, zelfs de nieuwe directeur was er – die er indertijd alles
aan gedaan heeft om zijn plaats in te kunnen nemen...'
    De Booy bet zijn mondhoeken met zijn servet. 'Is dat zo?
Ik wist alleen dat hij ontslagen is omdat hij te veel op reis was
en zich tegenover de musici onmogelijk maakte.'
    'Het bekende verhaal van de Weense roddelpers.'
    'In Amsterdam was het orkest anders ook niet dol op
hem...'
    Diepenbrock drinkt zijn theekopje leeg en vouwt zijn
servet op. 'Iemand die de muziek boven alles stelt en weigert
genoegen te nemen met compromissen, routine en middelmaat, wordt al gauw onmogelijk gevonden.'
    De Booy knikt. 'Dat is waar.' En om het gesprek een an-
dere wending te geven, zegt hij: 'Wat een tragedie overigens
dat Mahlers vrouw juist nu te ziek was om de begrafenis bij

te kunnen wonen, vind je niet? De laatste jaren zijn toch al zo moeilijk geweest.'

'Weet je wat een van de Nederlandse journalisten mij gisteren na de begrafenis vroeg?' zegt Diepenbrock. 'Of ik hem iets kon vertellen over de geruchten die in Wenen de ronde doen dat Alma Mahler het afgelopen jaar een affaire met een jonge architect had.'

'En wat heb je toen gezegd?'

'Dat Mahler tegenover mij altijd met liefde en bewondering over zijn vrouw sprak.'

'Ze heeft hem toch ook tot het laatst verzorgd?'

'Die journalist zei dat hij natuurlijk ook niet wist wat er van waar was, maar dat hij had gehoord dat de dood van het dochtertje het toch al slechte huwelijk geruïneerd zou hebben. "Waarom stelt u zo'n belang in dit soort zaken," vroeg ik hem. "U zult er toch nooit achterkomen wat er werkelijk in iemands leven is omgegaan." En weet je wat hij toen zei? "Ik ben een journalist. Ik probeer de feiten te achterhalen." Waarop ik hem complimenteerde en zei dat ik nooit eerder een journalist ontmoet had die belang hechtte aan de feiten.'

De Booy lacht. 'Weet je overigens wat onze NRC-man mij gisteren na de begrafenis vroeg? Of ik 's avonds mee wilde naar een Wiener Operette. Ik kon hem gelukkig zeggen dat de plicht mij meteen weer terugriep naar Amsterdam.'

'Hij vroeg het mij ook. Ik heb hem geantwoord dat een operette en Mahlers begrafenis voor de journalistiek blijkbaar in elkaars verlengde liggen, maar dat die twee voor mij niet samengaan.'

Als De Booy zich met zijn krant in zijn coupé heeft teruggetrokken, en de ober komt afruimen, bestelt Diepenbrock nog een koffie.

Hij haalt zijn oude Hölderlin-editie uit de zak van zijn colbert. Sinds *Die Nacht* is hij weer volledig in Hölderlins verzen verzeild, en na Zandvoort had hij om zich te kalmeren het plan opgevat een lied te maken van 'Der Abschied'.

Dat wilde hij Jo dan met de opdracht 'Wem sonst als dir' op haar verjaardag sturen, zoals hij haar vorig jaar zijn zetting van Verlaines 'En sourdine' gaf. Maar toen hij aan 'Der Abschied' begon, stuitte hij onmiddellijk op moeilijkheden in de metriek waar hij op dat moment de moed niet voor had. Daarnaast voelde hij bij dit gedicht niet wat hem voor het eerst overkwam toen hij in Den Bosch aan zijn *Missa* werkte: het heilige vuur waar Mahler het ook altijd over had. Hij voelde geen vonk zoals bij het begin van *Die Nacht,* of bij andere geslaagde composities. En hij weet inmiddels dat hij maakwerk voortbrengt als het niet met die vonk begint. Zijn motief om 'Der Abschied' te willen componeren is te beperkt, te individueel-persoonlijk – hij wilde er alleen Jo maar mee ontroeren. En dat was iets, waar je Hölderlin eigenlijk niet voor kan gebruiken vindt hij.

Als vanzelf valt het boek nu weer bij het gedicht open en hij kan niet nalaten het nog eens te lezen en er zijn persoonlijke *soete pine* door te ondergaan. Schrijnend precies verwoordt het hoe hij zijn gedwongen afscheid van Jo ondergaat. Net als Hölderlin en Suzette Gontard, moeten ook Jo en hij elkaar nu definitief loslaten, hoewel er 'één hart in hen klopt' – omdat 'de wereld' het eist; ook Jo en hij moeten de onweerhoudelijke, goddelijke kracht in hun binnenste 'verraden' – de liefde die hun leven bezielt en zin geeft; en ook zij moeten zich nu van elkaar afwenden en tegen elkaar zwijgen en het gif uit de Lethe drinken om alles wat er geweest is in zich uit te wissen – opdat ze elkaar over een lange tijd misschien weer eens kunnen ontmoeten zonder verlangen en pijnlijke herinneringen, en gewoon wat praten en wandelen – als 'vrienden', zoals Jo het noemt. Daarvoor moeten ze nu eerst de 'Stimmen und süssen Sang wie aus voriger Zeit' in zich smoren, de lelie van hun liefde die nog maar net is opengebloeid, uit zichzelf proberen weg te rukken.

Hij trekt het zoekezakje van Jo uit zijn binnenzak en houdt het voor zijn neus en mond. Zoekezakje: zo noemt Cathrientje deze zakdoekjes met eau de toilette altijd, die haar moeder gebruikt om zich tijdens een wandeling of in het theater te verfrissen. Na afloop van een tocht door het Woud van Groenendael, de laatste keer in Brussel, gaf Jo het hem. 'Als je mij dan eens mist, vind je me hierin terug.' Hij verbeeldt zich dat hij er niet alleen Jo's eau de toilette, maar ook haar lichaamsgeur uit opsnuift.

Weer is daar die dwanggedachte: wat zou Jo op dit moment doen? Zit ze met Cathrientje aan een feestelijk verjaarsontbijt in de woonkamer in Ukkel? Eet ze nu een eitje of een broodje hesp aan dezelfde tafel waaraan ze hem na hun eerste nacht in de groene kamer zijn kravat gaf? En zou de Amerikaanse schilder nu op zijn plek zitten? Hij drukt het beeld snel weg. Misschien is ze niet eens in Ukkel. Viert ze haar verjaardag in pension De Borne in Laren, of bij haar familie in Zeist.

Toen hij een weekend in Holtwick was, is hij langs De Borne gelopen, in de hoop een glimp van haar op te vangen. Terug in Amsterdam zag hij vanuit de tram in de Leidschestraat een blauwe japon, en een heer en een kind, en met bonzend hart was hij de eerstvolgende halte uitgestapt en had zich verdekt opgesteld. Maar ze was het niet. Avondenlang zat hij boven op zijn kamer met haar brieven vanaf het begin dat ze elkaar kenden voor zich op tafel, en hij realiseerde zich hoezeer hij alles de afgelopen zeven jaar met Jo in verband had gebracht. Alle souvenirs die hij ooit van haar gekregen heeft, haalde hij tevoorschijn: het takje mimosa dat ze hem stuurde toen ze in Brussel de *Pelléas* van Debussy had gehoord; het portret van haar en Cathrientje in Rome, waarop ze net een Italiaanse lijkt met die vurige ogen; het slapende vrouwtje van Jacob Maris dat hij van haar kreeg nadat ze... Genadeloos had hij zich over gegeven aan zijn herinneringen. Hun eerste Latijnse lessen bij gesloten gordijnen en kaarslicht, hun gesprekken over Moeder. En later hun wandelingen door Amsterdam en Brussel, hun discussies over alles wat ze lazen en hoorden, haar moedervlekken, de ochtendschemer die door de luiken van de groene kamer

viel toen ze zei: 'Van de 24 uur met jou wil ik er 24 genieten!'
En hij schreef haar, om zich te verontschuldigen voor zijn
uitzinnige gedrag in Zandvoort, maar ze antwoordde niet.
Hij schreef haar nog eens, en nog eens, en nog eens: eerst
wanhopig en gekwetst, vervolgens begripvol en verstandig
en ten slotte pathetisch en sentimenteel. Geen enkele reactie. Hij probeerde haar voor de zoveelste keer uit te leggen
dat hij toch niet zomaar vijftien jaar zwaar bevochten huwelijk achter zich kon laten en het leven van Thea en Joanna
in de war mocht schoppen. *Wij kunnen toch niet bouwen op
een ruïne!* Maar hij kon ook zijn liefde voor haar niet zomaar
het zwijgen opleggen en hij begreep niet hoe zij meende dat
wel te kunnen. Wist ze nog hoe ze eens tegen hem zei: 'Vive
l'amour libre!' – daardoor had hij werkelijk gehoopt dat hun
onmogelijke liefde zou kunnen bestaan: hij getrouwd en zij
misschien af en toe een affaire belevend, maar beiden in de
onomstotelijke wetenschap dat *zij tweeën* bij elkaar hoorden
en ten diepste verbonden waren. Ja, hij had serieus geloofd
dat het mogelijk zou zijn elkaar af en toe te zien en van hun
geluk te genieten zonder daar iemand schade mee te berok-
kenen. Zo bestookte hij haar met de ene na de andere radeloze missive, die ze geen van alle beantwoordde. Hij wist
niet eens of zij ze wel ontving en las. Dagelijks probeerde hij
bij elke postbezorging voor Elsa te verhullen hoe onrustig
hij wachtte. Wekenlang kwam er geen enkele brief van Jo,
geen enkel kaartje. Het ene moment stelde hij zich voor dat
ze overmand was door verdriet en geen moed had om hem
te schrijven, het volgende moment dat haar aanstaande het
haar verbood. Hij haalde zich in het hoofd dat ze hem al lang
weer vergeten was, dat ze zich haar grote 'onweerhoudba-
re' liefde voor hem maar had ingebeeld, dat ze nu hetzelfde
meende te voelen voor die Amerikaan en alles met die man
deed wat ze vroeger met hém had gedaan. En hij stuurde
haar een laatste, dringende brief, waarin hij haar bijna beval iets te laten horen, al was het maar een enkel verzoenend
woord, een bevestiging van ontvangst. Hij smeekte haar nog

één laatste keer te mogen zien voor ze trouwde. Dat waren ze toch aan hun liefde verplicht, elkaar nog één keer rustig te kunnen spreken en in de ogen te zien, voor het allerlaatst, om waardig en kalm afscheid te nemen, met één laatste kus, als ze dat wilde, zonder pathos en bitterheid. Ook daar kwam geen reactie op.

Een luidruchtig groepje militairen stampt de restauratiewagen binnen. Hoe kan het ook anders in dit onzalige land, denkt hij. Hij bladert nog wat in Hölderlin, kan zich er niet meer op concentreren en steekt het boek weer in zijn zak. Het 'grote' romantische Duitsland verdrongen door het militaristische Keizerrijk. Met stramme benen staat hij op. Onderweg naar zijn coupé blijft hij even in het gangpad staan om bij een open venster wat frisse lucht op te snuiven. Ergens tussen Frankfurt en Keulen rijden ze nu. Over niet al te lange tijd komen ze in het geïndustrialiseerde Ruhrgebied, met zijn metaalfabrieken en hoogovens waar de kanonnen gemaakt worden die zogenaamd de vrede in Europa moeten waarborgen. Het gebied waar 'de afgoden van Feit en Wetenschap' hoogtij vieren, en waar het hedendaagse Duitsland zijn werkelijke gezicht laat zien.

Hij wilde dat hij het laatste stuk van deze ellendige reis kon overslaan en alweer rustig in de Verhulststraat bij zijn dochters was. Hij verlangt er ook naar weer in alle rust en concentratie op zijn kamer te zitten en te werken. Misschien moet hij een van zijn oude partituren gaan herzien. *Im grossen Schweigen* is te zwaar georkestreerd. Daar moet wat Wagner uit en misschien wat meer Debussy in. Of hij zou de *Missa* kunnen orkestreren, dat zou de kans op een uitvoering vergroten, al heeft hij dat werk nooit voor een concertzaal bedoeld. In ieder geval moet hij iets groots aanpakken dat hem rust en concentratie brengt. Zelfs tijdens dit ene etmaal in Wenen informeerde hij onophoudelijk aan de receptie naar de post. Jo wist dat hij naar Wenen was, hij had het haar met opzet nog geschreven vlak voor hij vertrok. Maar er was alleen een brief van Elsa. Een brief, bedenkt hij nu, die hij door zijn ontreddering na de begrafenis en zijn overhaaste vertrek gisteravond, nog niet las.

In zijn coupé rommelt hij wat in zijn valies, op zoek naar een hoofdpijnpoeder, die hij niet vindt. Dan gaat hij met de brief in de fauteuil aan het tafeltje bij het raam zitten.

De meisjes missen hem erg, schrijft Elsa, en vooral Thea snapt niet veel van zijn plotselinge reis 'naar Mader' in Wenen. *'Mader is naar Onze Lieve Heertje,'* zei ze, *'en Pappie is naar Mader. Is Pappie dan ook naar Onze Lieve Heertje?'*

En over hun afscheid schrijft Elsa: *Voor het eerst sinds een poos voelde ik weer toenadering tussen ons, je was erg in beslag genomen de laatste tijd.* Dat hij haar nu met innigheid had omhelsd, *met al het verdriet om Mahler dat eronder zat,* had haar goed gedaan. En ze sluit af met de mededeling: *Denk niet dat er ooit iemand tussen jou en mij kan komen.*

De trein rijdt een tunnel in, en ineens ziet hij zichzelf zitten in de ruit: een scherpgetekend, middelbaar hoofd gesteund op een hand en een elleboog, een diepe piekerplooi boven de neus – midden in de 'woeling van aardse beslommeringen'. Als hij zich niet zo ellendig voelde, zou hij zichzelf nu hartelijk uitlachen.

Maar daar is de bevreemding weer en ook het gevoel dat hij al heeft sinds het bericht van Mahlers dood hem bereikte: dat hij van buitenaf bekeken wordt, nee niet van buitenaf, van binnenuit. Een gevoel dat hij voor het eerst had toen Moeder net overleden was. Ineens was ze in hem, zag wat hij zag, zag wat hij voelde, zag wat hij dacht. En verbaasde zich hoofdschuddend over al zijn kleinzielige geworstel en getob. Vandaag is het Mahler die meekijkt in zijn innerlijk en zijn gepieker over Jo en Elsa met een ironisch lachje gadeslaat. Nu weet Mahler meteen ook hoe ver *sein lieber Freund* nog af is van een onbezoedelde blik in het hoge mysterie, van de Muziek, hoezeer de wereldse bekommernissen zijn blik nog verduisteren.

Het landschap schuift weer voor zijn gekwelde kop en hij zit als tevoren in het groezelige ochtendlicht.

Mader is naar Onze Lieve Heertje, denkt hij. Die houdt zich echt niet meer bezig met mij. Wat er nu in mij omgaat, zal niemand ooit weten.

Hij staat op, legt Elsa's brief terug in zijn koffer.

Buiten begint het vlakker te worden, de bebouwing neemt toe. Ze naderen Keulen.

12

Julinacht in Diemen

'Achter de sterren,' zegt Petrus met een grasspriet in zijn mondhoek, 'zit God op zijn saffieren troon en zingen de serafijnen. Dat zei mijn moeder altijd toen ik klein was.'

Ze liggen op hun rug in een weiland onder een helder firmament. Op de boerderij in de verte is alles allang donker. Het moet rond middernacht zijn, maar het is nog steeds zoel. Het enige geluid dat er te horen is, komt van een paar hoestende koeien op het land naast de stallen.

'En wat zei ze nog meer?' vraagt Vermeulen.

'Dat de sterren gaten zijn in die zwarte koepel waar het hemelse licht doorheen straalt.'

'Dat staat in de bijbel. Las ze je daaruit voor?'

'Nee, maar elke zondag nam ze mij en mijn zusje mee naar de kerk. Daar hing een groot schilderij van God op Zijn troon, omringd door planeten en engelen met violen. En onder de wolken ver in de diepte was de aarde met bomen en velden en in de verte een stad. Ik stelde me altijd voor dat ik een van de nietige figuurtjes in die velden was en dat mijn overleden broer daarboven bij God in de engelenmuziek zweefde. Vlak voor mijn moeder doodging zei ze tegen me: treur maar niet jongen, je weet waar ik heenga. Nu ga ik soms nog stiekem naar die kerk met dat schilderij.'

'Stiekem? Waarom?'

Petrus spuwt zijn grasspriet weg. 'Mijn vader wil niks met het geloof te maken hebben. "Je moeder is dood, die ligt weg te rotten in de grond," riep hij een keer tegen me. "En die mooie god van haar met zijn hemel en zijn engelenmuziek is

een verzinsel van de kerk om de mensen koest te houden."'
Hij plukt een paar nieuwe halmen af en begint ze uit elkaar te
trekken. 'Als mijn vader erachter komt dat ik naar de mis geweest ben vloekt hij me dagenlang stijf.'

Kom toch hier wonen, denkt Vermeulen, dan ben je van
die man af.

Volkomen overstuur stond Petrus aan het eind van de middag ineens in de Spelonk. Vermeulen was net klaar met een
stuk voor Wiessing en zat nog wat te bladeren in een paar
nieuwe partituren die hij van Diepenbrock had geleend. Op
zichzelf was het niet vreemd dat Petrus onverwacht langs
kwam: dat deed hij wel vaker, om op zijn viool te spelen (die
inmiddels, veilig voor zijn vader, in Diemen ligt), een boek
terug te brengen of om te oefenen in het noten lezen. Maar
dit keer was er duidelijk iets gebeurd. Die ochtend was hij
niet naar de meubelmakerij gegaan omdat hij zich niet goed
voelde en toen zijn vader 's middags onverwacht thuiskwam
en hem lezend op zijn zolderkamer aantrof, scheurde hij het
boek in tweeën en trapte de duiventil op het plat in elkaar.
'Als jij niet werkt kunnen we ook geen voer betalen. Dan
kunnen we helemaal niks betalen. Dan moeten we maar duiven vreten.' Daarna had hij een witte tortel de nek om gedraaid. De andere was in paniek gevlucht. Net als Petrus,
voordat zijn vader ook hem zou toetakelen. 'Het spijt me zo
dat je boek kapot is Thijs,' zei hij. En met een treurig gezicht
legde hij de twee helften van de in de rug doorgescheurde
Mei op tafel.

Er was nog wat melk en brood en dat deelden ze als avondmaal, en bij de boerin kregen ze nog een paar pannenkoeken
en appels. Daarna hadden ze de hele avond op de landweg-
getjes rond Diemen lopen praten.

'Waarom ga je nog naar die meubelmakerij voor dat hon-
gerloon dat ze je geven?' vroeg Vermeulen. En ook: 'Waarom
kom je niet een tijdje hier, als de situatie thuis zo onhoudbaar
wordt? Nu ik voor twee kranten schrijf kan dat makkelijk en

er is ruimte genoeg. Je zou hier je duiven kunnen houden en het zou ook goed zijn voor je muzikale ontwikkeling. Eergisteren heb ik een jonge conservatoriumdocent gesproken die je best les wil geven. Maar dan moet je wel elke dag oefenen. Dat zou hier heel goed gaan.' Vioolles! Petrus' ogen straalden. Maar in Diemen komen wonen wilde hij niet. 'Ik kan mijn zusje toch niet aan haar lot overlaten? En ik moet mijn vader helpen. Dat hij zo drinkt en tekeergaat, komt allemaal door het verdriet.' Maar voor die lessen zou hij wel iets verzinnen. 'Dat ik een meisje heb ofzo.'

'Geloof jij in God, Thijs?' vraagt hij nu en knoopt zijn jak dicht.

Vermeulen gaat overeind zitten en slaat zijn armen om zijn knieën. 'Moeilijke vragen stel jij.' Hij veegt een mier van zijn been. 'Als ik tegenwoordig wel eens probeer te bidden, vraag ik me af tegen wie ik het heb. En in de kerk voel ik me niet meer thuis. Iedereen lijkt er uit plichtsbesef of gewoonte te zitten; alles wordt knullig en routineus afgewerkt. Ik beleef er steeds minder bij, alsof het iets van mijn kindertijd is dat ik langzaam ontgroei. De bemoeizucht van de pastoors vind ik vaak kleingeestig of hardvochtig. Hun uitleg van het evangelie naïef. En veel van het parochievolk bezorgt me de kriebels.' Onwillekeurig denkt hij even aan Wierdels. 'Dus eigenlijk wil ik niet meer bij de kerk horen, ook al zei Diepenbrock laatst dat je de kathedraal van Chartres niet moet slopen omdat er slecht gepreekt wordt.'

'Ja, maar geloof je in God of vind je alles flauwekul?' Met een ontwijkend of half antwoord laat Petrus zich niet afschepen.

'Ik geloof in mijn vrijheid om te denken en te doen wat ik wil, om te zijn wie ik ben. En ik geloof in mijn plicht als mens om de scheppende geest van de liefde in mijzelf te zoeken, de liefde die zon en maan en sterren drijft. En bovenal geloof ik in de muziek als uitdrukking van die liefde.' Hij gaat weer langzaam op zijn rug in het gras liggen en haakt zijn handen in elkaar achter zijn hoofd. Nooit eerder heeft hij dit zo tegen iemand gezegd.

Petrus tuurt geruime tijd naar de sterren. Waarschijnlijk wilde hij alleen een ja horen, om zichzelf gesterkt of getroost te voelen. Maar een eenvoudig ja of nee blijkt voor dit soort vragen helaas niet te bestaan, dat zal hij ook moeten leren.

En ineens ziet hij het gezicht van Pater Dobbelsteen voor zich, zijn jonge muziekleraar op het seminarie. Altijd keek die naar hem, glimlachte soms en zocht steeds vaker contact buiten de lessen om. Ze raakten bevriend, en praatten uitvoerig over het geloof en God, over de Liefde ook, waarbij de pater een keer had gezegd: 'Ik weet soms ook niet hoe ik moet geloven.'

Nu hij zo naar Petrus ligt te kijken, voelt hij zelf wat er indertijd in die man moet zijn omgegaan.

'Bedoel je met die liefde God?' vraagt Petrus.

'God is een verzonnen oude man op een troon van wie beweerd wordt dat hij dood is: sinds de wetenschap gelooft dat het heelal oneindig is, is er geen plaats meer voor Hem achter de sterren. Maar de liefde is de eeuwige, ondoorgrondelijke bron van al het bestaande, de scheppende geest die het heelal en alles wat er in is voortbrengt en in stand houdt. Waarin alles weer terugkeert ook. De liefde is het vuur waaraan ieder mens in zijn diepste innerlijk onbewust deelheeft, waarvan hij soms een sprankje in zichzelf kan ervaren, bijvoorbeeld door het horen van echt goede muziek. Muziek is de enige kunst die de mens zo kan verlichten en verruimen en met zijn oorsprong in contact brengen.'

'Hoe weet jij dit soort dingen toch allemaal Thijs?' Petrus kijkt hem van opzij aan.

'Door de *Marsyas*-muziek van Diepenbrock. Toen ik die voor het eerst hoorde in het Paleis voor Volksvlijt. En door mijn gesprekken met Diepenbrock, over Mahler bijvoorbeeld.'

'*Marsyas*,' zegt Petrus. 'Daar heb je over verteld. Die wedstrijd tussen die overmoedige faun en de muziekgod.'

'Deze zomer bestuderen we alle Mahlersymfonieën, en vooral de Vierde, Diepenbrocks favoriet, omdat die volgens hem de meest troostende is. "Een mooie droom" noemt hij het, een geniale verklanking van het goddelijke mysterie ingebed in het hemelse leven zoals de mens zich dat voorstelt. Het ultieme voorbeeld van Nietzsche's "metafysische troost", zoiets als jouw schilderij in de kerk, zeg maar. In de Vierde laat Mahler volgens Diepenbrock alle gewaarwordingen horen die een ziel zou kunnen denken te ondergaan als hij van zijn aardse banden verlost wordt – van een middeleeuws getinte, bovenaardse vrolijkheid met belletjes en walsjes, tot de hoogste mystieke vervoering van de aanschouwing van de goddelijke liefde in het langzame derde deel. Zelf heeft Mahler dat Adagio aangeduid met: *Waar de dood ons gebracht heeft*.'

'Heb jij niet over die symfonie geschreven?'

'Toen Diepenbrock de Vierde vorig jaar in het Concertgebouw dirigeerde, wist ik nog nauwelijks wat ik je nu allemaal vertel. Wat heb je eraan al die verschillende soorten muziek en sferen door elkaar te mengen, dacht ik. Die walsmelodieën in het eerste en laatste deel kon ik nauwelijks meer dan banaal vinden, Weense gemoedelijkheid in plaats van "bovenaardse vrolijkheid". Maar Diepenbrock heeft me laten zien hoe Mahler zulke elementen uit de Duitse volkscultuur van de achttiende eeuw, die je ook nog wel bij Haydn en Mozart kunt aantreffen, gebruikt om er in een groter verband iets mee te zeggen. Door ze bijvoorbeeld met de meest verheven melodieën te confronteren. Mijn teleurstelling indertijd lag dus niet zozeer aan Mahler, maar aan mijn eigen onwennigheid tegenover Mahlers muzikale idioom en manier van werken. En waarschijnlijk lag het ook aan Diepenbrocks niet al te trefzekere uitvoering – hij is geen ervaren dirigent. Want na de gesprekken met hem, en na onze analyses van de partituren, heb ik ingezien dat al die volksdeuntjes, marsen en walsen die Mahler gebruikt, afgezien van hun functie in het grotere geheel, op zichzelf ook nergens banaal zijn, zoals bij iemand als Dopper. Daarvoor is Mahler een veel te vindingrijk orkestrator en manipulator van de ontroering. Zelfs in het sentimenteelste zigeunerwijsje weet hij zijn toehoorders nog met sublieme klankvondsten mee te slepen en een grote innigheid en vervoering teweeg te brengen. Terwijl daarnaast het derde deel van de Vierde, of bijvoorbeeld de polyfone passages in de grote Faustsymfonie, van een bovenaardse waarheid en schoonheid zijn, zeker ook melodisch. Volgens Diepenbrock heeft Mahler ooit tegen hem gezegd dat in de Achtste de verschillende stemmen geen menselijke emoties meer verklanken, maar de banen van sterren en planeten.'

Het is inmiddels kouder geworden. Petrus is overeind gaan zitten, en zet de kraag van zijn jasje omhoog.

Vermeulen staat op. 'Ik heb weer veel te lang zitten oreren. Maar je vroeg er zelf om. Zullen we naar binnen gaan?'

'Wil je dan nog iets voor me spelen?' Petrus laat zich graag imponeren door een bevlogen redevoering, maar nog liever wil hij eindeloos luisteren, hoe matig de pianist ook is.

'Wat zou je willen horen?'

'Iets wat jij mooi vindt. Iets met die liefde erin.'

Ze klimmen over het verweerde hek dat het weiland afsluit en lopen over het karrenspoor langs de tarweakker terug in de richting van de donkere boerderij. De hond heft alert zijn kop als ze het erf oversteken en komt dan kwispelend naar ze toe. 'Braaf,' zegt Vermeulen en klopt het beest op zijn zij. Ze ontmoeten elkaar hier vaker 's nachts.

Binnen in de Spelonk steekt hij alleen de lamp op zijn schrijftafel aan en de twee kaarsen aan de piano. Die beginnen meteen te flakkeren doordat de deur en alle ramen nog open staan. Hij sluit ze, ook om de boer niet wakker te maken, hoewel het woonhuis op flinke afstand ligt. Geluid draagt ver op een julinacht als deze. Petrus gaat op een aardappelkrat naast de piano zitten, in het zachte, oranje licht. Een engel uit *Des Knaben Wunderhorn*.

'Ik begin met iets wat je nog niet kent.' Hij rommelt wat in het stapeltje muziek op de piano, haalt er een gedrukt piano-uittreksel uit en een gekartonneerd cahier, aarzelt even, trekt dan ook een paar losse muziekbladen onder de boeken op zijn schrijftafel vandaan. De bladen en het gedrukte uittreksel legt hij apart op de piano, het cahier zet hij op de lessenaar.

'Het is niet makkelijk, zonder kleerscheuren zal ik er niet doorheen komen. Dat moet dan maar.' Hij werpt nog een blik op de afwachtende Petrus, en concentreert zich dan op de muziek, minutenlang, zonder zijn ogen van de noten te halen. Een paar keer gaat het mis en moet hij zich hernemen. Als hij weer opkijkt, zit Petrus er nog even onweerstaanbaar bij, precies zoals voor hij begon, zijn blik naar de grond gericht.

'Ik speel het niet mooi,' zegt hij terwijl hij het cahier dichtslaat. 'Maar wat vind je ervan?'

Petrus kijkt langzaam naar hem op. 'Prachtig.' Hij heeft tranen in zijn ogen.

'Mahler. Het begin van *Wohin der Tod uns geführt hat* uit de Vierde symfonie. In een pianoversie van Diepenbrock die hij me te leen heeft gegeven.'

'Het klinkt zo verheven en vredig.'

'Een en al verstilling en grootsheid is het. En nog veel meer. De afzonderlijke melodieën en hun weidse harmonieën verklanken alles wat je voelt als je met je hele ziel onder de sterren staat. Deze muziek is onmetelijk en mysterieus als het heelal en tegelijk innig en vervoerend. En dan heb je de orkestversie nog niet gehoord. Ongelooflijk! Het werk van een meester die van ziel tot ziel weet te spreken, die het eeuwige achter het tijdelijke weet op te roepen, een richtingwijzer. Deze muziek *kan* nu niet anders dan een lichtend voorbeeld zijn voor iedere jongere die zelf muziek wil componeren, net als de muziek van Diepenbrock zelf – of die van Palestrina, Beethoven of Bruckner vroeger. Zulke meesters en zulke muziek hebben we hard nodig in deze grimmige en onheilspellende tijd.'

Petrus kijkt verrast op. 'Hoe bedoel je?'

Hè, denkt Vermeulen. Dat laatste had ik niet moeten zeggen.

'Iedereen is bang voor een oorlog.'

'Een oorlog? Tussen wie?'

'Tussen Duitsland en Frankrijk, die allebei belangen in Marokko hebben. En vervolgens tussen alle landen van Europa.'

'Wat is er dan aan de hand in Marokko?'

'Weet je niet dat Duitsland een kanonneerboot naar Agadir heeft gestuurd?'

Natuurlijk weet Petrus dat niet. Die is al blij als hij af en toe een stuk over muziek in de krant kan lezen.

'Frankrijk heeft Marokko bezet en daardoor voelen de Duitsers zich benadeeld omdat die Marokko ook als kolonie op het oog hebben.' Hij loopt naar de wandkaart van Europa naast zijn schrijftafel en begint te vertellen hoe Europa sinds het einde van de negentiende eeuw in twee grote machtsblokken verdeeld is geraakt, die zich beide tot de tanden bewapend hebben, ondanks de herhaalde vredesconferenties.

'Als één land uit het ene blok om wat voor reden ook in oorlog komt met één land uit het andere, zijn alle landen van beide blokken met elkaar in oorlog. De hemel verhoede dat het gebeurt, maar nu Duitsland en Frankrijk elkaar zo provoceren komt het erg dichtbij. Bovendien lijken de Duitsers al tijden op zoek naar een gelegenheid om zo'n oorlog te ontketenen.'

'Hoezo?'

'Omdat ze zich superieur voelen, rijk zijn en zich daardoor onoverwinnelijk achten. En omdat ze in één klap hopen af te kunnen rekenen met al hun concurrenten en tegenstrevers zoals die lichtzinnige Fransen en eigenwijze Britten.'

Petrus is ontdaan. Alsof de vredige Spelonk waarin hij zich bevond ineens belaagd wordt door beren en adelaars. 'Waarom willen regeringen oorlog,' zegt hij. 'Gewone mensen hebben het al moeilijk genoeg.'

'Maak je nou maar niet al te veel zorgen,' zegt Vermeulen.

'Elke regering zal wel drie keer nadenken voor ze een oorlog begint. Alle landen zijn zwaar bewapend en hebben sterke bondgenoten, waardoor de gevolgen desastreus zullen zijn. "Het scherp geslepen zwaard is de beste garantie voor vrede," heeft de Kaiser op een van de vredesconferenties gezegd. Hij had ook een heel eskader naar Marokko kunnen sturen, in plaats van die ene kanonneerboot. Dat heeft hij niet gedaan, dus zo'n vaart zal het niet lopen. Het lijkt allemaal een spel waarin men elkaar waarschuwt de balans niet uit evenwicht te brengen. Bovendien doet Nederland niet mee als er toch een oorlog uitbreekt. Wij zijn neutraal.'

Erg geruststellend klinkt het allemaal niet.

'Maar laten we ophouden over oorlog. Het heeft geen zin je zorgen te maken over iets wat er nog niet is en waarschijnlijk ook helemaal niet komt. Ik wilde je nog iets laten horen.' Hij pakt het gedrukte uittreksel van de piano, en begint meteen te spelen. Een stuk dat hij veel gestudeerd heeft. De Serenade uit *Harold en Italie*.

Het lijkt te helpen, Petrus staart weer naar de grond en ontspant zich. 'Dit ken ik,' zegt hij na afloop. 'Berlioz toch? Dat heb je me al eens laten horen.'

'Kijk, mijn lessen beginnen vrucht af te werpen. En nu nog iets heel bijzonders... een primeur.' Hij zet de losse bladen voor zich. Met grote kracht en overtuiging slaat hij de eerste akkoorden aan.

'Wat was dat?' vraagt Petrus verbaasd als de muziek abrupt afbreekt. 'Mahler weer? Het klinkt anders. Diepenbrock?'

'Vind je het mooi?' Vermeulen pakt de papieren van de lessenaar en schuift ze tot een stapeltje in elkaar.

'Ja heel mooi. Maar ook vreemd. Alsof er stukken uit weggelaten zijn.'

'Niet weggelaten. Het is nog niet af. Dit zijn een paar fragmenten en aanzetten van wat mijn Eerste Symfonie gaat worden. Mijn Symfonie van Extatische Zangen.'

Petrus kijkt hem verbluft aan.

'Ik kan er nu niet goed aan werken omdat ik steeds moet

schrijven voor de krant, en schrijven en componeren lukt bij mij niet tegelijk. Maar volgend jaar, als ik wat gespaard heb, wil ik er de hele zomer aan gaan zitten.'

Eindelijk lijkt Petrus zijn schrik over de oorlogsdreiging vergeten en kijkt hij weer op dezelfde manier naar hem als toen ze voor het eerst vanuit Keetje samen opliepen door de Damstraat.

'Dat gaat een grote muziek worden, Thijs. Ik voel het. Een muziek van de liefde. Een muziek voor deze tijd.'

13

Elsa weet alles

Er wordt geklopt. Diepenbrock slaakt een diepe zucht, legt zijn pen in de richel van het inktstel en schuift de partituurbladen van *Im grossen Schweigen* met een theatraal gebaar van zich af. Na weken van geploeter is hij er bijna door, nog een paar dagen en de herziening is klaar. En uitgerekend nu komen ze hem storen.

'Ja?' Hij probeert niet meteen boos te klinken, waardoor het er te zacht uit komt.

Geen reactie aan de andere kant van de deur.

In de geel omlijste ramen van de verandadeuren valt een warm zomerlicht over de bosrand en de heidevelden. In de verte loopt Koosje met Thea en Joanna. Af en toe bukken ze, waarschijnlijk om een mooi steentje op te rapen of een bloem te plukken.

'Ben jij dat Elsa?' vraagt hij nu met stemverheffing.

Langzaam gaat de deur open. Elsa steekt haar hoofd om de hoek. 'Een brief voor je, Fons.'

'Een brief? Die ik nu moet lezen?' Hij probeert vriendelijk te blijven, maar de ondertoon is streng. Ze weet dat hij niet gestoord wil worden als hij aan het werk is.

In een oogopslag herkent hij Jo's handschrift op de adressering. Hij pakt de envelop aan, legt hem zonder er verder een blik op te werpen bij de te beantwoorden post op zijn schrijftafel en doet of hij zich weer op zijn partituur wil richten. 'Dank je.'

Elsa maakt geen aanstalten hem alleen te laten.

Hij trekt de muziekbladen weer naar zich toe en pakt zijn pen op. 'Vind je het goed als ik nog even verder werk?'

Ondanks zijn dreigende vriendelijkheid blijft Elsa staan. Alsof ze wil uitproberen hoe ver ze kan gaan.

'Hij is van Jo,' zegt ze en observeert nauwlettend hoe hij reageert.

'Dat zag ik ja. Sinds wanneer moet ik mijn werk onderbreken voor een brief van Jo?'

'Er zal iets dringends zijn, dacht ik.' Ze lijkt te aarzelen om te zeggen wat ze wil zeggen. 'Dit is al haar derde brief deze week, normaal schrijft ze je zelden in Laren.'

Het is weer zover. Elsa vindt dat Jo hem te vaak schrijft. 'Ze wil me gewoon even bijpraten over haar huwelijk,' zegt hij kortaf. 'Dat is allemaal zo snel gegaan. Ik ben nog altijd haar vriend en vertrouweling. Dat weet je toch?'

'Ja, dat weet ik inderdaad,' zegt Elsa met grimmige plooien om haar mondhoeken. 'Wat valt er eigenlijk drie keer in de week te vertellen over dat kersverse droomhuwelijk van haar? Hoe stapelverliefd ze op die Amerikaan is, met wie ze zo holderdebolder is getrouwd?'

Hij voelt zijn boosheid langzaam overgaan in verontrusting. 'Als je het precies wilt weten: Jo heeft moeilijkheden met haar echtgenoot. Ze vraagt zich af of ze niet te overhaast getrouwd is met iemand van wie ze misschien niet voldoende houdt. Daarover schrijft ze mij.'

Elsa snuift sarcastisch. 'Nog geen twee maanden getrouwd en nu al huwelijksproblemen... Was ze weer in verwachting en bang voor de tweede keer in de steek gelaten te worden, dat alles zo haastig moest?'

'Niet dat ik weet,' zegt hij ijzig en legt nadrukkelijk zijn pen weer neer. Het lijkt wel of Elsa plezier beleeft aan Jo's problemen, alsof ze denkt: eigen schuld, moet ze maar niet zo dom doen.

Ineens worden Elsa's ogen fel. 'Ik had gehoopt dat het nu eindelijk op zou houden Fons.' De zin valt als een rotsblok uit haar mond.

'Waarom doe je ineens zo wantrouwig?' vraagt hij aarzelend.

Elsa kijkt hem strak aan. 'Je hebt Jo ook nog gesproken in Amsterdam.'

Dat is het dus. Een van haar alomtegenwoordige kletsvriendinnen heeft hem met Jo op Weesperpoort zien zitten. En hij heeft dat gesprek verzwegen. Nu vooral vanzelfsprekend blijven doen.

'Ja, ik zag haar toevallig op het station vorige week, onderweg hierheen voor Thea's verjaardag. We hebben even thee gedronken in de restauratie. Dat is toch niet verboden?'

Onderweg naar het perron van de Gooische Stoomtram zag hij haar ineens staan in de drukte. Het was of zijn hart zich onverwacht met geweld uit zijn borst probeerde te bevrijden. Jo. Daar stond Jo. Licht gebruind was ze, ze droeg een luchtige roodsatijnen japon, en een dure hoed die hij niet kende. Toen zij hem ook zag ging er een schok door haar lichaam. Sinds dat ellendige tochtje naar Zandvoort hadden ze geen contact meer gehad. Een week na zijn reis naar Wenen was ze in Laren getrouwd; hem had ze daar niets over laten weten – hij had er via de vriendinnen van Elsa over gehoord. Misschien gaat ze wel naar Amerika verhuizen, had hij gedacht, misschien is ze mij allang vergeten en zie ik haar nooit meer. En nu stond ze ineens voor hem met haar kunstzinnige hoed.

'Jo, wat een toeval,' wist hij uit te brengen. 'Hoe gaat het je?'

'Fons,' zei ze alleen maar. En daarna bijna voor zichzelf: 'Kan dit toeval zijn?' Daarbij glimlachte ze zo droevig dat hij haar onmiddellijk in zijn armen had willen sluiten.

Hij stelde voor even in de restauratie te gaan zitten, en tot zijn verrassing vond ze dat goed. Terwijl ze een tafeltje zochten vertelde ze dat haar man een maand naar Amerika was, om daar het een en ander te regelen.

Achter in de hoek kwam een tafel vrij. Terwijl ze plaatsnamen praatte Jo verder zonder dat hij haar één vraag stelde. Na de zomer gingen ze voorlopig in Ukkel wonen, en dan op den duur iets groters zoeken met atelierruimte voor Joe, in Brussel of misschien wel ergens op het Franse platteland, dat zou hij het liefste willen. Nu was ze op weg naar Noordwijk waar ze met Cathrientje en de juffrouw in een pension zat.

Hij kon zijn ogen niet van haar afhouden, van haar wenkbrauwen, haar lippen, haar hals, haar decolleté. Ze was veranderd en tegelijk ook niet. Haar anders zo sprankelende ogen stonden flets, alsof ze uitgeput was, ze was wat voller, wat haar prachtig stond en haar trekken waren zachter geworden.

'Hoe is het met Thea en Joanna,' vroeg ze.

'Goed,' zei hij. 'Die genieten in Laren volop van de zomer. Ik had nog wat lesdagen in Amsterdam en ben nu onderweg naar Thea's verjaardag.'

Ze feliciteerde hem. Een jaar geleden zou ze Thea een pakje gestuurd hebben.

En toen zei ze: 'Weet je nog dat je in Zandvoort zei: moge dit het begin van een gelukkig leven voor je zijn?'

Hij knikte.

'Dat is het niet geworden.' Ze begon bijna te huilen.

'Ik wist na februari dat jij niet voor mij ging kiezen, en ik zag niet hoe ik verder zou moeten zonder jou. Ik raakte overspannen, door het geroddel over ons ook, zocht afleiding in Laren, ontmoette Joe, hij was lief en grappig, ook voor Cathrientje. En in mijn duisternis zag ik hem ineens als een lichtstraal: een lieve goede man om een nieuw, ongecompliceerd leven mee te beginnen. Dat zou voor jou, zowel als voor mij het beste zijn. Maar nadat ik jou weer gezien had in Zandvoort, en vooral toen ik al de brieven las die je me daarna schreef, en merkte hoe onverbrekelijk wij met elkaar verbonden zijn en hoe mijn besluit jou vermorzelde, ging ik twijfelen. Daar heb ik toen met Joe over gepraat, en hij was vol begrip – natuurlijk kon ik mijn liefde voor jou niet zomaar overboord zetten, maar toch moest ik dat doen voor mijn eigen bestwil en hij hoopte dat hij me daarbij zou kunnen helpen op den duur. Dat kalmeerde me en toen zijn we alsnog getrouwd. Maar al snel moest ik hem weer zeggen dat ik niet begreep wat ik gedaan had: dat ik met hem getrouwd was terwijl ik zo'n groot gevoel voor jou in mijn hart heb. Daar kreeg Joe het toen heel moeilijk mee – hoe begripvol hij ook probeerde te zijn. Daarom zit hij nu een tijdje in Amerika.'

'Dus je bent altijd van mij blijven houden?'

'Ik verlangde zelfs terug naar de tijd dat ik onbekommerd naar je kon verlangen en me niet schuldig hoefde te voelen tegenover Joe!'

Al zijn twijfels, al zijn somberheid, al zijn onrust en getob leken als vuil in warm water los te laten.

'Waarom heb je me nooit meer geschreven?' vroeg hij.

'Eerst omdat ik anders nooit getrouwd zou zijn. Er *moest* iets gebeuren Fons, en dit was de enige mogelijkheid die ik zag. En later om het Joe en mezelf niet nog moeilijker te maken.'

'Zou je me nu wel weer willen schrijven? Twee mensen die zoveel van elkaar houden moeten toch een modus vivendi vinden. Niet meer het oude vuur zo hoog op laten laaien en geen verleidingen meer opzoeken. Maar wel op de hoogte blijven van elkaars leven en elkaar af en toe schrijven of zien. Dat zullen Elsa en Joe toch goed moeten vinden.'

'Elsa zal als geen ander kunnen begrijpen wat ik voor jou voel. Dat heeft ze altijd al gedaan volgens mij.' Ze strekte haar armen over de tafel naar hem uit en hij nam haar handen in de zijne. 'Ik kan het niet helpen Fons. Ik heb er alles aan gedaan om je te vergeten.'

Zo bleven ze een tijdje zitten.

Op het moment dat hij op had moeten staan om zijn tram naar Laren nog te halen, kwam de kelner om de bestelling op te nemen. Dan kom ik maar te laat, dacht hij, en bestelde thee.

En toen zaten ze nog een halfuur bij elkaar, pratend en verliefd als vanouds. Tot Jo echt weg moest.

'Ik zal je weer schrijven,' riep ze nog, toen hij haar in haar coupé geholpen had en haar dolgelukkig nazwaaide.

'Je hebt *even* thee gedronken?' zegt Elsa. 'Meer dan anderhalf uur te laat was je, op de verjaardag van je dochter, en het enige wat je zei was dat je de tram gemist had...'

Koortsachtig zoekt hij naar een plausibele verklaring.

'Ik plonsde midden in Thea's partijtje. Dan ga ik toch niet waar iedereen bij is uitleggen *waarom* ik de tram gemist heb. Jouw vriendinnen zijn al nieuwsgierig genoeg. Daar wil ik Jo liever niet aan overleveren.'

'En na afloop vond je 't ook niet de moeite om het mij te vertellen? Ik dacht dat je de tijd vergeten was door je werk. Nu moest ik achteraf bij toeval horen dat er iets heel anders was.'

'We waren zo vrolijk met de meisjes, na afloop van het partijtje. Ik heb er domweg niet meer aan gedacht.'

'Het spijt me hoor. Je hebt anderhalf uur met Jo zitten praten en daar zou je niet meer aan hebben gedacht?'

'We hebben een half uur gepraat. Daarna moest Jo weg en heb ik op de volgende tram naar Laren gewacht. Zo belangrijk is het toch niet?' Hij voelt dat hij zich alleen maar verder de nesten in werkt.

'Toe nou toch Fons. Jarenlang schrijven jullie elkaar vrijwel dagelijks, je logeert bij haar in Brussel, ze stuurt cadeautjes voor de kinderen, ze komt naar al je premières en ineens houdt alles op. Jo vlucht halsoverkop in een huwelijk, ze nodigt ons niet uit, volgens jou omdat ze het "in alle stilte" wilde doen, terwijl ik later hoor dat er een diner is geweest. Al die maanden dat er geen brieven komen, ben jij somber en onrustig en begraaft je in je werk. En ineens zwelt de brievenstroom weer aan, leef jij weer op en verzwijg je dat je Jo uitgebreid gesproken hebt. Leg mij eerst eens uit wat ik daar allemaal van denken moet voordat je me wantrouwig noemt!' Ze gaat zitten op de pianokruk voor de Bechstein, en kijkt hem recht aan.

Hij slaakt een demonstratieve zucht. Verder werken zit er kennelijk niet meer in vandaag. 'Ik was somber door Mahlers dood en door het uitstel van *Die Nacht*. Daar begin ik de laatste weken net van te herstellen.'

'Ja. Maar je wilt me toch niet wijsmaken dat jouw plotseling herwonnen levenslust niks met Jo te maken heeft? Wat is er gebeurd tussen jullie?' Ze kijkt hem zo indringend in de ogen, dat hij zijn blik niet durft af te wenden.

'Het gaat al een tijdje niet goed met Jo. Na de *Marsyas*-première merkte ik dat al. Ze was overspannen, voelde zich ongelukkig en eenzaam in Brussel, miste haar familie en vrienden. Daarom is ze veel in Holland geweest, en is ze misschien zelfs overhaast getrouwd. En daarom maak ik me zorgen. Haar levensgeluk gaat mij ter harte. Sinds ze me over Moeders dood heen heeft geholpen is ze belangrijk voor me. Dat snap je toch wel?'

Elsa neemt hem geamuseerd op. 'Ik snap heel goed dat Jo belangrijk voor je is. Jullie zijn immers zielsverwant. En ik snap ook dat jij belangrijk voor haar bent. Die arme Jo is net getrouwd en nu alweer eenzaam en ongelukkig en jij begrijpt haar altijd zo goed. O wat begrijp jij haar goed als ze je in al haar aanbiddelijke openhartigheid weer eens opzadelt met haar naïeve grillen en stommiteiten.'

'Wat ben je bitter ineens! Het lijkt wel of je Jo haar misère gunt.'

'Mij heb je nooit willen begrijpen.'

'Hoe kom je daar nou bij?'

'Ach Fons, doe toch niet zo onnozel.' En dan barst Elsa los. 'Als ik me zorgen maak over het geld of over de kinderen, val ik je ermee lastig en vind je dat ik overdrijf. Terwijl je alles wilt horen over elke nieuwe japon van Jo of elk griepje van Cathrien. En als ik me daar dan eens verbaasd over toon, noem je me wantrouwig. Door mij voel je je bij het minste of geringste gestoord, terwijl je voor Jo rustig anderhalf uur te laat op de verjaardag van je dochter komt, en daar dan ook nog eens oneerlijk over bent. Als jij denkt dat het mij geen moeite kost dat allemaal maar te accepteren, dan begrijp je mij niet. Altijd probeer ik je zo min mogelijk lastig te vallen met kleinigheden, altijd probeer ik me groot te houden, voor jou, voor je muziek, voor de kinderen. Maar nu breng ik het niet meer op. Omdat je niet eerlijk tegen me bent. Omdat je geen oog voor mij hebt.'

'Ben ik niet eerlijk?'

'Nee. Je zegt niet wat je echt voor Jo voelt. Dacht je dat ik blind ben Fons?'

'Goed,' zegt hij. 'Jo is niet zomaar een vriendin.' Hij had gedacht dat Elsa nu zou exploderen zoals ze vroeger wel eens deed, maar ze blijft volkomen kalm.

'Ik zal het je nog sterker vertellen. Je bent smoorverliefd op haar. Al zeven jaar. Vanaf de eerste lessen die je haar gaf, vanaf de eerste brieven die ze je schreef. Ik ken jou, Fons. Je viel als een blok voor haar, zoals je voor mij nooit gevallen bent.'

'Ik heb ook altijd van jou gehouden. En ik heb je nooit onrecht gedaan, toch?'

Elsa lacht schamper. 'Ja? Heb jij altijd van mij gehouden? Je hebt je in ieder geval nooit in mij verplaatst. Ons hele huwelijk heb ik me eenzaam gevoeld, eenzaam en afgewezen. Voordat je Jo kende dacht ik dat het door je moeder kwam, dat je haar niet durfde te confronteren met kinderen uit een gemengd huwelijk, dat je je daarom niet aan mij kon geven. En heel even heb ik de illusie gehad dat je me na haar dood niet meer afwees – tot ik inzag dat niet ik het was, maar Jo, die je zoveel losser maakte, zoveel menselijker. Na al die jaren voel ik nog steeds de woeste wanhoop van toen dat besef tot me doordrong. Elke keer zag ik hoe je opleefde als Jo kwam, als je met haar kon wandelen, praten, muziekmaken. Hoe je dan ook aanhankelijker tegen mij was. En ik heb geprobeerd om het ten goede te keren, mezelf weg te cijferen, je je liefde voor Jo te gunnen – in de hoop dat het over zou waaien en dat ik je daardoor zou behouden. Maar diep in mijn hart voelde ik steeds dat je niet van mij houdt, dat je van een andere vrouw droomt, een jonge, bewonderende muze met wie je geen dagelijks leven hoeft te leiden. Op den duur wordt dat ondraaglijk, ik voel me moe, oud en onaantrekkelijk. Jo's komst in ons leven heeft een wond in mij geslagen die maar niet geneest en

144

waaruit al mijn levenskracht wegsijpelt. Ik vlucht in de dorre dagelijkse bezigheden voor jou en ons gezin, en dat maakt me vaak dof en prikkelbaar. En des te meer voel ik dat je daardoor naar Jo verlangt en mij alleen maar duldt omdat je me nodig hebt. Hoe vaak heb je me niet verweten dat ik kortaangebonden was of afstandelijk? Dat ik je stoorde, je plannen in de war stuurde. Hoe vaak heb ik niet moeten horen dat je zo goed met Jo kon praten? Dat ik eens wat ontspannener moest doen over de kinderen? Hoe vaak ben je 's avonds niet met een afgemeten groet naar je kamer gegaan terwijl je mij alleen achterliet met mijn vergeefse verlangens?'

Hij schuift ongemakkelijk heen en weer op zijn stoel en kijkt uit het raam. Waarschijnlijk komen Koosje en de meisjes zo weer thuis.

'Ik heb nooit geweten dat mijn vriendschap met Jo zo'n kwelling voor je is geweest.'

'Nee, dat zag je niet. Dat wilde je niet zien. Je hebt je nooit in mij verplaatst. Je was alleen met je eigen gevoelens bezig en met die van Jo, en in mij zag je een eigengereide secretaresse en een sloverige moeder voor je kinderen, die je bovendien ook nog eens te veel met haar zorgen lastigviel. Nee, Jo is pas een goede moeder. Die laat alles aan de juffrouw over en gaat zelf drie keer in de week uit. Met Jo kan je tenminste praten, die heeft *Pelléas et Mélisande* gezien, die houdt zich niet bezig met de futiliteiten van de huishouding. Maar ik ben niet alleen maar een zorgelijke sloof, Fons! *Ik* begrijp jouw muziek ook! Met *mij* kun je ook praten, met *mij* kun je ook muziek maken! Je doet het alleen niet meer. Omdat je van Jo houdt.' Er staan tranen in haar ogen.

'Ik kan het niet helpen dat ik van Jo ben gaan houden. Het is me overkomen.'

Elsa stoot een schorre lach uit. 'Zo'n gemeenplaats had ik van jou niet verwacht, Fons. Het is je overkomen. Welnee! Je hebt het laten gebeuren. Omdat je nooit van mij gehouden hebt.' Ze bet haar ogen met een zakdoek. En dan begint ze weer.

'Toen we net getrouwd waren dacht ik nog: het komt wel goed. Onze discussies over het geloof zitten hem nog dwars. De afkeuring van zijn moeder. Mijn feministische sympathieën. Mijn blijvende weigering katholiek te worden. Hij moet wennen aan het samenleven, aan het rekening houden met een ander. Als ik maar zorg dat hij goed kan werken, dacht ik. Maar het kwam niet goed. Jo kwam tussen ons, en ik besefte dat ik altijd met een illusie had geleefd, een levensdroom die me door Jo genadeloos werd afgenomen. Zeven jaar lang werd me elke dag pijnlijk duidelijk dat je niet van mij hield, dat je me niet begeerde. En weet je wat er van de winter gebeurde? Toen zei Joanna een keer tegen me: mammie waarom lach jij nooit? Dagenlang heeft dat ene zinnetje door mijn hoofd gespookt. Mammie waarom lach jij nooit. Tot het zover kwam dat ik serieus overwoog bij je weg te gaan met de kinderen. Uit zelfbehoud. Maar uiteindelijk heb ik het niet gedaan – omdat de kinderen jou nodig hebben, en omdat ik je niet wilde storen in je werk aan *Die Nacht*, en omdat Mahler stierf en ik wist hoezeer je je dat aantrok. En ook omdat het voor mij geen zelfbehoud zou zijn. Ik hou namelijk van je, met heel mijn hart, al zolang als ik je ken en een scheiding van jou zou mijn leven nog verder verwoesten. Daarom was ik zo blij toen het dit voorjaar eindelijk leek op te houden tussen Jo en jou, toen Jo haar eigen weg leek te gaan en ging trouwen en jij je daarbij neer leek te leggen, al had je het er moeilijk mee. En toen je naar de begrafenis van Mahler ging, voelde ik eindelijk weer toenadering tussen ons, alsof het verdriet ons voor het eerst in jaren weer nader tot elkaar bracht. Maar ik blijk me opnieuw vergist te hebben. Je stort je weer helemaal in Jo. Of ze nou getrouwd is of niet, het gaat allemaal gewoon door!'

Het idee dat Elsa op het punt gestaan heeft van hem te scheiden schokt hem. 'Het gaat helemaal niet gewoon door,' stamelt hij. 'Jo en ik praten en schrijven weer met elkaar, maar we geven niet meer toe aan onze verlangens.' Terwijl hij het zegt, beseft hij dat hij zich iets onherroepelijks laat ontvallen.

146

'Hoe bedoel je?' vraagt Elsa.

Dan moet het er maar uit nu. 'Jo en ik waren geliefden.' Hij zegt het bijna opgelucht.

'Jo en jij waren geliefden? Sinds wanneer?'

'Sinds april vorig jaar.'

Er valt een lange stilte waarin ze alleen maar verbijsterd naar hem kijkt. Als ze weer begint te praten is haar toon omgeslagen. 'Jo en jij waren geliefden. Sinds april vorig jaar. Eens even kijken. Vorig jaar zomer in Brussel waren jullie geliefden. En bij de *Marsyas* in oktober waren jullie geliefden. En afgelopen februari waren jullie geliefden. Eigenlijk helemaal niet lang! Een jaartje maar. Want dit voorjaar hield het weer op toch? Toen werd jij somber en kwamen er ineens geen brieven meer.' Haar bitterheid breekt, ze slaat de handen voor haar gezicht en schudt langzaam nee. Als ze weer opkijkt vraagt ze: 'Waarom hield het eigenlijk op?'

'Omdat Jo vond dat ik moest kiezen. Toen we nog gewoon bevriend waren dacht ze dat jij geen moeite met die vriendschap had. Ik was daar ook van overtuigd, nadat wij erover gepraat hadden in het begin. Jij begreep waarom Jo belangrijk voor me was, je stuurde me zelfs naar Brussel om uit te rusten. Maar toen de liefde tussen Jo en mij zich niet meer liet bedwingen en ze in Amsterdam was voor de *Marsyas*, ging ze zich schuldig voelen en is ze gaan twijfelen. En toen ik in februari bij haar logeerde, was het vreselijk. Ze vond het een ondraaglijke gedachte jou en de meisjes nog langer te bedriegen.'

Elsa klemt haar kaken op elkaar alsof ze zich gesneden heeft en de pijn verbijt. 'Ach, wat is dat mooi van haar! Wat is ze toch een nobele vrouw, onze lieve Jo! Ze wou mij en de meisjes niet langer bedriegen. En intussen hoopte ze natuurlijk dat jij voor háár zou kiezen. En dan zou ze zonder blikken of blozen mijn leven en dat van de meisjes vernietigd hebben. Maar helaas kwam ze er al snel achter dat kiezen iets is wat jij nooit doet. Jij eet het liefst van alle walletjes tegelijk. Waarop ze zelf maar gekozen heeft: voor een toevallig voorhanden Amerikaan. Maar die kon natuurlijk niet tegen jou op en daardoor voelde ze alleen maar sterker hoe *onontkoombaar* haar liefde voor jou is, dus nu probeert ze het gewoon opnieuw. Hoe kan ze!' Ze staart uit het raam en plukt mechanisch aan haar zakdoek.

'Ik denk dat de meisjes zo thuiskomen,' zegt hij.

'Ja de meisjes komen zo thuis! En de meisjes mogen niet zien dat ik verdriet heb. Toch, Fons? Pappie houdt niet van mammie, pappie houdt van Jo. En mammie heeft geen verdriet. Mammie moet sterk zijn. Mammie moet lachen. Maar vertel eens: klopt het allemaal zo'n beetje, wat ik zeg?'

Hij begint te stamelen. 'Nee... nou... Jo...'

'Of heb je misschien toch al gekozen? Voor mij en de meisjes bijvoorbeeld? Dat zou toch voor de hand liggen, nu Jo ook getrouwd is.'

Als hij blijft zwijgen slaat ze een hand voor haar mond, slaagt er niet in een hoge, gierende uithaal binnen te houden en rent piepend als een gewond dier de kamer uit.

14

De bravoure van de onwetendheid

Een stralende, wolkenloze herfstdag is het geweest. En nog steeds staat er een straffe wind en een helder, alles afzonderlijk makend licht. Een licht waarvan je geheel vervuld raakt als je erdoor wandelt: vanwege de lange schaduwen, de warme gloed op de gevels en ramen van de scherp tegen de kleurende avondlucht afgetekende huizen.

Koosje, voor wie Vermeulen inmiddels geen vreemde meer is, brengt hem zodra hij boven is meteen door naar Diepenbrocks werkkamer.

'Ha, daar bent u al, kom binnen.' Met een uitnodigend gebaar verzoekt Diepenbrock hem plaats te nemen op zijn vaste plek aan de grote tafel. Over de velden in de ramen van de openslaande deuren naar het balkon hangt nog een bleekrood waas boven de horizon.

Vermeulen is inmiddels geheel op zijn gemak in deze kamer met uitzicht op de verten van Zuideramstel. Steeds als hij is uitgenodigd, verheugt hij zich op de middag of avond met Diepenbrock, meer nog dan op zijn vroegere lessen bij Daniël de Lange, omdat dit geen lessen zijn, maar een doorgaand gesprek, een telkens weer opgepakt vriendschappelijk debat. Hij voelt zich bevoorrecht dat hij hier mag komen, maar al nauwelijks meer een leerling. Hoewel hij nog oneindig veel van Diepenbrock te leren heeft, is zijn geïmponeerde bewondering uitgegroeid tot een gevoel van respectvolle gelijkwaardigheid. En Diepenbrock lijkt dat gevoel met hem te delen. Sinds Mahlers ziekte en dood schijnt hij meer plezier aan hun ontmoetingen te beleven en gedraagt hij zich veel hartelijker. 'Hoe staat het met uw symfonische plannen?' vroeg hij laatst zelfs een keer. Als hij niet in Laren is, spreken ze soms wel drie keer in de week af.

Elke keer is het spannend waar het ditmaal over zal gaan. Bijna altijd weet Diepenbrock hem te verrassen. Over de uiteenlopendste dingen hebben ze het gehad, en niet alleen muzikale: over de pre-socratische filosofen, Aeneas' tocht naar de onderwereld en zelfs over een sentimenteel, tot mythische proporties opgeblazen liefdesvers van Hölderlin. En over de oorlogsdreiging spraken ze uiteraard. 'Roekeloze Pruisische bluf!' noemde Diepenbrock het opstomen van de *Panther* naar Agadir. 'Met dit Duitsland is de beschaving niet gebaat. Nietzsche constateerde dat al snel na 1870!'

Diepenbrock komt tegenover hem aan tafel zitten en biedt hem een sigaar aan, de steevaste opmaat tot het gesprek. En dan zegt hij: 'Als ik u was, mijnheer Vermeulen, zou ik de publieke opinie niet te veel bruuskeren. Daar wil ik u toch eens op wijzen.'

Het komt er op de typische Diepenbrockmanier uit: vriendelijk, bijna terloops, zodat het even duurt voor de scherpte van de woorden doordringt. Als Diepenbrock iets op die manier zegt, weet je dat er iets belangrijks achter zit en dat je op je hoede moet zijn. 'Waar doelt u op?'

Zou Diepenbrock vinden dat hij Petrus te vaak meeneemt naar het Concertgebouw? Wordt er over het 'vriendje' van 'die jonge criticus van *De Tijd* en *De Amsterdammer*' gepraat?

'Ik bedoel,' zegt Diepenbrock langzaam en met nadruk, 'dat een jongeman van drieëntwintig jaar met serieuze plannen in de muziek, die geen conservatoriumopleiding heeft genoten en die desondanks al in *De Tijd* en *De Amsterdammer* mag schrijven – ik bedoel dat zo iemand misschien even moet nadenken voor hij een internationaal bewonderd en technisch ongeëvenaard violist met een staat van dienst als Carl Flesch schoffeert.'

Daar hebben we des poedels kern! Zijn vernietigende

Groene-bespreking van Flesch' gemakzuchtige afdraaien van die Mozart- en Beethovenvioolconcerten. 'Was het zoals u het heeft opgeschreven?' vraagt Wiessing altijd. Ja, het was precies zoals hij het heeft opgeschreven.

'Met alle respect, mijnheer Diepenbrock, maar een criticus mag *nooit* rekening houden met grote reputaties of waar dan ook mee! De toetssteen is altijd de artistieke prestatie, de bezieling van de uitvoering, waaraan alle virtuositeit en techniek ondergeschikt zijn. Als de heer Flesch ondanks zijn ervaring en technisch kunnen Mozart met strak gestreken toon verbrahmst en Beethoven vulgariseert met een tevreden schommelende ritmiek, dan vind ik het als criticus mijn eenvoudige plicht daartegen te protesteren. Al was het maar om al die brave Flesch-vereerders erop te wijzen dat hun klakkeloze lof lang niet altijd terecht is.'

Diepenbrock kijkt hem meelevend aan. 'Natuurlijk is het uw taak vast te stellen dat de heer Flesch een keer zijn avond niet had. Alleen is het onbillijk hem daarbij te verwijten dat hij "jüdelt". Ik heb op zich niets tegen antisemitische uitlatingen, zeker niet als die worden ingegeven door het materialisme van sommige joodse denkers. Maar zoals het absurd en kleingeestig is dat men Mahlers muziek in Wenen nu met dat "jüdeln" tracht af te doen, komt het ook niet te pas er hier een briljant musicus mee te beledigen.'

'Ik ben geen antisemiet en ik bedoelde het zeker niet antisemitisch,' zegt Vermeulen. 'Ik heb er zelfs niet bij stilgestaan dat Carl Flesch een jood is. Het woord viel me alleen in omdat het zo exact weergeeft hoe Flesch klonk, en omdat het goed duidelijk maakt hoe beledigend dat tegenover Beethoven en de muziek is. Net zo beledigend en absurd als het is om een genie als Mahler ervan te beschuldigen.'

'U kunt zich in alle bochten wringen die u wilt,' zegt Diepenbrock. 'Ik blijf erbij dat u een groot kunstenaar niet van "jüdeln" mag betichten. Maar genoeg hierover. Het doet me deugd te horen dat u Mahler inmiddels als een genie beschouwt en dat uw afwijzende houding indertijd blijkbaar werd ingegeven door de bravoure van de onwetendheid.' En na een diepe trek aan zijn sigaar gaat hij door: 'Ik hoorde dat er nog een Negende symfonie klaar moet zijn, en een grote orkestliederencyclus op Chinese gedichten. Hopelijk zal Mengelberg die werken binnen afzienbare tijd eens op een programma kunnen zetten.'

Vier maanden na Mahlers dood komt een gesprek met Diepenbrock nog altijd snel op hem uit.

'Mahler is de grootste componist van onze tijd,' zegt Vermeulen. 'Groter dan Richard Strauss, die toch vooral een man van het subjectief-persoonlijke is en van het uiterlijke effect, en groter zelfs dan Wagner, daar hebt u me volledig van overtuigd.'

Diepenbrock knikt. 'Mahler heeft de natuur en het hele heelal tot klinken willen brengen. Hij was een ziener. De laatste grote mysticus. Bij Mahler welt de muziek op uit de diepste bron.' Hij gaat voor de balkondeuren staan, zoals hij ook vaak doet als hij iets van Mahler heeft voorgespeeld, en staart geruime tijd naar de bleekrode einder met het zwarte silhouet van het Zuidergasfabriekreservoir. 'Men zou hem – als men het dichterlijk wil zeggen – de laatste stervende glans van een beschaving kunnen noemen.' Dan loopt hij naar de boekenkast en haalt er de studiepartituren van Mahlers Zevende en Achtste uit. 'Zou ik om te beginnen vanmiddag eens enkele instrumentatiekwesties met u mogen doornemen, zoals het gebruik van een mandoline?'

Als Koosje een uur later de thee gebracht heeft, bergt Diepenbrock de symfonieën weer op. Hij legt zijn sigaar schuin tegen de rand in de asbak en zet het geschrijnwerkte klokje op de schoorsteen stil. Alsof hij een religieuze ceremonie uitvoert, pakt hij twee langwerpige muziekcahiers van de stapel partituren op de vleugel. Met kalme bewegingen gaat hij aan de Erard zitten en zet een van de cahiers voor zich.

Zo gaat het steeds, de keren dat hun gesprek op een punt komt waarin het voor Diepenbrock kennelijk over moet gaan in een hogere taal, in tonen, in lyriek. Telkens verricht hij dan dezelfde rituele handelingen en speelt meestal eerst een preludium van Bach, om vervolgens iets van zichzelf te laten horen. Dit keer begint hij met zijn nieuwe compositie die half oktober in het Concertgebouw uitgevoerd gaat worden: 'Het begin van *Die Nacht* wilde ik u graag laten horen.'

Diepenbrock kijkt hem over de vleugel heen recht aan. Dan richt hij de blik naar binnen en sluit zijn ogen. En terwijl hij begint te spelen krijgt zijn gezicht langzaam iets extatisch, alsof het door de muziek een transfiguratie ondergaat, alsof een hemelse verrukking het van binnenuit verjongt. Vanaf de eerste noten lijkt hij opgenomen, en weggevoerd in de stroom van de klanken. Zijn voorhoofd, wenkbrauwen en mond, en ook zijn armen en hele bovenlichaam, volgen de muziek tot in de allerkleinste golvingen en ritmische accenten; af en toe gaan de gesloten ogen even open naar de noten of schieten daarvan weg, om op een wending of samenklank te attenderen. Deze flitsende blikken zijn het enige commentaar dat hij tijdens het spelen op de muziek levert. Zijn pianospel is technisch verre van volmaakt, maar hij slaagt er op een eigenaardige manier in met zijn aanslag de hele orkestklank op te roepen – nu eens hoor je de strijkers, dan weer het koper. En de *mandoline*. Zijn benen onder de vleugel zijn daarbij voortdurend in beweging, als de benen van een organist – een pedalenspel dat de weidse melodieën en harmonieën lichtwisselingen geeft waarvan je niet zou denken dat ze door een piano voortgebracht kunnen worden.

Als hij de introductie ten einde heeft gespeeld, staat hij op om het tweede cahier te pakken. 'En, kan het uw goedkeuring wegdragen?'

Vermeulen weet niet onmiddellijk wat hij moet zeggen. 'Magistraal,' mompelt hij. 'Muziek waarin het eeuwige achter het tijdelijke hoorbaar wordt.' Hij meent volledig wat hij zegt, maar heeft even geen betere woorden.

'Dank u,' zegt Diepenbrock. Hij had al gezien dat zijn luis-

teraar onder de indruk was en legt de tweede partituur open-
geslagen op tafel. 'Zoudt u hier eens naar willen kijken?'

Im grossen Schweigen is het, Diepenbrocks grote orkestlied voor bariton en symfonieorkest uit 1906. De afgelopen
maanden heeft hij het geheel herzien, naar hij vertelde voor-
namelijk om de orkestratie lichter te maken en te 'mediterra-
niseren' zoals Nietzsche het noemde. 'Wat minder Duitsland
erin en wat meer Frankrijk...' De gaten van het radeermesje
zitten in de pagina's.

'Ik wil u hier dadelijk iets uit laten horen. De *Ave maris
stella*-melodie is erin verwerkt. Die gaat min of meer in discussie met de tekst. Misschien kunt u daarom eerst de tekst
even lezen.' Hij slaat de tweede partituurpagina op. 'Het is uit
Morgenröte van Nietzsche.'

De lange tekst, in Diepenbrocks sierlijke handschrift, staat
dwars door de notenbalken heen geschreven, wat de lees-
baarheid niet ten goede komt. Diepenbrock begint ongeduldig heen en weer te lopen, boeken van zijn bureau in de boekenkast achter Vermeulen te zetten. Vervolgens gooit hij een
paar scheppen kolen in de kachel, steekt lampen op en trekt
de gordijnen voor de balkondeuren dicht.

Een geëxalteerde gedachtevlucht aan een verlaten baai bij
avondval is het. Nauwelijks een gedicht, eerder een iets te
ver in het hout geschroefd gepieker van een afgetobd hoofd
dat zichzelf niet meer stil kan zetten. De zinnen zijn niet ritmisch, omslachtig soms – een onuitgewerkte poëtische no-
titie, zonder enige vormbekommernis in een notitieboekje
gekrabbeld. Wat Diepenbrock eraan zal bevallen is de nach-
telijke sfeer, het achter zich laten van de stad en stilvallen van
het wereldse rumoer, op een manier die enigszins te verge-
lijken is met wat hij net liet horen van *Die Nacht*. Dat Diepenbrock dit stuk na zijn Hölderlincompositie heeft willen
herzien is niet verwonderlijk. Maar hier roept de nachtelij-
ke schoonheid van het heelal een peilloze somberte op, een
'nieuwe waarheid': alles wat de mens denkt, gelooft of zegt
is inbeelding, illusie, onzin; alle bezieling, al het de feitelijk-

heid te boven gaande, zelfs de schoonheid als afstraling van de waarheid, is een menselijke waan. Er is geen waarheid. Het enige wat werkelijk en waar is, is de kwaadaardige en dreigende natuur, die de mens om al zijn dwaze gedoe en wanen bespot met een groot, onverschillig zwijgen.

Wat een al-te-menselijk cerebraal, zwartgallig doordraafsel, denkt Vermeulen. Wat een dolgedraaid, zich niet meer van zijn eigen experimentele karakter bewust gedachtenexperiment in een sfeervol natuurjasje. Wat een masochistisch overboord zetten van elk hoger inzicht, elke goddelijke oorsprong. Wat een stoer, moedwillig de ogen sluiten voor het vuur dat ik van jongsaf ken.

'Wat vindt u ervan?' vraagt Diepenbrock.

Tja. Wat zal hij daar eens op antwoorden. Dat hij niet snapt waarom Diepenbrock ooit deze tekst heeft willen zetten, die alles verwerpt waar hij zelf voor staat?

'Het lijkt me niet poëtisch genoeg om poëzie te zijn en niet filosofisch genoeg om filosofie te zijn.' Geen slechte vondst, al zegt hij het zelf.

De uitwerking van zijn woorden is ongelofelijk. Diepenbrocks gezicht verstart, net als na de negatieve opmerking die hij een paar weken geleden over 'Der Abschied' maakte. Maar nu wordt Diepenbrock ook rood en beginnen zijn ogen te vonken achter zijn brilleglazen. Alsof hij op het punt staat te exploderen. Hij grist de partituur van tafel en smijt die in een hoek van zijn schrijfbureau. Getergd beent hij heen en weer tussen de tafel en de haard. Tot hij trillend van ingehouden woede zegt: 'Als u er zo over denkt, mijnheer, dan lijkt het mij beter dat u nu vertrekt. Onze vriendschap beschouw ik hiermee als beëindigd.' Hij keert zich om, gaat met zijn gezicht naar de muur aan zijn schrijftafel zitten en wacht.

Op de overloop met de kapstok steekt mevrouw Diepenbrock haar hoofd om de hoek van de salondeur. 'Gaat u al?'

'Uw man heeft zojuist onze vriendschap verbroken.'

'Grote goedheid!' Ze loopt naar de kapstok en reikt hem zijn mantel aan. 'Waarom dat zo ineens?'

'Ik had kritiek op Nietzsche.'

Ze kijkt alsof alles haar op slag duidelijk is. 'Naar aanleiding van *Im grossen Schweigen* neem ik aan?'

'Inderdaad.' Hij staat nog steeds te trillen op zijn benen.

'Nietzsche is vroeger erg belangrijk voor mijn man geweest, al ligt hij zelf ook al jaren met hem overhoop. Vat u zijn kortaangebondenheid vooral niet persoonlijk op. Waarschijnlijk betreurt hij nu al wat er gebeurd is. Hij is erg overgevoelig en makkelijk van slag op het moment. De première van *Die Nacht* dreigt voor de tweede keer uitgesteld te worden en het afscheid van Mahler valt hem nog altijd zwaar, zoals u wellicht gemerkt hebt.'

'Misschien dat hij daarom ook al zo gekrenkt reageerde toen ik laatst iets depreciërends over Hölderlin zei.'

Mevrouw Diepenbrock kijkt verrast. 'Naar aanleiding van *Die Nacht?*'

'Nee, over "Der Abschied".'

Ze lijkt even in haar geheugen te graven. '"Trennen wolten wir uns? Wähnten es gut und klug?" – bedoelt u dat?'

'Ja. Daar wilde uw man een lied van maken.'

Ze lijkt pijnlijk getroffen, alsof hij nu ook tegen haar een onbetamelijke opmerking gemaakt heeft, maar ze herneemt zich snel. 'Schrijft u mijn man een brief, waarin u uw mening over Nietzsche nog eens toelicht, dan komt alles vast weer goed. In de kern bent u het met elkaar eens, volgens mij. Ik zal ook nog wel even met hem praten.' Ze geeft hem zijn hoed.

'Een brief. Dat zal ik doen,' zegt hij en loopt met grote passen de trap af naar de voordeur.

Buiten ligt de Verhulststraat er verlaten bij. Het is bijna donker. Hij heeft mevrouw Diepenbrock in zijn verwarring niet eens gegroet, beseft hij nu. Merkwaardig dat ze met geen woord over excuses repte. Toch zal hij zich maar verontschuldigen. Diepenbrock had hem net gezegd dat hij beter op zijn woorden moest letten. Zijn opmerking over Nietzsche was ondoordacht en misschien ook wel grievend, al begrijpt hij niet waarom. Maar hij zal Diepenbrock ook nog iets anders schrijven in zijn brief. Uit het voorval blijkt dat hun vriendschap voor Diepenbrock kennelijk alleen kan bestaan als zij overal hetzelfde over denken. Dat heeft hém gegriefd. Is het wel een vriendschap als de betrekkingen meteen verbroken worden zodra men elkaar zonder berekening zegt wat men vindt? Vrienden moeten elkaar alles kunnen zeggen; ondoordachte meningen, provocerende onzin om de discussie aan te wakkeren – en zelfs de pijnlijke waarheid.

15

Een feestelijk visje in Den Haag

Mengelberg tikt met zijn mes tegen zijn wijnglas. 'Beste vrienden, zou ik even iets mogen zeggen...'

Hij staat op en heft zijn hand als om het rumoer tot een *molto affettuoso* te temperen. Aan de overkant van de feestelijk gedekte tafel kijken Ilona Durigo en Elsa afwachtend naar hem op. Rechts naast Elsa vouwt De Booy zijn servet open en lacht alsof hij zeggen wil: de maestro gaat je plagen, Diepenbrock – berg je maar.

Mengelberg schraapt nog eens omstandig zijn keel en begint dan op ironisch-plechtstatige toon te spreken.

'Het is mij een grote eer en genoegen, dames en heren, dat u allen bereid bent gebleken samen met mij en mijn gade Tilly een feestelijk visje te nuttigen in dit befaamde Haagse etablissement, ter viering van wat ik maar zal noemen: Diepenbrocks eerste Nacht met Durigo.'

Tilly stoot een hoog giechellachje uit, Hilda de Booy glimlacht besmuikt. Elsa staart naar haar handen op het damast, duidelijk *not amused*, al probeert ze niks te laten merken. Diepenbrock weet dat ze zich geërgerd heeft aan Durigo's aanminnige uitgelatenheid op het podium tijdens het applaus, en vooral aan de spontane kus die hij haar gaf toen zij en Mengelberg hem ook op het podium riepen.

'Was hat Willem gesagt?' vraagt de zangeres quasi-gealarmeerd. Tilly gebaart dat ze het haar zo zal uitleggen.

'Diepenbrocks eerste Nacht met Durigo, waarvan wij vanavond getuige mochten zijn, beste vrienden, kunnen wij gerust een historische nacht noemen, een Nacht van internationale betekenis ook, omdat het hier een – ik zal maar zeggen – Europese alliantie betreft.' Hij pauzeert even nadrukkelijk om de reikwijdte van het woord *alliantie* goed door te laten dringen. 'En wat een schoonheid bracht ons deze Nederlands-Hongaarse alliantie! Want even zonder dwaasheid, de vrucht van deze Nacht, de schoonheid die ik vanavond ter wereld heb mogen helpen, heeft opnieuw ons aller overtuiging versterkt, dat Alphons Diepenbrock, die ons al eerder een magistraal *Te Deum* gaf, een *Im grossen Schweigen* en een *Marsyas...* de schoonheid, eh...'

'Heeft opnieuw ons aller overtuiging versterkt,' zegt Tilly.

Algehele hilariteit.

'... dat Alphons Diepenbrock een van de belangrijkste Nederlandse componisten van het moment is en dat Ilona Durigo de meest bezielde en talentvolle zangeres in Europa is.'

De Hongaarse begrijpt dat er lovende woorden over haar gesproken worden en lacht gevleid. Betoverend is ze in haar roodsatijnen japon bij het zachte licht uit de kristallen kandelabers, vooral omdat ze – ook op het podium haar grote kracht – met haar vurige temperament zo volkomen naturel is.

'Daarom, beste vrienden,' gaat Mengelberg verder, 'zou ik nu graag een toast uitbrengen op de onvergelijkelijke kunstenaars Ilona Durigo en Alphons Diepenbrock, en op wat zij ons met hun Eerste Nacht gegeven hebben!' Hij richt zijn blik even op de gerant achter in de speciaal voor deze gelegenheid afgehuurde *chambre séparée* en steekt één vinger op, alsof hij de fluitsectie het teken geeft in te zetten. Onmiddellijk komen er van twee kanten obers in rood livrei met dienbladen het zaaltje in, en bieden alle aanwezigen een glas champagne aan. Ook buiten de concertzaal is Mengelberg een ongeëvenaard dirigent.

'Een toast op Durigo en Diepenbrock!' roept De Booy en heft zijn glas. Het hele gezelschap volgt zijn voorbeeld.

'En mag ik tot slot ook een toast uitbrengen op de directeur van Kunsten & Wetenschappen,' zegt Mengelberg. 'Al vele jaren biedt hij ons Amsterdamse Concertgebouworkest in zijn gebouw een voortreffelijke Haagse dependance. Gaarne dank ik hem daarvoor én voor de geboden mogelijkheid om Diepenbrocks belangwekkende nieuwe werk aan het reeds lang geleden overeengekomen programma van vanavond toe te voegen.'

Dat het laatste nodig was, kwam door een uitnodiging die Mengelberg een paar weken eerder uit Sint Petersburg ontving om daar een Tsjaikovski-concert te dirigeren met het Keizerlijk Opera Orkest. Daarvoor zou hij op de dag van de geplande Amsterdamse première van *Die Nacht* in de trein moeten zitten. Zonder aarzeling had hij geaccepteerd – tegen dat soort reisjes kan hij nou eenmaal geen nee zeggen – ook al zou het tot gevolg hebben dat 'het nieuwe moppie van Diep' voor de tweede maal moest worden uitgesteld. Maar Ilona Durigo had haar teleurstelling dit keer niet onder stoelen of banken gestoken, en het Concertgebouwbestuur had Mengelberg krachtig ter verantwoording geroepen, waarna hij met deze 'Haagse oplossing' was gekomen. Iedereen toch nog tevreden. Al zag Willem zelf waarschijnlijk wel in dat het niet de schoonheidsprijs verdiende. Waarom zou hij anders nu zo gul een souper aanbieden?

De maestro gaat weer zitten, leunt tevreden achterover en neemt een paar grote slokken champagne.

'Een toast op de directeur van Kunsten en Wetenschappen,' roept De Booy. Alle aanwezigen applaudisseren kort, en heffen opnieuw hun glas.

De directeur knikt gevleid en zijn echtgenote verschikt bescheiden een plooi van haar kraag. Een beetje misplaatst in dit kleine, mousserende gezelschap is dit stijve Haagse echtpaar wel: afgezien van hen, gaat iedereen aan tafel vriendschappelijk met elkaar om. Maar Mengelberg stond erop dat ze mee zouden gaan souperen.

En dan komt de directeur van K&W overeind en tikt tegen zijn glas.

Iedereen valt weer stil, alleen Hilda de Booy zegt nog iets tegen de echtgenote van de directeur. 'Dames,' fluistert Mengelberg quasi-vermanend. 'Er is een spreker!'

'Veel dank heer Mengelberg voor de ons hier in Den Haag al zovele jaren gegunde eer van uw inmiddels befaamde Mengelbergconcerten in het Gebouw van Kunsten en Wetenschappen. En vooral ook dank voor uw sublieme concert van vanavond! Naast Cherubini, Grieg en Beethoven, was Diepenbrock voor ons een interessante nieuwe kennismaking. Graag drink ik op Willem Mengelberg, Ilona Durigo en Alphons Diepenbrock!'

'Een toast op Mengelberg, Durigo en Diepenbrock!' roept De Booy, die duidelijk meer verwacht had van de directionele speech.

Opnieuw applaus. Mengelberg richt genoeglijk het woord tot de echtgenote van de directeur. De obers beginnen het hoofdgerecht uit te serveren.

Een interessante nieuwe kennismaking noemt zo'n man mijn muziek, denkt Diepenbrock. Maar ja, wat weet een Haagse theaterdirecteur ervan. Alles wat zo'n man niet onmiddellijk bevatten kan is 'interessant' – en als hij het er na afloop thuis nog even met zijn vrouw over heeft is het 'moeilijk modern gedoe'. Een meesterwerk, zo noemde Vermeulen *Die Nacht* al, terwijl hij er nog maar een stukje van gehoord had. Vermeulen mag dan een onbesuisde vlegel zijn, hij weet wel waar het om gaat in de kunst. Dat bleek alleen al uit zijn brief na hun aanvaring over Nietzsche. Na zijn lofzang op *Die Nacht*, wees hij het 'zieke' pessimisme en antimetafysische van de *Im grossen Schweigen*-tekst af, en hield een vlammende apologie van 'het hogere inzicht' en de ethische taak van de kunstenaar. Het was te merken dat Vermeulen zijn beschouwingen in *De Nieuwe Gids* goed bestudeerd heeft. Alleen de gekrenkte en trotse toon van de brief stoorden hem aanvankelijk. Daar had hij met Elsa zelfs nog woorden over gehad. Ze verweet hem dat hij de spanningen in hun huwelijk op Vermeulen had afgereageerd. 'Hoe kon die jongen nou weten wat dat vers voor jou betekent,' zei ze. 'Of heb je hem verteld dat jij zelf aan die baai bij Genua hebt gestaan waar Nietzsche het schreef?' Daarna had hij Vermeulen toch maar weer uitgenodigd. Zodat ze hun gesprekken voort kunnen zetten – het enige waaraan hij nog enig plezier beleeft de laatste tijd.

Ilona Durigo drinkt hem nog eens toe en bedankt opnieuw voor het aan haar opdragen van zijn 'wunderschöne' muziek. Ze dreigt een beetje aangeschoten te raken. Op een onweerstaanbare manier doet ze hem aan Jo denken. Niet alleen door de roodsatijnen japon die hem hun laatste ontmoeting op Weesperpoort weer te binnen brengt, maar ook door de matbruine tint van haar huid. Elsa houdt nauwlettend in het oog hoe hij zich tegenover de jonge zangeres gedraagt. 'Was dat nou nodig, die kus?' vroeg ze, terwijl ze vanuit K&W naar het restaurant wandelden.

'Als een zangeres een zó moeilijk werk zó voortreffelijk zingt kan de componist haar niet anders dan met een kus bedanken,' antwoordde hij.

'Zo voortreffelijk zingt? Ik vond haar erg gespannen, in het hoge *mezza voce* klonk ze soms zelfs vlak.'

Ja, waarom kuste hij Durigo eigenlijk? Uiteraard had hij ook gehoord dat ze lang niet overal mooi zong, maar ze had hem toch sterk ontroerd. Op sommige momenten stond hij daadwerkelijk weer gearmd met Jo op het Nieuwendamse stoombootje onder de sterrenhemel. Durigo zong wat hij toen met Jo had gevoeld. Na afloop had ze prachtige blossen op haar wangen. Mengelberg en zij riepen hem, en toen hij het podium op stapte, kwam ze uitgelaten als een kind op hem af, gaf hem een hand en fluisterde 'Ihre Musik hat mich so aufgeregt!' En terwijl ze voor de voetlichten bogen gaf ze hem weer een hand. 'Ich bin so froh für Sie.' Hij dankte het orkest, drukte de concertmeester en Mengelberg de hand, en kuste haar toen spontaan – om het publiek te tonen hoe blij hij was met haar enthousiasme en inzet. Maar achteraf gezien natuurlijk vooral om Jo te treffen: jij bent niet de enige die *chance* heeft met anderen hoor.

Ondanks alle ellende met Elsa, had hij niet kunnen laten Jo een uitnodiging te sturen (zoals hij immers beloofd had). En ze was gekomen, zonder haar Amerikaan. Meteen toen hij in de bestuursloge van K&W plaatsnam zag hij de grote zwarte hoed met witte rozen in de zaal. En Elsa zag dat hij die hoed zag. 'Is Jo helemaal naar Den Haag gekomen?' vroeg ze. 'Heb jij haar uitgenodigd?' Hij ontkende het niet. 'Het arme kind,' zei ze alleen maar.

In de pauze zocht hij zo onopvallend mogelijk naar een gelegenheid om Jo even te kunnen begroeten in de corridors of de foyer, maar die deed zich niet voor. Telkens werd hij aangesproken en Elsa verloor hem geen moment uit het oog. De afgelopen zomer had ze na een aantal moeizame en pijnlijke gesprekken, simpelweg geëist dat hij geen enkel contact meer met Jo zou hebben. Als hij niet wilde scheiden – uitstekend. Zij wilde best proberen zich over haar bitterheid heen te zetten, voor de kinderen vooral. 'Ik besef heus wel,' zei ze, 'dat ik je ziel niet aan een touw kan binden. Maar als je wilt dat ik bij je blijf, is het enige wat ik van je vraag, rekening met mij te houden, met mijn gevoelens. Als je dat voor ons wilt doen, voor de meisjes, en voor achttien jaar gedeeld lief en leed, dan beloof ik dat ik ook mijn best zal doen, elke dag opnieuw, om mijn verdriet te vergeten en goedgehumeurd te zijn, een goede moeder en een goede echtgenote. Een schijn van kracht en opgewektheid zal ik over mijn zelfverachting heen plakken.' Zo pathetisch had ze het letterlijk gezegd.

En nu zitten ze hier op uitnodiging van Mengelberg forel te eten vanwege een stuk waarin zijn liefde voor Jo in elke noot te horen is. Elsa kijkt zodra er even niemand tegen haar praat verbeten voor zich uit en hij kan alleen maar denken: waar zou Jo nu zijn? Logeert ze in Den Haag? Of reist ze ook met de trein terug?

Een ober vraagt of hij nog eens wijn bij moet schenken.

'Nee dank u.'

'Ik wel graag,' zegt Elsa, die even met De Booy zit te praten. Ilona Durigo ondervraagt Mengelberg over zijn Russische tournee, en vertelt over haar eigen plezier in lange treinreizen. 'Lezen lezen lezen. Daar heb ik thuis in Budapest nauwelijks tijd voor. Und Ich beneide Sie. Sint-Petersburg is zo'n schitterende stad in dit jaargetijde. Wie Amsterdam, mit den Kanalen.'

Mengelberg knikt. 'Ik verheug mij het meest op Frans Hals in de Hermitage.'

'Houdt u van Hals?' mengt de directeur van K&W zich in het gesprek.

'Hals is subliem,' zegt Mengelberg. 'Die lijkt nergens met de techniek geworsteld te hebben. Elke toets is raak, en met durf gezet.'

De directeur knikt terwijl hij een graatje tussen zijn lippen uit haalt en op de rand van zijn bord legt.

'Weet u, bij het zien van Hals' schilderijen moet ik altijd aan de partituren van Richard Strauss denken,' zegt Mengelberg.

'Das ist ja interessant!' roept Durigo. 'Ziet u parallellen tussen schilderkunst en muziek?'

'Vaak wel,' zegt Mengelberg. 'Kennen sie Cornelis Dopper?'

'Den Namen.'

'Doppers muziek doet mij aan onze zeventiende-eeuwse schilderschool denken. Dopper is door en door Nederlander, in melodie en kleur, in ernst en humor, een typisch Hollandse meester. Als zodanig is hij een van onze meest begaafde componisten.'

'Net als Diepenbrock,' zegt Durigo lachend, in een poging hem bij het gesprek te betrekken. 'Sind sie traurig? U bent zo stil.'

'Nur müde.'

'Ja Dopper is een geniale zeventiende-eeuwer,' zegt Tilly. 'En Diepenbrock is zijn tijd vijftig jaar vooruit. Net als Mahler, God hebbe zijn ziel.'

Bij het horen van de naam Mahler, richt Mengelberg zich met een ruk op. 'Zag je die ingezonden brief van Flesch in *De Amsterdammer*, Fons?'

Mahler-jüdeln-Flesch.

'Ja.'

'Ik kan mij levendig voorstellen dat hij woedend is en denkt – zoals Mahler ooit opmerkte – "Moet dat jongmens *mij* beoordelen?" Hoe komt jouw vriend Vermeulen erbij zo'n groot kunstenaar als een stumperige beginneling in de hoek te zetten? In *De Amsterdammer* en in *De Tijd* blijkt hij bovendien verschillende meningen te verkondigen over hetzelfde concert.'

'Bij *De Tijd* worden zijn stukken geredigeerd. En wat betreft Flesch' toonvorming tijdens dat concert had hij gelijk. Al ging dat "jüdeln" te ver. Maar dat kwam weer door zijn irritatie over de behandeling van Mahler in de Weense pers. Daar was jij zelf toch ook ontstemd over, Willem.'

'Volgens mij is die Vermeulen er enkel op uit zichzelf omhoog te werken over de ruggen van beroemdheden! Wat hij niet allemaal over Dopper te zeggen heeft! Daar lusten de honden geen brood van. Wiessing zou hem ook eens flink moeten redigeren, of beter nog: ontslaan!'

Alle aanwezigen aan tafel luisteren inmiddels geïnteresseerd mee.

'Vermeulen is jong en idealistisch. Daardoor verliest hij de verhoudingen wel eens uit het oog. Maar hij kan ontegenzeggelijk goed schrijven en hij weet waar hij het over heeft, dat kun je toch niet ontkennen. Ik moet je zeggen dat ik de moed en onafhankelijkheid waarmee hij zich durft uit te spreken soms wel verfrissend vind.'

Mengelberg is verbijsterd.

'Idealistisch zeg je? Keer op keer slaat dat onbehouwen stuk vreten de idealen van onze beste Nederlandse componisten aan gruzelementen, op een manier die hun elke lust tot componeren ontneemt. Werkelijk Fons, net als Carl Flesch begrijp ik er geen snars van dat jij, als een van de belangrijkste figuren in het Nederlandse muziekleven, als vriend van Mahler en als internationaal belangwekkend componist – dat *jij* je associeert met zo'n over het paard getilde snotaap die alleen op zijn eigen bekendheid uit is. Hoe is dat mogelijk? Omdat hij over jou altijd jubelend schrijft?'

Ilona Durigo, die beteuterd naar het omslaan van de stemming heeft gekeken, vraagt aan De Booy waar het over gaat. 'Einen jungen Holländischen Kritiker,' antwoordt deze.

Plotseling zegt Elsa: 'Wat voor idealen zijn dat en wat voor kunstenaars, Willem, als ze zich door de mening van zo'n opgewonden jongen van het componeren laten houden?'

Mengelberg kijkt haar verrast aan. Tegenspraak van een van de dames?

Tilly grijpt haar kans de spanning uit de lucht te halen. 'Laten we nog één glas bestellen, en daarna moeten we op de tram voor de laatste trein.'

'Ja, nog één glas,' zegt Mengelberg.

Maar Elsa is nog niet klaar. 'Wat ik mij afvraag, Willem: als jij Fons' muziek zo geniaal vindt en van internationaal belang zoals je net beweert, waarom voer je hem dan niet vaker uit in het buitenland?'

Diepenbrock heeft het gevoel dat hij door zijn stoel zakt. Laat de aarde mij nu verzwelgen.

Mengelberg kijkt als een vervaarlijk blaffende bulldog die plotseling een tik op zijn neus heeft gekregen. Hij gebaart de obers nog een keer rond te gaan met de wijn en vraagt om de rekening. Pas als de glazen weer gevuld zijn zegt hij: 'Toevallig was ik van plan om komend voorjaar op het Geistliches Musikfest in Frankfurt naast de Vierde en Achtste van Mahler Fons' *Te Deum* weer eens uit te voeren. Daarna sluit ik er in juni dan de Nederlandse Muziekdagen mee af, wat denk je daarvan?'

'Bravo, Willem,' zegt Elsa.

Mengelberg lacht en heft zijn glas. 'Ja Fons, tegenover Elisabeth ben ik kansloos...'

1912

16

Blasfemie! Blasfemie!

'Wat gaat *hij* nou doen?' zegt Vermeulen. Hij stoot Petrus aan. Die is helemaal meegesleept door de muziek en kijkt verbaasd op. Achter de pauken en harpen langs spoedt een speler zich zo onopvallend mogelijk richting claviatuur van het grote Concertgebouworgel. Zou Diepenbrock speciaal voor deze Nederlandse Muziekdagen een apotheotisch orgelakkoord aan zijn *Te Deum* hebben toegevoegd? De gedachte is te dwaas om zelfs maar in je op te laten komen. Maar waarom gaat die organist daar dan klaarzitten aan de toetsen? 'In Te, Domine, speravi!' zingt het koor op volle sterkte. Petrus begrijpt niet wat er loos is en richt zijn blik weer op de zwetende Mengelberg voor het orkest. 'Stierenvechtersdirigeren' noemt Debussy dit ergens in een van zijn kritieken. En na het vierde, langzaam wegstervende 'Non confundar in aeternum' vallen koor en solisten stil en slaat de machtige golf nog één keer om met paukenroffel en koperfanfare. Dan stroomt de tot rust gekomen muziek uit en vloeit met harpgeschitter terug in lyrische stroompjes van houtblazers, hoorns en strijkers.

Nauwelijks zijn de laatste tonen verklonken of Mengelberg zwaait af. Tergend lang blijft hij met gebogen hoofd en geheven armen staan, als om het publiek goed duidelijk te maken wat voor een bovenmenselijke krachtsinspanning hij zojuist heeft geleverd. Dan heft hij eindelijk het hoofd en laat zijn armen slap langs zijn lichaam vallen. Hij *moet* ook wel uitgeput zijn – vier volle uren heeft hij zich vanmiddag met de hem eigen bravoure door alle vaderlandse middelmaat heengeslagen die voorafging aan Diepenbrocks meesterwerk. 'Eindelijk muziek!' zei Petrus toen de inleidende trompetten met hun schrijnende dissonant weerklonken. Hij begint al te leren.

Het publiek, dat smult van Mengelbergs theatraliteit, begint te klappen en bravo te roepen. Ook klinkt Diepenbrocks naam herhaaldelijk uit de menigte op. Schuin aan de overkant van de zaal, op het linkerzijbalkon, staat hij al van zijn plaats op om aan de balustrade het zich naar hem toekerende publiek te danken. Dat zijn *Te Deum* het publiek heeft weten te raken, ondanks het matte, afgebeulde koor en de oververmoeide, verhitte solisten en orkestleden, zal hem goed doen. Want de uitvoering was ronduit schandalig: elke diepere expressie ontbrak, elke piëteit, elke warmte of liefde. Er werd veel te hard gezongen, zonder enige nuance, en alleen maar routineus opgezweept en afgejakkerd. Een slijtageslag was het, in plaats van een gepassioneerde, verheven lofzang voor de schepper van hemel en aarde.

En precies als Diepenbrock zijn hand opsteekt en wil buigen, heft Mengelberg zijn dirigeerstok weer, knikt naar de organist en laat koor en orkest een overdonderend Wilhelmus inzetten.

'Godverdomme! Hoe haal je het in je kop, klootzak!' roept Vermeulen. Petrus schrikt op. Enkele dames verderop in de rij kijken verstoord in hun richting.

Beneden in de zaal heeft men zich inmiddels weer omgedraaid naar het podium. Velen lijken in verwarring. Toch stemmen steeds meer mensen in met het koor en zwelt het volkslied aan: 'Den vaderland getrouwe blijf ik tot in den dood!' Mengelberg hupt van de bok af, wendt zich vanachter de bloemen op de podiumrand naar de zaal en begint met weidse gebaren het publiek te dirigeren, dat nu uit volle borst meezingt. Diepenbrock staat nog steeds aan de balustrade, met een gezicht of hem zojuist een kaakslag is toegediend. Ontredderd en hulpeloos gebarend tegen zijn vrouw gaat hij weer zitten. Wat een belediging wordt hem hier aangedaan! Wat een sluwe, respectloze streek van Mengelberg! Een spontane actie lijkt het, maar intussen is alles van te voren precies geregisseerd. Onder de partijen van het *Te Deum* lag het Wilhelmus al klaar op de orkestlessenaars, de organist had zijn instructies, en dat allemaal opdat Mengelberg onmiddellijk weer alle aandacht op zichzelf zou kunnen vestigen: hulde aan de ongeëvenaarde feestdirigent en promotor van onze Vaderlandse Muziek, de onvolprezen aanstichter van deze heerlijke Nederlandse Muziekdagen, Willem Mengelberg!

Vermeulen kan zijn verontwaardiging niet langer inhouden, springt overeind en begint als een bezetene met zijn programmaboekje op de balustrade te slaan. 'Blasfemie! Blasfemie!' Met overslaande stem blijft hij het roepen tegen de storm van het Wilhelmus in, terwijl Petrus hem herhaaldelijk aan zijn arm trekt en talloze gezichten uit het publiek zich nu naar hem richten. Zelfs beneden in de zaal kijken mensen naar hem omhoog.

Eindelijk klinken de laatste woorden van het Wilhelmus en laat Mengelberg zijn armen weer zakken om diep te buigen. Een seconde is het stil, voor het applaus weer zal losbarsten.

'BLASFEMIE!' roept Vermeulen nog één keer op de toppen van zijn longen.

Mengelberg, die zich tijdens het Wilhelmus niet bewust leek van de in de zaal ontstane beroering, werpt nu een priemende blik naar het frontbalkon.

Om hen heen worden hoofden geschud. 'Schandelijk,' zegt een man in rokkostuum drie plaatsen verderop.

'Zegt u dat wel!' bijt Vermeulen de man toe. 'Schandelijk wat Mengelberg zich veroorlooft!'

'Thijs, toe nou, alsjeblieft,' zegt Petrus. 'Je maakt jezelf onmogelijk.'

Sommigen beginnen 'Bravo Mengelberg!' te roepen. Vanuit de zaal beneden wordt omhoog gewezen. Hier en daar wordt een duim opgestoken. Maar ook de ovationele toejuichingen voor Mengelberg worden door het incident alleen maar sterker, iets wat de maestro zich triomfantelijk laat aanleunen. Er worden hem bloemen aangeboden en verscheidene kransen. Opnieuw werpt hij een minachtende blik naar het frontbalkon.

Dat is de druppel die de emmer doet overlopen. 'Kom mee Petrus, we gaan.' Vermeulen trekt zijn vriend mee, zich nauwelijks verontschuldigend tegen de dames en heren in de rij die voor hen op moeten staan. Wat kunnen hem die opgedirkte Mengelbergvereerders schelen. Het enige wat hij nog ziet voor ze de zaal verlaten, is de toornige blik van Diepenbrock vanaf het linker balkon. Een blik die overduidelijk niets meer met het hem door Mengelberg aangedane onrecht te maken heeft.

In de vestiaire zijn ze vrijwel de eersten, maar als ze hun jassen en hoeden hebben, beginnen de andere concertgangers al binnen te stromen. Iedereen kijkt naar hen. En terwijl ze door de toenemende drukte zo snel mogelijk naar de uitgang proberen te komen, staat ineens de heer voor hen uit hun stoelenrij op het balkon. Hij moet zich speciaal naar de vestiaire gehaast hebben om hen nog te treffen. Zijn echtgenote houdt zich op de achtergrond, haar ogen neergeslagen, maar de man barst bijna uit zijn rokkostuum van boosheid. 'Wat was dat voor een vertoning,' roept hij. 'Hebt u geen enkel fatsoen?'

'Ja, een absurde vertoning,' zegt een blauwe tulen galajapon.

Vermeulen kijkt de man recht aan. Alle omstandersogen zijn nu op hem en zijn tegenstander gericht. Er vormt zich zelfs een kring om hen heen, als om een vechtpartij op het schoolplein.

'Weet u wie er geen fatsoen heeft?' antwoordt hij vurig. 'Mengelberg. Eerst raffelt hij op de meest liefdeloze manier Diepenbrocks *Te Deum* af, en vervolgens smoort hij elke voor de componist bedoelde bijval in het Wilhelmus! Een affront, een ander woord heb ik er niet voor. Mengelberg zou in het openbaar zijn excuses moeten maken.'

De echtgenote van de man kijkt even op, maar laat niet blijken wat ze vindt.

'Excuses? Nu wordt het helemaal fraai. Dat Mengelberg de Nederlandse Muziekdagen met dit *Te Deum* heeft willen afsluiten is toch een eer voor Diepenbrock, zeker na de toewijding waarmee alle uitvoerenden zijn werk hebben vertolkt?'

Geroezemoes. Sommigen van de omstanders beginnen te klappen.

'Het orkest en de solisten waren toegewijd. Maar Mengelberg was enkel uit op zijn eigen glorie. Hij kan rekenen op een gepeperd stuk in de krant. Hier komt hij niet zomaar mee weg.'

'Bravo,' roept een jongeman ironisch. Iemand anders zegt: 'Het is een journalist.'

De boze man trekt nerveus zijn vest recht. 'U zou zelf uw excuses moeten maken! Dat zou meer op zijn plaats zijn. Kom Frieda.' Hij draait zich om en beent weg, door de zich openende kring van omstanders, de corridors weer in. Zijn echtgenote volgt hem en glimlacht in het voorbijgaan ongemakkelijk.

De nieuwsgierige en sensatiebeluste toeschouwers beginnen zich weer te verspreiden en begeven zich naar de uitgang. Hier zal nog wel even over gesproken worden. 'Kijk, daar gaat 'ie met zijn vriendje, die herrieschopper van *De Amsterdammer*,' hoort hij nog als ze even later de Van Baerlestraat oplopen.

17

De dood of de gladiolen

Er wordt al een tijdje geschuifeld en gefluisterd op het over-loopje. Zo te horen zijn Elsa en de meisjes bezig zelfgemaak-te slingers langs de trapleuningen op te hangen. Hij is er wakker van geworden, hoezeer ze ook hun best doen zo min mogelijk geluid te maken. Maar dat is moeilijk, hier in Holt-wick. Hij staat even op, schuift de gordijnen open en gaat weer op zijn rug liggen, in afwachting van wat hem te wach-ten staat. Grauw en regenachtig is het boven de heide en de bosrand. Terwijl het zulk schitterend nazomerweer kan zijn op zijn verjaardag. Zo is het dus om vijftig te worden.

Wat een miserabel jaar ligt achter hem. Misschien wel het slechtste jaar van zijn leven. Zijn huwelijk bevond zich op een absoluut dieptepunt, Elsa was afstandelijker dan ooit en ging hem zoveel mogelijk uit de weg. Jo's komst naar Den Haag had dat nog verergerd, hoewel hij daarna maanden niets meer van haar had gehoord, en zelf ook niets had la-ten horen omdat hij bang was haar gekwetst te hebben door haar te negeren en zich zo flirterig tegen Ilona Durigo te ge-dragen. En toen was er in december ook nog een geboorte-annonce uit Brussel gekomen – aan hem én Elsa gericht, alsof Jo daarmee aan wilde geven dat wat haar betreft al het moeilijke en pijnlijke nu definitief verleden tijd was. 'Ze is toch maar bij haar Amerikaan gebleven,' zei Elsa cynisch. En hij stelde vast dat Jo in Zandvoort net in verwachting ge-weest moest zijn en tijdens de première van *Die Nacht* al ze-ven of acht maanden ver. Hij had het al wel vermoed, maar het schokte hem toch.

Het enige lichtpunt, dit levensjaar, was zijn reisje met Elsa naar Frankfurt geweest. Alles zat mee, die paar dagen van het Geistliches Musikfest. Het was schitterend lenteweer, Mengelberg deed wonderen in het *Te Deum* (daarom was die Amsterdamse uitvoering afgelopen juni ook zo'n tegenvaller), het was vanouds gezellig met hem en Tilly. De Duitse pers was goed te spreken over 'de Nederlandse bijdrage', afgezien van één zure kritiek die vooral tegen Mengelberg gericht was – ook in Duitsland heeft hij zijn 'Vermeulen' gevonden. Elsa genoot van de afleiding en de vrolijkheid en ze kwamen beduidend nader tot elkaar – verheugden zich samen over de prachtige uitvoering, waren samen aangeslagen door de Mahlersymfonieën, bezochten samen een museum. Voor het eerst sinds Elsa wist van zijn verhouding met Jo, voelde hij weer een zekere vertrouwelijkheid met haar. Die na terugkeer in Amsterdam, al gauw weer in de gebruikelijke afstandelijkheid was teruggevallen.

Even wordt er nog gefluisterd voor zijn deur – de laatste instructies – en dan is het zover. De deur van zijn slaapkamer zwaait open en daar komen zijn dochters zingend binnengemarcheerd: in hun nachthemden, papillotten in het haar, Joanna voorop. 'Lang zal hij leven, lang zal hij leven!'

Hij pakt zijn bril van het nachtkastje, gaat overeind zitten en zet het kussen rechtop achter zich tegen het houten hoofdeinde van het ledikant. De kleine Thea staat stralend naast hem en roept met haar grappige hoge stemmetje: 'Hiep hiep hiep.'

'Hoera!' roepen Thea en Joanna vervolgens in koor.

Allebei hebben ze een pakje voor hem en ze dreigen even ruzie te krijgen wie hem het eerst mag feliciteren. Joannetje is net niet groot genoeg om dat plezier aan haar kleine zusje te gunnen. 'Komen jullie eens zitten,' zegt hij. Een voor een hijst hij ze naast zich op het bed, ieder aan een kant. 'Thea is de jongste, die mag eerst.'

Aan de kreukels in het pakpapier te zien heeft ze haar geschenk met veel moeite zelf ingepakt en er een rode strik omheen geknoopt. Een plat, slap pakje is het. Ze kan bijna niet wachten tot hij eindelijk de knoop uit het lint heeft.

'Een inktlap! Wat mooi Thea! Heb je die helemaal zelf gemaakt?'

Ja, ze heeft zelf de letters A en D erin geborduurd en de randen versierd. 'Mammie heeft bijna niet geholpen.'

Als hij zegt dat hij nog nooit zo'n mooie inktlap heeft gezien, glimlacht ze trots. En ze moet giechelen om zijn kriebelsnor als hij haar kust. 'Jij stinkt een beetje,' zegt ze.

Joanna heeft haar cadeau ook zelf ingepakt, in gemarmerd papier, veel netter dan haar kleine zusje. Zij geeft een nieuw brillenhuis en heeft er een bloementekening bij gemaakt. 'Dat komt goed uit zeg! Ik heb juist een nieuw brillenhuis nodig. Het oude is helemaal versleten. Dank je wel hoor!'

Met hun warme, levendige lijfjes nestelen ze zich behaaglijk tegen hem aan. Thea legt haar arm over zijn borst, en haar hoofd tegen zijn schouder. Ze heeft een sterke haargeur, die hij graag opsnuift met zijn neus op haar kruintje.

'Ben je nou oud geworden?' vraagt Thea.

Oud geworden? denkt hij. Als de mensen zich er bij je dood over verbazen dat je nog bleek te leven, ben je oud geworden. Maar dat bedoelt ze niet. Voor een vijfjarige, die tien al een onbereikbaar hoge leeftijd vindt, is vijftig iets onvoorstelbaars.

'Tachtig is oud,' zegt hij. 'Of negentig. Wanneer bijna iedereen en alles waar je van houdt er niet meer is. Maar ik heb jullie, en mijn muziek.'

'En mammie,' zegt Joanna.

'En mammie. Kom eens onder het dek, jongens, jullie voeten worden koud.' Hij slaat de dekens terug en trekt hun benen eronder.

'Wij zijn meisjes,' zegt Thea.

'Weten jullie iemand die echt oud is? Nog veel ouder dan ik?' Hij doelt op het kromme vrouwtje dat iets verderop aan de Drift woont, waar ze wel eens met de hond gaan spelen.

Zijn jongste dochter denkt even na. 'Sinterklaas,' zegt ze dan.

'Ja. Die is heel oud.'

'En Mokje,' zegt Joanna. Telkens als Joanna op zijn werkkamer in Amsterdam komt, is ze gefascineerd door Derkinderens tekening van zijn moeder op haar doodsbed, 'Mokje van oom Toon' zoals zij die noemt.

'Mokje was ook heel oud. Maar Mokje leeft al lang niet meer.'

Thea begint verdrietig te kijken. 'Mokje was jouw moeder hè? Was Mokje lief?'

'Heel lief, de liefste vrouw die ik ooit gekend heb.'

'Liever dan mammie?' vraagt Joanna.

'Minstens net zo lief.'

'Maar waarom ging ze dan dood? Nu kunnen wij haar nooit zien.'

'Als je heel oud bent, ga je dood,' zegt hij. 'Daar is niets aan te doen.'

'Was Mader ook heel oud?' vraagt Thea.

'Nee, Mahler was ziek. Dan kun je ook doodgaan.'

Thea veert overeind en begint opgewonden met haar beentjes te trappelen onder het dek. Voor haar heeft het gesprek lang genoeg geduurd.

'Ben jij niet ziek?' vraagt Joanna nog met een ernstig gezicht.

'Nee hoor, liefje.'

Hij aait haar even over het hoofd. 'Zullen we eens gaan kijken of Koosje de tafel al gedekt heeft?'

Thea springt van het bed en begint te dansen dat de ruiten er van rinkelen. 'We hebben een verrassing! We hebben een verrassing!'

Joanna geeft haar een woedende duw. 'Dat moet je toch niet zeggen!'

Hij doet net of hij niets gehoord heeft en trekt zijn kamerjas aan. 'Gaan jullie mee?' De meisjes stormen voor hem uit naar beneden.

Op de trap, die inderdaad prachtig versierd is, hangt een vage, zoete geur die sterker wordt naarmate hij verder afdaalt. Als hij beneden even zijn werkkamer in loopt om de cadeaus van de meisjes op zijn schrijftafel te leggen, is die geur ineens bedwelmend. Op de Bechstein staat een pot met een oriëntaalse lelieplant. De verrassing waarschijnlijk.

Hij kijkt snel even de ochtendpost door die Elsa op zijn tafel heeft klaargelegd. Geen brief van Jo, maar dat had hij ook niet verwacht. Een paar obligate felicitaties, een brief van Verhagen, een kaartje van Vermeulen uit het Limburgse Eijsden, en aardige briefjes van De Booy en Mengelberg, de laatste nog met een paar vragen over het programma van zijn feestconcert.

Zelf had hij zijn vijftigste verjaardag het liefst ongemerkt voorbij willen laten gaan. Maar Mengelberg en het Concertgebouwbestuur hadden het plan opgevat hem te eren met een geheel aan zijn muziek gewijd feestconcert in de Grote Zaal. De *Marsyas*-suite, een paar koorwerken en liederen, een weinig gespeeld vroeg werk als de *Vioolhymne* en zijn Rembrandtcantate als afsluiting was het voorstel. 'Misschien heeft Willem toch het idee dat hij iets goed moet maken,' zei Elsa. Na Vermeulens furieuze stuk over het *Te Deum* in *De Amsterdammer* was er veel commotie in de pers ontstaan. Niet dat men Vermeulen was bijgevallen, maar sommige kranten hadden, naast hun gebruikelijke loftuitingen, ook voorzichtige kritiek op Mengelberg geuit. 'En nu biedt Willem je een feestconcert aan. Dat heeft de woeste Brabander dan toch maar voor elkaar gekregen,' zei Elsa. 'Tegenover mensen als Willem bereik je uiteindelijk het meest door af en toe eens flink met de vuist op tafel te slaan.'

'Ik wil helemaal geen feestconcert,' antwoordde hij. 'Wat valt er te vieren? Dat ik definitief middelbaar word? Ik verafschuw het om gehuldigd te worden. Met een krans om mijn hals voel ik me meteen een charlatan; niemand kent de zwakke plekken in mijn muziek zo goed als ik. Ik zit niet voor niks onafgebroken mijn werk te herzien.' En dan waren er nog de jaloerse collega's en de hem slechtgezinde critici waar hij zich liever niet aan wilde overleveren. Ongetwijfeld stonden ze allemaal al in de rij om hem ter verhoging van de algehele feestvreugde alles weer eens voor de voeten te werpen wat ze hem altijd voor de voeten werpen: dat zijn muziek te 'zwaar' en te intellectueel is, dat hij als classicus een muzikale autodidact is en onhandig orkestreert enzovoort enzovoort. 'Daar voel ik me op dit moment net iets te kwetsbaar voor.'

Elsa hoorde hem een tijdje verbaasd en steeds ongeduldiger aan en veegde toen in één keer al zijn bezwaren van tafel. 'Nu wil Willem eens spontaan iets belangrijks voor je doen, en dan begin jij weer bezwaren te maken! Het Concertgebouworkest, het Toonkunstkoor en de beste zangsolisten staan tot je beschikking! Welke componist krijgt zo'n kans?'

En intussen verheugt hij zich toch op het concert. Hij heeft een paar repetities bijgewoond en alles lijkt goed te gaan. Zo goed, dat hij zich laatst zelfs op de heimelijke hoop betrapte dat Jo het concert zal bijwonen. Hij heeft haar een uitnodiging laten sturen en haar kennende zal ze zich een dergelijke gelegenheid niet laten ontgaan. En als hij zich voorstelt hoe hij na *Marsyas*, gedirigeerd door een Mengelberg in topvorm, op het podium zal staan met haar ogen op hem gericht, bevangt hem een bijna euforische opwinding.

'Kom je ontbijten Fons,' roept Elsa. Hij legt de post weer terug op zijn bureau.

In de keuken zit ze al met de meisjes aan tafel, die vol ongeduld op hem wachten. Zijn stoel is versierd met lange stengels dieprode, paarse en gele gladiolen. Er is feestelijk gedekt en Koosje staat aan het aanrecht brood te snijden. 'Prachtig,' zegt hij, 'die lelieplant en die gladiolen.' Hij glimlacht naar Elsa en probeert te laten merken dat hij heel goed ziet, hoezeer ze haar best voor hem doet.

'Weten jullie,' zegt hij tegen de meisjes, 'dat gladiolen bij de oude Romeinen de bloemen voor de overwinnaar waren? Wie gewonnen had in de arena werd bedolven onder gladiolen.'

179

'Van harte Fons,' zegt Elsa. Ze komt naar hem toe en kust hem op zijn wang. 'Ik heb ook nog iets voor je.' Ze wijst naar een pakje op zijn bord.

'Een inktlap, een brillenhuis, een lelieplant, een versierde stoel,' zegt hij, 'en nu wéér een pakje! Het kan niet op.'

'En we hebben nóg een verrassing!' roept Thea, waarop ze een pets van Joanna op haar arm krijgt. Ze protesteert hevig en begint te huilen.

'Geen ruzie maken jongens!' zegt Elsa.

Koosje legt het brood op tafel en komt ook zitten. 'Gefeliciteerd meneer.'

'Dank je, kind.' Hij pakt Elsa's geschenk uit.

'Vind je hem mooi?' vraagt ze als hij het pakpapier tot een prop knijpt. Koosje geeft de meisjes een beker melk.

Een okergeel, zijden dasje is het. Zijn lievelingskleur. 'Heel fraai, dank je.' Hij knikt naar haar en ziet haar gezicht betrekken door zijn gereserveerde reactie.

'Ik dacht: misschien wil je eens iets anders dan die eeuwige groene kravat.'

Toen ze hem indertijd vroeg hoe hij aan dat dure ding kwam, antwoordde hij: uit Brussel. 'Dat is dan voor het eerst dat jij zoiets voor jezelf koopt,' zei ze toen.

Na het ontbijt staat Elsa op om de meisjes aan te kleden. Buiten is het inmiddels noodweer, met windstoten en slagregens.

'Ik ga even wat brieven schrijven,' zegt hij.

'Zorg je wel dat je over een uur aangekleed bent. We hebben inderdaad nog een verrassing.'

Op zijn kamer leest hij het kaartje van Vermeulen nog eens over. Overmorgen komt hij terug uit Limburg. Misschien moet hij die jongen hier toch eens uitnodigen in Laren. Na het 'blasfemie-incident' hebben ze nog één gesprek gevoerd waarin ze allebei slecht op hun gemak waren. Hij maakte Vermeulen nadrukkelijk geen verwijten over zijn uitzinnige gedrag in het Concertgebouw, maar hij wilde hem ook niet ronduit zeggen dat hij het eigenlijk van harte eens was met zijn uithaal naar Mengelberg in de krant. Tot Vermeulens verrassing bood hij hem die middag ook het resultaat aan van een kleine inzameling onder vrienden en collega's: 'Ga deze zomer eens noten schrijven in plaats van kritieken, jongeman.' Beduusd zat Vermeulen met de envelop in zijn handen. Toen hij weg was, stelde Elsa voor om hem na de zomer een keer uit op Holtwick uit te nodigen. 'Dan worden jullie misschien weer wat ontspannener tegen elkaar.'

Klokslag elf rijdt er een huurrijtuig voor in de stromende regen. Hij heeft zich informeel gekleed en zit met een krant aan de tafel in het woonkamertje. 'Gaan we de deur uit met dit weer? Nou word ik wel heel benieuwd!'

'Wacht maar af,' zegt Elsa met een samenzweerderig lachje naar de meisjes. Zij hebben hun witte jurkjes aan met zwarte schortjes, en hun haren in pijpekrullen met linten. Voor de nieuwe hoeden en lakschoenen met zwarte sokjes is het blijkbaar geen gelegenheid. Ze zijn opgewonden van de voorpret en vooral Thea kan het geheim nauwelijks voor zich houden.

Twee keer loopt de koetsier heen en weer om hen alle vier onder zijn grote paraplu droog het rijtuig in te helpen. Hij klapt het portiertje dicht en klimt weer op de bok, zonder dat Elsa een bestemming heeft opgegeven. Met een ruk zet het rijtuig zich in beweging en deint aangenaam na in de veren. De meisjes, die zo'n luxe coupé niet vaak meemaken, kijken hun ogen uit naar het fraaie interieur; Thea pulkt met haar wijsvinger aan een van de noppen in de leren zitting.

Elsa veegt een gat in het beslagen raampje. Ze rijden langs de hertenkamp. 'Kijk, bij Ton en Odilia hebben ze de vlag uitgehangen.'

'Een vlag voor pappie,' zegt Thea.

'Wie weet,' lacht Elsa.

Hij heeft geen idee wie Ton en Odilia zijn. Nieuwe speelkameraadjes van zijn dochters misschien. Hij was de laatste tijd natuurlijk weer te veel verdiept in zijn 'prutserijtjes' zoals Thea het noemt. De vlag hangt slap in de regen en leeft af en toe wat op in een windvlaag.

Voor de tweede keer steken ze nu de Naarderstraat over. Het lijkt wel of de koetsier met opzet rondjes door het dorp rijdt om hem in verwarring te brengen. Uiteindelijk rijden ze de Brink af, en over de Sint Jansstraat naar het Zevenend. Daar stoppen ze.

'Gaan we naar Jacobs?'

'Goed geraden,' zegt Elsa.

'We gaan naar Jacobs, we gaan naar Jacobs!' zingen de meisjes, blij dat ze eindelijk iets van het geheim prijs mogen geven.

Elsa zal toch niet zijn portretbuste bij Jacobs besteld hebben? Ze kent zijn bewondering voor het werk van de 'Rodin van Laren'. Of mag hij zomaar een beeldje uitkiezen? Voor zoiets hebben ze helemaal geen geld op het moment. En afgezien daarvan: hij zou liever een aantal van zijn partituren laten drukken.

Mevrouw Jacobs doet zelf open en begroet Elsa en de meisjes hartelijk. Hem feliciteert ze met een handdruk en een brede glimlach. Ze trekken hun mantels uit in de benedenhal. Thea en Joanna huppelen al de gang door naar het atelier, alsof ze hier kind aan huis zijn. Hij loopt zijn dochters achterna, terwijl Elsa met mevrouw Jacobs blijft praten in de hall.

Jacobs zelf staat hen midden in zijn atelier op te wachten, aan een borsthoge boetseertafel, in witte stofjas alsof hij zojuist nog aan het werk was. Goddank is er nergens een afgedekte portretbuste te bekennen. 'Zo, kleine deugnieten,' zegt de beeldhouwer met zijn zachte stem tegen de meisjes. En dan tegen hem: 'Van harte gefeliciteerd, hoor.' Een echte werkmanshand geeft hij: hard en stevig, hoewel hij opmerkelijk lange, slanke vingers heeft voor een beeldhouwer. Wat een vriendelijke, bescheiden man is het toch. Van onder zijn wat hangende oogleden, die hem iets slaperigs geven, kijkt hij rustig naar de meisjes, niet in het minst bevreesd dat zij iets zullen omstoten of beschadigen. In zijn donkere haren zitten overal grijze draden; zijn baard is aan de slapen en op de wangen nog zwart, maar naar de punt toe grijs en zelfs wit. 'Ik weet wat het is, Diepenbrock, vijftig worden,' zegt hij.

Verscheidene vrouwenstudies staan er in het atelier; een manshoog zandstenen beeld en kleinere kribbefiguren van gips en klei, waaronder een vroom buigende Maria die nog gepolychromeerd moet worden. Mooi werk, weinig modern misschien, en eenvoudig, maar innig en diepdoorvoeld van uitdrukking. Ook gevelstenen en marmerreliëfs in verschillende staat van voltooidheid staan er, en wat Laarder dorpsfiguren, zoals een boerenvrouw met kap en lange schoudermantel.

Misschien heeft Elsa een gevelsteentje voor Holtwick besteld, of een eikenhouten trapbaluster, voor in het benedenhalletje. Daar zagen ze laatst een prachtig voorbeeld van; ze heeft vast onthouden dat hij daar toen zo vol bewondering over was.

Elsa en mevrouw Jacobs komen ook het atelier binnen. 'Zullen we de reden van ons bezoek dan maar eens onthullen?'

'Ja!' roepen de meisjes. Hun schortjes zitten al onder de witte vegen van het stof en gruis.

Jacobs loopt naar de achterwand van het atelier, waar onopvallend een soort schildersezel met een lap eroverheen staat. 'Willen jullie voorzichtig de doek eraf trekken,' vraagt hij.

Thea mag de onderkant van de stof vasthouden, Joanna de bovenkant. Langzaam trekken ze het doek horizontaal naar rechts weg.

Dit is wel het laatste waar hij op gerekend heeft. Een gipsplaquette, met de hoofdjes van zijn twee dochters en profile in bas-reliëf, links Joanna en rechts Dorothea, Aet. VII en Aet. V. Schitterend getroffen zijn ze, Thea met haar wipneusje en haar guitige lachje, Joanna met haar diep-ernstige blik. In hun als een kom voor zich geheven handen liggen trossen gladiolen, alsof ze die aanbieden. 'Aan vader' staat er in onbeholpen hoofdletters in de onderrand van het gips gekrast, waarschijnlijk door Joanna. Wekenlang moeten ze hier regelmatig geposeerd hebben en hij heeft er niets van gemerkt.

'Wat is er met pappie?' vraagt Joanna.

Hij staat al een tijdlang naar het reliëf te kijken en kan nog altijd geen woord uitbrengen. Elsa is ook aangedaan. Jacobs en zijn vrouw zijn bescheiden een paar passen terug getreden.

'Wat heb je ze ongelofelijk knap getroffen,' zegt hij tegen Jacobs. 'Die blik van Joanna, en de manier waarop Thea's haren langs haar oortje vallen. Sprakeloos ben ik.'

Jacobs glimlacht.

'Ze zijn het helemaal hè,' zegt zijn vrouw. Elsa knikt en kijkt dan naar hem.

Ineens ziet hij in haar gezicht wat ze bedoelde toen ze midden in hun grootste moeilijkheden over Jo ineens een keer zei dat ze ondanks alles nu eenmaal van hem houdt en dat daar niets aan te doen is. 'Wat een schitterend cadeau heb je me gegeven,' zegt hij. Hij loopt naar haar toe en omhelst haar.

'Is pappie niet blij?' vraagt Joanna beteuterd en komt tegen haar moeder aan staan.

'Jawel. Pappie is heel blij,' zegt Elsa door haar eigen tranen heen. 'Zo blij, dat hij ervan moet huilen.'

18

De boerenbrief

Langzaam rijdt de trein station Hilversum binnen. Vermeulen staat alvast op om zijn twee pakketjes uit het bagagerek te pakken. Het gieren van de remmen gaat over in een schril fluiten en knarsen, tot de wagon met een schok tot stilstand komt. Bijna verliest hij zijn evenwicht maar hij kan zich nog net aan een van de houten banken vastgrijpen. Als hij met de pakketten op één hand balancerend het portier openklapt en van de treeplank het perron op stapt, laat de locomotief sissend zijn stoom ontsnappen, en worden de remblokken met een metalige klak van de wagonwielen getrokken. Om hem heen onmiddellijk een wirwar van spoorwegbeambten, kruiers en dienstboden. Verderop uitstappende dames en behulpzame heren bij de eerste en tweede klasse. Overal karren met valiezen en kisten die ratelend over de klinkers worden getrokken.

Zou Diepenbrock de moeite genomen hebben een perronkaartje te kopen of gewoon op het stationsplein staan wachten? Hij heeft rendez-vous gegeven 'op station Hilversum', zonder nadere plaatsaanduiding. Zoiets is niks voor Diepenbrock, maar de uitnodiging om eens een middag naar het Larense buitenhuis te komen was op zich al zo verrassend, dat het onprecieze van de afspraak nu pas opvalt.

Hij neemt onder elke arm een pakket en begint met de andere reizigers mee te lopen richting stationsgebouw. Langs het andere perron komt met veel rook en gesis nog een trein binnenrijden.

En kijk: aan het eind van de perronsoverkapping, bij een

185

kapperskiosk, een beetje bezijden de drukte, staat Diepenbrock; onopvallend, met zijn rottinkje, strohoed en zwarte
strik, als altijd in grijs wollen kostuum dat wat slobberig om
zijn magere lijf valt; zijn colbert nonchalant met één knoop
gesloten, zodat nog net een stukje van de horlogeketting uit
zijn vestzak zichtbaar is. Wie niet weet dat daar de grootste
Nederlandse componist sinds Sweelinck staat, zal door zijn
alledaagse verschijning niet snel op dat idee komen.

'Mijnheer Vermeulen. Welkom in het Gooi.'

Hij moet even met zijn pakketten jongleren voor hij de
toegestoken hand kan drukken. 'Mijnheer Diepenbrock.
Hoe maakt u het.'

'Ik zie dat u het zuiden overleefd hebt. En, hebt u gecomponeerd?'

Wonderlijk hoe ze hier staan, te midden van al die langs-
stromende reizigers en het stationslawaai: door niemand gadegeslagen of opgemerkt, ietwat gespannen allebei, elkaar
begroetend in de meest kleurloze woorden. Maar ook zo vol
samengebalde scheppingskracht en kennis van elkaar. Op het
oog maken ze volledig deel uit van die hele doodnormale
werkelijkheid om hen heen en tegelijk zijn ze er volkomen
van afgescheiden; twee brokken kristal in de helderheid van
een voortrazende bergbeek.

'Ja, ik heb een beetje gecomponeerd.'

Diepenbrock maakt een uitnodigend gebaar richting uitgang en vraagt niet door, alsof hij een muziekstuk na de opmaat onmiddellijk aftikt. Ze geven hun kaartjes af en wandelen naar de huurrijtuigen op het stationsplein. Nog altijd
geen nadere vraag. Zelfs niet: vertelt u er straks iets meer
over. Terwijl dit hele rendez-vous toch vooral bedoeld zal
zijn om te horen hoe de symfonie ervoor staat.

'Terug naar Holtwick weer, Bastiaans.'

Ze stappen in een laag, open rijtuig dat al voor hen klaar-
staat. De koetsier neemt alle tijd om de paarden een stukje
achteruit te leiden, de teugels goed te leggen en op de bok te
klimmen, waarna ze voor een witgepleisterd etablissement

met serre en overdekt terras keren: Café Restaurant Voskuijl, 'Jenevers, Bieren, Billard'. Met Petrus zou hij nu, na de rit in de bedompte treincoupé, eerst een glas bier zijn gaan drinken, maar Diepenbrock is geen man voor cafés. Door een smalle straat verlaten ze het levendige stationsplein, steken aan het eind rechtsaf het spoor over en passeren een gebouwtje van de Gooische Stoomtram. Daarna wordt de bebouwing dunner en hebben ze de nieuwe villa's die daar nog tussen de bomen liggen al snel achter zich. Diepenbrock is zwijgzaam. Alsof hij zich in deze andere omgeving niet goed raad weet met dit bezoek.

Dat hij nog steeds niet verder vraagt naar de symfonische vorderingen is vreemd, denkt Vermeulen, maar ook wel prettig. Wat valt er feitelijk over te zeggen? Als geen ander zal Diepenbrock weten hoe moeizaam, onzeker, stuurloos, wanhopig maar bij vlagen ook euforisch een scheppingsproces kan verlopen. In het geschrap en geschuif en gereken dat noodzakelijkerwijs op de eerste melodische inspiratie volgt om elke noot op de juiste plek te krijgen en de beste harmonische mogelijkheden te vinden, zal hij niet geïnteresseerd zijn. Terwijl er in dit stadium – afgezien van de grote lijnen en algemene uitgangspunten – alleen maar over zulke details te praten valt. Uiteindelijk telt niet dat kleine gepieker en gepeuter, enkel de zeggingskracht van het geheel. Daar kun je het uitvoerig over hebben, analytisch of globaal. En zover is het nog lang niet. Maar Diepenbrock zal de eerste zijn die de partituur te zien krijgt, zodra die klaar is.

'Ga maar binnendoor over de hei,' zegt hij nu en de koetsier stuurt de paarden van de weg af, een breed zandpad op, het bos in. Heerlijk weer is het, met een aangename zon tussen de langsglijdende stammen en bladeren en – als ze het bos uitkomen – een nevelig waas boven de paars-rode heidevelden, waar de erica nog in volle bloei staat. Diepenbrock vertelt iets over zijn huldigingsconcert. Hij heeft een paar repetities bijgewoond en alles lijkt goed te gaan. Maar op nadere vragen gaat hij nauwelijks in. 'Ik bemoei me er maar zo min mogelijk mee,' zegt hij – en vervalt weer in langdurig zwijgen. Er zit voor Vermeulen weinig anders op dan ook maar achterover te gaan zitten, te genieten van de zachte bries en het adembenemende landschap.

Al van jongs af houdt hij van de hei. Van de kruidige geuren, de zachte tinten, en de wazige vergezichten. Uren heeft hij als jongen met zijn broer op de Helmondse hei rondgezworven. En afgelopen juli heeft hij er weer dagenlang met Petrus doorgebracht. Hij wilde Petrus al lang eens naar zijn familie meenemen en zijn reis naar Limburg bood daar een mooie gelegenheid voor: één week brachten ze door in Helmond. Daarna ging Petrus terug naar Amsterdam, en hij door naar Eijsden, waar hij met het geld van Diepenbrock voor twee maanden een kleine kamer op een boerderij had gehuurd. Zijn ouders hadden er geen enkel bezwaar tegen dat hij met een vriend kwam, leken zelfs blij dat hij niet meer zo'n 'allenige kluizenaar' was, zoals zijn moeder het uitdrukte. Sinds hij voor *De Tijd* ging schrijven hebben ze zich verzoend met zijn Amsterdamse avontuur, al maakte zijn moeder zich ook toen nog veel zorgen. Dat hield op vanaf het moment dat hij af en toe wat geld naar huis stuurde. En toen hij hun zijn fotografisch portret gaf, waren ze zelfs trots op hem. Als een zelfverzekerde jonge god staat hij erop, met woeste haardos, zwierige cape, sigaar en das. Een kunstenaar met de wereld aan zijn voeten.

Zo voelde hij zich ook, die hele Helmondse week met Petrus, door het vooruitzicht van die twee maagdelijke maanden die geheel aan de symfonie gewijd zouden zijn. Overdag zwierven ze over de hei, wandelend en soezend op hun rug in de zon, terwijl hij niet op kon houden over zijn muzikale plannen te praten. Of ze vingen roeken en eekhoorns in de bossen, zoals hij als kind met zijn broer ook veel deed. Hij liet Petrus alle plekken uit zijn jeugd zien waar hij hem wel eens over verteld had: de protestantse kerk waar hij als jongen ruitjes ingooide, de Sint Lambertus waar hij zijn eerste communie deed ('daar hangt *mijn* schilderij van God'), de machine in de smidse waar hij op zijn negende een keer met zijn kiel in was blijven haken, waardoor hij als een propeller rond was gedraaid en rakelings met zijn hoofd langs de grond schampte; de zolder waar het allemaal begonnen was met zijn grote wagneriaanse muziekdrama, aan een zelfgetimmerde houten tafel (die inmiddels was opgestookt). Zijn moeder sloot Petrus meteen in haar hart toen ze hoorde dat die sinds zijn kinderjaren een moeder had moeten missen; Vader kon 's avonds aan de keukentafel alles aan Petrus kwijt over de sierhekken, brandkasten en kachels die hij smeedt. Petrus voelde zich onmiddellijk thuis, genoot van de eenvoudige hartelijkheid van het Brabantse onthaal, van het gevoel even uit Amsterdam weg te zijn in de natuur, en van de vertrouwelijkheid tussen hen tweeën. Heerlijke, ontspannen dagen waren het geweest, zeker met die extra glans van het aanstaande componeren.

Misschien waren die hooggespannen verwachtingen ook de reden dat hij de eerste week op zijn eenzame kamertje in Eijsden nauwelijks aan het werk kon komen. Radeloos werd hij ervan. Hij had zich er zo op verheugd, en nu zat hij daar met al zijn aanzetten, plannen en ideeën voor het lege notenpapier. Ging hij onmiddellijk Diepenbrocks vertrouwen beschamen? Alle voorwaarden om te componeren waren vervuld, maar er gebeurde niets. En als het nu niet gebeurde, wanneer dan wel? Uiteindelijk was hij maar gewoon met een paar simpele motiefjes begonnen, tot hij al proberend en verbeterend langzaam meer houvast kreeg en hem steeds interessanter materiaal in handen viel. Maar echt stromen deden de melodieën de eerste weken niet. En toen hij de boerin op een avond met pen en inkt aan tafel zag zitten, worstelend met een brief die ze moest schrijven, noemde hij zijn symfonie voor zichzelf 'mijn boerenbrief'.

'We zijn er,' zegt Diepenbrock. Over een onverhard, stijgend pad naderen ze een nieuw bakstenen huis met rood pannendak, naast een akkertje boven op een heuvel gelegen. Groene luiken en een bankje op een veranda aan de voorkant. *Holt-wick* staat in sierletters op de daklijst geschilderd. De koetsier houdt de paarden langs het witte tuinhek stil.

Zodra ze uitgestapt zijn, komt mevrouw Diepenbrock over het tuinpad aanlopen met haar twee dochters aan de hand. 'Wat goed u hier te zien mijnheer Vermeulen! En op zo'n mooie dag nog wel.' Ze drukt hem hartelijk de hand. De meisjes kijken verlegen naar hem op. 'De boze mijnheer' heeft de jongste hem wel eens genoemd, vertelde mevrouw Diepenbrock ooit, vanwege zijn woeste krullen en donkere wenkbrauwen waarschijnlijk. 'Dag Thea, dag Joanna,' zegt hij nu. 'Ik heb iets voor jullie meegebracht.' Hij overhandigt aan ieder een pakket.

'Ach wat aardig van mijnheer Vermeulen! Wat zeggen jullie dan?'

'Dankuwel, mijnheer!' Ze knopen de touwtjes los en openen het pakpapier: 'Ik heb een bal, een rode bal,' roept Thea, die ineens geen spoor van verlegenheid meer toont.

'En ik een prentenboek,' zegt Joanna blij.

Mevrouw Diepenbrock glimlacht naar hem. 'U had ze geen groter plezier kunnen doen. Wat ontzettend vriendelijk van u!'

Hij had niet met een paar sigaren voor Diepenbrock willen aankomen, en een attentie voor mevrouw was misschien niet gepast. Maar een kleinigheid voor de dochters leek hem een aardige geste.

Ze lopen over het grindpad naar de achterkant van het huis, waar op een grotere veranda stoelen en een theetafel klaar staan. Diepenbrock gaat zitten, neemt zijn oudste dochter op schoot en begint met haar het nieuwe prentenboek door te bladeren. Mevrouw Diepenbrock schenkt thee in en zegt: 'Is de Limburgse eenzaamheid u goed bevallen? U lijkt Mahler wel, die trok zich ook altijd de hele zomer terug om te componeren.'

Hij werpt een korte blik op Diepenbrock en vertelt met schroom dat hij na een moeilijke start, uiteindelijk in een roes van concentratie is gekomen die hem veel heeft opgeleverd. 'Voor het doordenken van het grote geheel is de afzondering absoluut noodzakelijk. In Amsterdam moet ik telkens onderbreken – in Eijsden heb ik de hele symfonie kunnen schetsen en ook in één keer het hoofdthema kunnen uitwerken. Helaas moet ik het nu weer loslaten, al wil ik proberen tussen het recenseren door toch druk op de ketel te houden.' Hij kijkt weer even naar Diepenbrock, die een pagina van het prentenboek omslaat.

'Ja, telkens moeten onderbreken is vreselijk,' zegt mevrouw Diepenbrock. 'Maar wat goed dat u nu zo veel hebt kunnen doen. We zijn erg benieuwd naar het eindresultaat.'

'Dat zal nog wel minstens een jaar op zich laten wachten, vrees ik.'

'En dan gaat u uw partituur aan Mengelberg voorleggen?'

'Ik ken geen dirigent van wie ik mijn muziek liever zou horen,' zegt hij. 'Als Mengelberg zijn best doet kan hij toveren.'

Mevrouw Diepenbrock knikt en geeft haar dochters een glas grenadine. Dan laat ze de kleine Thea met een schaal koekjes rondgaan. En daarna stuurt ze de meisjes de tuin in. 'Gaan jullie maar even met de bal spelen.' Op een klein vierkant stukje gras beginnen ze naar elkaar over te gooien.

'En, wat vindt u van het jubileumconcert voor mijn man, volgende week?' Het is duidelijk dat mevrouw Diepenbrock zich heeft voorgenomen het gesprek op gang te brengen.

Diepenbrock legt het prentenboek op de theetafel en kijkt naar zijn spelende dochters.

'Na vijfentwintig jaar achteloosheid en verwaarlozing door de Nederlandse muziekwereld,' zegt Vermeulen, 'werd het tijd dat Mengelberg eens een heel concert aan hem wijdt.'

'En kan het programma op uw instemming rekenen?' vraagt Diepenbrock nu.

In het rijtuig hield hij het onderwerp af, nu wil hij meteen een mening horen.

'Doen jullie voorzichtig bij de rozen,' roept mevrouw Diepenbrock.

Vermeulen neemt een slok thee. Als Diepenbrock het wil, kan hij het krijgen ook. 'Mengelbergs keuze geeft op geen enkele manier een representatief overzicht van uw oeuvre, als ik zo vrij mag zijn. Hij heeft nauwelijks rekening gehouden met uw stilistische ontwikkeling – alle nadruk ligt op uw vroege, "Duitse" werken. Daarbij ontbreken uw bekendste composities.'

'Toch ben ik blij dat mijn *Vioolhymne* en mijn Rembrandt-cantate weer eens worden uitgevoerd,' zegt Diepenbrock.

'Ik zou voor de afsluiting toch de voorkeur hebben gegeven aan *Die Nacht* dat het orkest net onder de knie begint te krijgen, of aan *Im grossen Schweigen* in uw nieuwe orkestratie.'

Diepenbrock grijnst. De plaagstoot is hem niet ontgaan. 'Mengelberg heeft nou eenmaal meer op met de schilderkunst dan met poëzie en filosofie.'

Op dat moment klinken er opgewonden kreten van het gazon. De bal is over het tuinhek. 'Niet het hek uit, jongens!' roept mevrouw Diepenbrock. Vermeulen springt overeind. 'Ik pak hem wel even.'

Als hij de tuin weer inkomt, gooit hij de bal met een boogje naar Thea, die hem behendig opvangt en meteen naar hem teruggooit. 'Naar mij! Naar mij!' roept Joanna. Voor hij het weet is hij verzeild in een wild overgooi-spel waarbij de meisjes het uitgieren van de pret om zijn rare schijnbewegingen en bokkesprongen.

Diepenbrock en zijn vrouw zitten geamuseerd toe te kijken en zeggen iets tegen elkaar. Dan komt mevrouw Diepenbrock het gras op en vangt de bal boven haar jongste dochter weg. 'Zo jongens, nu gaat mijnheer Vermeulen even met pappie op zijn kamer praten.'

'Wij zijn meisjes,' zegt Thea.

Hij geeft haar een vrolijke knipoog, brengt zijn kleren op orde en loopt met mevrouw Diepenbrock terug naar de veranda.

'Een Rugby-voetbalwedstrijd heb ik u helaas niet te bieden,' zegt Diepenbrock, die in de openslaande deuren op
hem wacht. 'Maar misschien wilt u met mij nog eens naar *Im
grossen Schweigen* kijken?'

19

Oesters bij Maison van Laar

'Jij zult je wel helemaal gelukkig voelen, Fons!'

Diepenbrock maakt een paar draaiende bewegingen met de schelp van zijn oester om te zien of die echt los in het vocht drijft. Overal om hem heen zijn gesprekken gaande waar hij graag meer van zou horen: over het feestconcert van vanavond, over zijn muziek. Maar hij zit tegenover Dopper. Hij slurpt de oester naar binnen en legt de lege schelp bij de andere op zijn bord. 'Ja,' zegt hij. 'Al die warmte en sympathie voor mijn werk vandaag, overweldigend is het.'

Het Concertgebouw was volledig uitverkocht en *iedereen* was er. Behalve Jo, maar dat kon hem niet lang neerdrukken, zoveel aandacht en vriendelijkheid spoelde er over hem heen. Hij had met Mengelberg afgesproken dat hij niet telkens na elk stuk geroepen zou worden, maar toch moest hij voor de pauze al het podium op. Orkest en publiek kwamen overeind, iedereen klapte en riep, er werden kransen en bloemen aangedragen: een reusachtige van Mengelberg 'aan onze grote componist', een van Verhagen 'aan mijn vereerde leermeester', een van het koor en een van het Concertgebouwbestuur. En aan het eind was er opnieuw een hulde op het podium: vijftig rode rozen van Jo Beukers, de voorzitster van het Toonkunstbestuur, een mand chrysanten van de zangsolisten; het vrouwenkoor uit de *Rembrandthymne* wierp gladiolen, en weer een eindeloze, staande ovatie van orkest en publiek. Zoals gebruikelijk was hij – ondanks zijn ontegenzeggelijke gevoel van triomf – overvallen door schroom. De uitvoeringen waren niet al te best – tijdens de repetities was het beter gegaan. Gemier op details in *Marsyas*, waardoor de doorgaande stroom er niet inkwam, de eerste violist die de *Vioolhymne* veel te robuust aanpakte, zodat het bijna een effectstuk werd, en te weinig partituuroverzicht van de Rembrandtmuziek bij Mengelberg, waardoor hij vaak niet genoeg temperde en de sopraan voortdurend moest opboksen tegen het orkest. *Die Nacht* als afsluiting was inderdaad beter geweest, zoals Vermeulen al zei, omdat het orkest dat momenteel beter kende. Maar wie maalt er op dit moment om dit soort vergissingen – afgezien van hijzelf? Zure critici en jaloerse collega-componisten zijn niet in dit gezelschap. Iedereen lijkt een en al hartelijkheid, bewondering en meelevende feestelijkheid. Hoogstens Vermeulen zit zich er nu achter zijn schrijftafel over op te winden, die zal het morgen allemaal wel weer haarfijn uitleggen in de krant.

'En ik begreep dat je vorige week ook al een mooi feest had in Laren?' zegt Dopper.

'Ja mijn vrouw en dochters hebben me danig verrast met een prachtige plaquette van Jacobs.'

Dopper knikt en begint dan uitvoerig over de *Rembrandthymne* en zijn eigen *Rembrandtsymfonie*. Maar al snel vraagt Hilda de Booy, zijn tafeldame, hem iets en richt hij zich tot haar.

De obers gaan de tafels langs met wijn. Het voorgerecht wordt afgeruimd. Links naast Diepenbrock is Aal Noordewier, die de sopraansolo in *Rembrandt* prachtig vertolkt heeft, in gesprek met De Booy. En rechts van hem zitten Jo Beukers en Concertgebouwvoorzitter Van Rees geanimeerd te overleggen. Overal aan de grote feesttafel wordt nu zo druk geconverseerd, dat het feestvarken even geen gespreksgenoot heeft. Diepenbrock legt zijn servet naast zijn bord en schuift zijn stoel naar achteren. Als Aal Noordewier opkijkt en zegt 'Ga je al, Fons?', antwoordt hij: 'Ik wou nog wat werken vanavond.' Waarop zij even lachend haar hand op zijn arm legt.

Voor iemand die er niet toe behoort, zoals de obers, moet

dit bepaald een opzienbarend gezelschap zijn, denkt hij, terwijl hij door de zaal naar de toiletten loopt. Mengelberg bij een groot bloemstuk, achter Elsa langs schaterlachend in gesprek met Van Rees. De overige bestuursleden met hun overdadig uitgedoste echtgenoten, alsmede het voltallige bestuur van het Toonkunstkoor; Willem Royaards en vooral diens prachtige vrouw; Cornelis Dopper, plus de beroemdste instrumentale en vocale solisten van het moment, zoals Aal Noordewier en Gerard Zalsman. En heel deze gemoedelijk babbelende *fine fleur* van kunstenaars, hoogwaardigheidsbekleders en beursgenoteerde lieden is hier bijeen vanwege 'de grote componist Alphons Diepenbrock' en zijn 'onvergelijkelijke verdiensten als musicus' – onbegrijpelijk is het.

Wie zou er bedacht hebben dit feest uitgerekend bij Maison Van Laar te vieren? Het Concertgebouwbestuur dat hem dit souper aanbiedt? Nee, Elsa ongetwijfeld. Hij heeft haar toen ze elkaar net kenden veel verteld over deze 'oestersalon' – waar hij in zijn studententijd regelmatig dejeuneerde met zijn dispuutgenoten en vooral met Herman Gorter. Niets veranderd is er, lijkt het wel; alleen de verlichting is elektrisch geworden. Maar verder is het nog hetzelfde zwarte veloursbehang met dieprood rozenmotief, zijn het dezelfde nepmarmeren zuiltjes en dezelfde stoelen met fraaie maar oncomfortabele rugleuningen. Toen hij dat golvende houtsnijwerk net weer tussen zijn schouderbladen voelde, zag hij zich weer zitten met Gorter, in de tijd dat die aan zijn *Mei* werkte en ze zich volzogen met Wagners muziek en samen het opzienbarende proefschrift van Nietzsche stuklazen. Over niets anders konden ze het hebben toen dan over die Nietzsche en zijn *Geburt der Tragödie*, zo vol waren ze van dat geniale pleidooi voor een 'toekomstmuziek', een kunst voor de nieuwe tijd, een kunst die de tot de draad versleten en 'onttoverde' negentiende-eeuwse cultuur van de schone burgerlijke schijn met zijn stompzinnig egoïsme, rationalisme en economisch utilitarisme, van binnenuit zou

vernieuwen door de mensen weer te betoveren met een gemeenschappelijke zienswijze, een nieuwe mythe, een nieuw
geloof. Wat voor 'geloof' – daar bleken Gorter en hij later
heel anders over te denken. Maar nu hij weer bij Van Laar is,
weet hij weer precies hoe ze toen, duizelend van enthousiasme en bezieling vol grootse plannen de Kalverstraat opliepen
en de Dam over naar hun kamers, om daar hun dichterlijke
en muzikale bijdragen te gaan leveren aan de nieuwe eeuw,
waarin de kunst geen decadente 'luxe' meer zou zijn, geen
brave moraalridderij of individualistisch estheticisme, maar
de gemeenschapsvormende, vitale lyrische kracht van de
nieuwe twintigste-eeuwse beschaving. Een nieuwe lente en
een nieuw geluid. En van dat nieuwe geluid, en van alles wat
hij later nog over muziek en kunst en maatschappij is gaan
denken was Nietzsche het begin. Daarom zal hij Nietzsche
nooit kunnen laten vallen ondanks diens latere antichristelij-
ke en nihilistische waandenkbeelden, en altijd innerlijk met
hem in debat blijven. Misschien moet hij dat nog eens aan
Vermeulen uitleggen.

Als hij weer aan tafel zit, wordt het hoofdgerecht opgediend.
'O wat heerlijk, zeewolf,' zegt Aal Noordewier. 'En we krij
gen weer een toespraak! Zo te zien gaat je vrouw spreken.'
   Na Van Rees (die hem namens het Concertgebouwbestuur vanwege zijn 'kranige, maar altijd bescheiden werk' en
'vanwege de voorname positie die u in ons kunstleven in-
neemt' nog eens gaarne op gepaste wijze hulde wilde brengen) en na geestige en hartelijke woorden van De Booy en
Royaards eerder op de avond, staat nu inderdaad Elsa op.
Vrijwel onmiddellijk valt het geroezemoes en gelach stil. Ze
heeft een natuurlijke aanleg de aandacht op zich te vestigen
zonder daarom te vragen. Zeker in haar nieuwe, gedecolle-
teerde zwartzijden galajapon met Turks borduursel. Alleen
wie haar heel goed kent, kan zien dat ze nerveus is.
   'Dames en heren,' begint ze. 'Ziet u die man daar met dat
gele zijden dasje? Dat is 'm. Alphons Diepenbrock. Hem zou

ik graag iets zeggen. Staat u mij toe dat ik mij even rechtstreeks tot hem richt.'

Ze neemt een slok water en haalt diep adem.

'Ja, lieve Fons. Wie had bijna twintig jaar geleden kunnen vermoeden dat ik je vanavond toe zou mogen spreken voor je vijftigste verjaardag, te midden van zoveel bekende musici, lieve vrienden en bewonderaars van je muziek... bij Maison Van Laar nog wel, waarover ik zelfs vóór ik jou kende al gehoord had omdat de dichters van *De Nieuwe Gids* daar wel eens kwamen. Ikzelf vermoedde het in ieder geval niet, die allereerste keer in 's-Hertogenbosch dat je letterlijk mijn leven in kwam wandelen. Dat was in juni '93, ik was toen een opgewonden provinciaal juffertje, en jij een schuchtere, maar buitengewoon interessante Amsterdamse leraar aan het Bossche gymnasium over wie ik gehoord had dat hij 'in Wagner' was, imposante beschouwingen schreef en musiceerde, en die door mijn moeder geïnviteerd was voor een theevisite. Ik herinner me nog als de dag van gisteren hoe ik nieuwsgierig boven op mijn kamer voor het raam zat, vanwaaruit ik de hele Hinthamseweg kon afkijken. Bij verscheidene heren die mijn kant op kwamen – de ene onappetijtelijk corpulent, de ander met een hoge rug of reusachtige flaporen – dacht ik al met schrik: zou dat hem zijn, maar telkens liepen ze tot mijn opluchting aan onze oprijlaan voorbij. Tot ik in de verte een aantrekkelijke, slanke jongeman zag met een indrukwekkende Nietzsche-knevel en een bolhoed op, volgens de laatste mode, die met korte, ietwat nerveuze tred mijn richting opkwam. Waardoor weet ik niet meer – waarschijnlijk omdat ik je zo interessant vond – maar ik voelde op dat moment iets wat ik je geloof ik nooit eerder verteld heb, en dat ik je hier vanavond te midden van onze vrienden graag zou willen zeggen: op dat moment wist ik op een onberedeneerde maar overduidelijke manier volkomen zeker: dat is 'm. Een onmiskenbaar groot gevoel, dat me altijd is bijgebleven en dat ik ook later, toen ik eenmaal je vrouw was, nog regelmatig gehad heb. Als ik je met onze dochters zag spelen bijvoorbeeld. En ook vanavond nog, toen je op het podium stond in de Grote Zaal en toegejuicht werd en al die bloemen over je heen kreeg. Dat is 'm, dacht ik toen weer, en ik had de indruk dat velen om mij heen het met mij dachten.'

Elsa pauzeert even om weer een slok water te nemen. Iedereen zit met gespannen aandacht naar haar te luisteren. Sommigen van de dames, zoals Tilly Mengelberg en Jacqueline Royaards, zijn duidelijk aangedaan.

'En er is nog iets dat ik je nooit verteld heb, lieve Fons. Toen wij elkaar net kenden, gingen er verhalen dat je aan iets groots werkte op je 'mystische' kamer. Zelf liet je daar nooit iets over los. Tot je me op een schemeravond aan mijn Bechsteinvleugel ineens het *Sanctus* uit je *Missa* liet horen. Al bij de eerste maten trof je mij rechtstreeks in mijn hart en met dezelfde intensiteit als waarop ik *dat is 'm* had gedacht toen je over de Hinthamseweg aan kwam lopen, dacht ik nu: *dat is muziek*. Muziek waarvan de schoonheid afstraling van de eeuwige waarheid is, zoals je het indertijd zelf formuleerde. En vanavond is gebleken, dat mijn gevoel van toen mij wederom niet bedrogen heeft. Alle muziek die je tussen die schemerige avond in de salon van mijn ouderlijk huis en nu geschreven hebt lag voor mij al besloten in die eerste serene maten die ik van je mis hoorde. En vanavond heb ik het weer herhaaldelijk gedacht: dit is muziek! En nu mag ik je ook nog zeggen hoe trots ik erop ben dat ik je onmiddellijk herkend heb, als mijn levensgezel en als kunstenaar. En toen ik vanavond vanuit de zaal naar je keek, vervulde het me met grote vreugde dat ik het ontstaan van je muziek van zo dichtbij heb mogen meemaken, ja er op mijn bescheiden, praktische manier zelfs aan bij heb mogen dragen, dat ze kon ontstaan. Voor dat voorrecht en voor alle jaren samen wil ik je danken, lieve Fons. Ik hoop dat we er samen met onze dochters nog vele zullen beleven en dat je nog veel prachtige muziek zult schrijven.' Er trilt iets in Elsa's kin en onderlip. 'En tegen u allen, lieve vrienden, zou ik willen zeggen: als u vanavond tijdens het concert ook gedacht hebt: dat is muziek, weet dan dat u zich niet vergiste. Fons is nu zelf dan wel vijftig geworden, zijn muziek is eeuwig jong! Laten we daarom nu drinken op Fons.'

Elsa heft haar glas, en iedereen klapt. 'Wat een schitterende speech,' zegt Jo Beukers geroerd. Velen lachen of knikken Diepenbrock vol warmte toe. Elsa wordt door enkele dames bewonderend aangeraakt en door de heren gecomplimenteerd. Zelf voelt hij weer in zich opkomen wat hem ook tegenover de gipsplaquette van Jacobs overviel: een plotseling besef hoe groot Elsa's liefde voor hem is en hoe onachtzaam hij daar altijd mee omgesprongen is. Hij lacht even naar haar, ze ziet dat ze hem geraakt heeft, en heft haar glas. 'Dank je,' zegt hij geluidloos met zijn lippen, terwijl iedereen zich alweer op de zeewolf stort en het beschaafde rumoer weer op gang komt.

'Je hebt nog niet gezegd aan wie je het woord doorgeeft,' roept Mengelberg veel harder dan nodig is tegen Elsa als de meeste genodigden hun bord zo'n beetje leeg hebben.

Elsa staat op, kijkt de tafel rond alsof ze nog een geschikte spreker moet uitkiezen en zegt dan lachend: 'Ik geef graag het woord door aan... mijn rechterbuurman, onze oude vriend Willempie, zoals hij zichzelf graag noemt.'

'Wie? Ik? Bedoel je mij?' Mengelberg maakt ontredderde gebaren, alsof hij volledig overvallen wordt. Maar Elsa kijkt hem quasi-streng aan tot hij overeind komt. Pas als hij haar een knipoog geeft, gaat ze weer zitten.

Mengelberg haalt zijn hand eens door zijn rossige haardos en schraapt zijn keel. 'Welnu, vereerde bewonderaars van onze "Diepe" vriend Fons,' begint hij. 'Het valt bepaald niet mee na de welbespraaktheid van vorige spreekster nog iets te berde te brengen, maar ik zal het toch proberen. Graag wil ik nog even nader ingaan op het door haar al aangesneden thema: "Dat is muziek". Ook ik herinner mij nog iets als de dag van gisteren, namelijk de avond waarop een iets oudere leeftijdgenoot en zijn aantrekkelijke gade mij na afloop van een concert even kwamen begroeten in de solistenkamer. Dat was in '96, ik was 25 en net het jaar daarvoor aangesteld als dirigent van ons Amsterdamse Concertgebouw. "Diepenbrock," stelde de jongeman zich zelfverzekerd aan mij voor. O is dat 'm! dacht ik onmiddellijk,' (grote hilariteit) 'want ik had al veel goede dingen over hem gehoord. Om kort te gaan, mijn vrouw Tilly en ik werden geïnviteerd om eens kennis te komen maken, en dat deden we ten huize van het pasgehuwde stel, dat u hier vanavond nog altijd in hun geluk ziet gloriëren.' (Hij wijst naar hen beiden.) 'Na de gebruikelijke beleefdheden en lekkernijen, werd mij op een schitterende Erardvleugel het een en ander voorgespeeld, dat mij deed uitroepen: "Wat is dat?"' (Hilariteit.) '"Dat is Muziek!" antwoordde de charmante gastvrouw daarop terstond...' (nog grotere hilariteit) 'ongeveer op de manier waarop u het haar zoëven hebt horen zeggen. Ik kon niet anders dan het onmiddellijk met haar eens zijn en zo kwam het dat ik drie jaar later de inmiddels georkestreerde versie van Diepenbrocks *Vioolhymne* – want dat was wat ik gehoord had – in première mocht geven, en nog eens een paar jaar later zijn geniale *Te Deum*. En nu ga ik iets doen wat ik nooit doe tijdens toespraken: ik ga u iets voorlezen. Na afloop van die laatste memorabele gebeurtenis, stuurde de componist mij namelijk het volgende briefje...' Hij rommelt omstandig in de binnenzak van zijn smokingjasje en haalt een papier tevoorschijn, wat weer gelach veroorzaakt omdat hij zich terdege voorbereid blijkt te hebben. 'Dames en heren, ook al heb ik dan volgens een zeker jeugdig criticus te weinig gevoel voor Diepenbrocks rubato, en al ben ik door diezelfde criticus wel eens een "Taktenschläger" genoemd – na de eerste uitvoering van Diepenbrocks *Te Deum* nu tien jaar geleden, schreef de componist mij het volgende: "Jij Willem bent de enige die mij moed geeft voor de toekomst, en als er voortaan nog iets goeds uit mijn pen vloeit, dan weet ik wel wie ik daarvoor dankbaar moet zijn." Enfin, u weet allen dat er na het *Te Deum* nog ontzettend veel goeds uit Diepenbrocks pen is gevloeid. We hebben er vanavond het een en ander van kunnen horen. Hij moet mij dus wel buitengewoon dankbaar zijn...' (grote hilariteit, waarschijnlijk ook door de steek naar Vermeulen) '...waarvoor ik hém weer wil danken, want ik vind het altijd erg aangenaam als mensen mij dankbaar zijn. Daarnaast wil ik hem ook danken voor de jarenlange vriendschap die ik en mijn vrouw sinds die allereerste kennismaking van hem en Elisabeth hebben mogen ondervinden. En tot slot spreek ik hierbij de hoop uit dat ik hem nog jarenlang hoop voor de toekomst zal mogen geven.' En dan sluit Mengelberg af met het overhandigen van een portefeuille met een aanzienlijk geldbedrag, een initiatief van de voorzitster van het Toonkunstbestuur, waaraan alle aanwezigen gul hebben bijgedragen. 'Alsjeblieft Fons, van Elisabeth begrepen we dat je graag wat van je partituren zou laten drukken. Met dit geldje zul je die wens ruimschoots in vervulling kunnen laten gaan.'

Een luid en langdurig geklap en gejuich stijgt op als Diepenbrock overeind komt om de portefeuille in ontvangst te nemen. En dan, als hij iedereen bedankt heeft voor het genereuze gebaar en het weer stil is en hij alle aandacht op zich gericht weet, wordt hij zelf ook nog buitengewoon geestig in een toespraak op het thema 'Wat was 'ie zonder Willempie?'.

Deel II

1914

20

Een paradijselijke zomer

De zon is net voorbij het zenit en staat verblindend aan de lucht en in het water. Het is zo goed als windstil. Petrus zit loom met zijn armen op de randen van de boot, zijn magere blote bovenlijf in half zittende houding tegen de schuine achterkant, zijn hoofd geheven naar de zon. Hij heeft zijn ogen dicht en hij laat een hand door het water slieren. Er parelen zweetdruppeltjes op zijn bovenlip; zijn neus en schouders beginnen rood te worden. Een langoureuze faun van Mallarmé lijkt hij, met zijn glinsterende blonde krullen, zijn kleine, door de warmte gezwollen tepels en die bleke, gemarmerde huid tegen dat verweerde hout. Als hij merkt dat hij bekeken wordt, slaat hij zijn ogen op. 'Zal ik een stuk roeien, Thijs?'

'Nee, laten we even van de stilte genieten.' Vermeulen haalt de riemen uit de dollen en legt ze in de lengte van de boot langs de boorden. Het zweet loopt hem tappelings over het voorhoofd. Zijn opengeknoopte overhemd plakt aan zijn rug. Hij gaat zelf ook makkelijk zitten op de bodem, leunt achterover tegen het zitbankje en snuift de geur van zijn eigen lichaam op, vermengd met die van het hout van de boot, het teer in de naden en het water om hen heen. In de verte varen een paar schepen, op te grote afstand om veel deining te veroorzaken. Een slepertje slaakt een gesmoorde kreet met zijn stoomfluit. Rechts op de oever het Centraal Station, de Nicolaaskerk en nog een paar torens, het zinderende silhouet van de stad. Links, nauwelijks zichtbaar in de trillende hitte boven het IJ, het Nieuwendamse torentje en de bomen van het Galgenveld. En over dat alles heen de strakblauwe lucht met een paar schapenwolkjes aan de horizon, en de immense stilte van de oneindigheid, benadrukt door een enkele vogelkreet en het wellustige geklots onder de kiel.

'Je zit levend te verbranden. Doe even iets aan.' Hij pakt Petrus' overhemd en gooit het hem in het gezicht. Het valt bijna in het water.

'Tot uw orders kapitein,' lacht Petrus en slaat het om.

'Nee, echt. Je schouders zijn vuurrood.' Sinds ze samenwonen, voelt hij zich zelfs in dit soort kleinigheden verantwoordelijk voor zijn vriend. *Hij* heeft ervoor gezorgd dat Petrus vioollessen kon nemen, *hij* heeft hem overgehaald de meubelmakerij vaarwel te zeggen en in bioscoop Hollandia te gaan spelen, waardoor zijn vader hem definitief het huis uitgegooid heeft, waar hij vroeger altijd bang voor was. Maar Petrus lijkt er inmiddels wel vrede mee te hebben. Bij Hollandia fiedelt hij op een middag meer geld bij elkaar dan hij als voetveeg vroeger in een week verdiende. En ze hebben allebei een eigen kamer in hun Slotense onderkomen en het uitzicht op de Slatuintjes is bijna net zo mooi landelijk als dat van de Spelonk in Diemen.

Vermeulen sluit zijn ogen, draait zijn gezicht naar de zon en kijkt naar de rode sterrennevelwemelingen aan de binnenkant van zijn oogleden. Volmaakt gelukkig voelt hij zich. Het harde werken van de laatste weken voor de krant, en vooral ook aan de afronding van zijn symfonie, glijdt bijna fysiek van hem af. Wat blijft is een diepe, intense voldaanheid. Hij kan het nog bijna niet geloven: zijn symfonie staat op papier! Zoals de Egyptenaren hun toverzangen in het binnenste van hun pyramides griften, heeft hij zijn melodieën vastgelegd. Al zou geen sterveling ze ooit spelen of horen, toch klinken ze nu in de oneindige eeuwigheid. Sinds zijn eerste verblijf in Limburg ligt er bijna twee jaar onafgebroken werk achter hem. Vorige zomer wist hij dat het hem ging lukken. De hele afgelopen winter was hij er door geobsedeerd, voorzover het recenseren hem dat toeliet. Petrus mocht hem pas na zes uur 's avonds komen storen. En nu hoeft de partituur alleen nog maar grondig gecorrigeerd te worden.

Hij veegt zijn voorhoofd met de mouw van zijn overhemd af. 'Heb je zin om naar Helmond te gaan, volgende week?'

Petrus veert zo snel overeind dat de boot ervan schommelt. 'Ga je weer naar Limburg?'

'De definitieve hand aan mijn symfonie leggen. Die kapelaan die me zijn geestelijke liederen liet harmoniseren heeft me goed betaald, en ik kan nog partijen uitschrijven voor zijn mannenkoor. Daarmee heb ik genoeg geld om weer naar dat pension in Geulle te kunnen waar ik vorig jaar zat. Maar eerst gaan we eens goed eten bij mijn moeder en over de hei struinen.'

'Ja,' zegt Petrus. 'En dan kom jij in september terug en stel je eens voor Thijs, dan gaat je symfonie in het Concertgebouw onder Mengelberg en sta jij daar op het podium en krijg je een krans en word je toegejuicht door duizenden mensen. En dan sta ik op het balkon en denk aan al die avonden waarop je me je melodieën hebt laten horen toen ze net ontstaan waren. Zulke muziek kent nog niemand, Thijs, zo hartstochtelijk, zo rijk en innig!'

Aandoenlijk is het, dat vurige geloof van Petrus in zijn muziek. Als het aan Petrus lag, is hij de grootste componist die ooit geleefd heeft, groter dan Diepenbrock, Mahler en Beethoven bij elkaar. De tijd zal het leren, lacht hij dan altijd maar. Al is hij er diep in zijn hart zelf ook van overtuigd dat hij een nieuwe symfonische taal heeft gevonden, met samenklanken die nooit eerder zo ontstaan zijn. Alles wat hij van Josquin en Palestrina geleerd heeft zit in zijn symfonie, alles wat hij van Diepenbrock geleerd heeft, van Mahler, van Bruckner, van Debussy. En toch is het zijn eigen muziek, een nieuwe muziek van de goddelijke liefde, van hoop en geloof in de toekomst. Heel zijn vuur en verlangen, heel de hoopvolle verwachting van zijn jeugd spreekt hij erin uit, in een bezwerend weefsel van visionaire zangen.

'Ik wou hem eerst eens aan Diepenbrock voorleggen als

hij klaar is,' zegt hij. 'Misschien dat die dan een goed woordje voor me wil doen bij Mengelberg.'

Petrus trekt nu echt zijn overhemd aan, waarbij hij de boot expres flink laat schommelen. Ze praten nog wat over Helmond en de rest van de zomer, en liggen nog een tijdje met gesloten ogen te genieten van de rust op het water. Tot ze allebei tegelijk overeind schieten.

Van alle kanten komt het aanrollen over het IJ: een fanatiek gebeier en gelui, alsof alle kerken in de stad, maar ook die in Nieuwendam en Zaandam en Alkmaar tegelijk de stilte in scherven willen slaan. En het houdt niet op, neemt alleen maar in sterkte toe.

'Het zal toch niet waar zijn,' zegt Petrus. Hij probeert op te staan en laat bijna een roeispaan in het water vallen.

'Laat mij maar.' Vermeulen gaat op het bankje zitten, legt de riemen in de dollen en begint met krachtige slagen richting Centraal Station te roeien.

Door het harde werk aan de symfonie heeft hij er nauwelijks over nagedacht, de afgelopen maand: de kleine berichtjes in de buitenlandrubrieken over de spanningen op de Balkan sinds de moord op de Oostenrijks-Hongaarse troonopvolger in Sarajevo. Zo belangrijk leek het allemaal niet. De Nederlandse kranten hadden er zelfs minder aandacht aan besteed dan aan het spectaculaire moordproces in Parijs, waarbij een ministersvrouw terecht moest staan voor het doodschieten van een journalist van de *Figaro*. Maar dit aanhoudende klokgelui doet vermoeden dat iedereen zich op de situatie verkeken heeft. Achter de paradijselijke façade van deze zomermiddag is door de slopersbal van dat onophoudelijk klokgebeier, een verraderlijke machinerie aan het licht gekomen: koortsachtig overleggende regeringen, het opstellen van krijgsplannen en het afwegen van risico's, het nemen van onherroepelijke beslissingen, mobilisatievoorbereidingen, het knarsend en ratelend op gang komen van een fataal raderwerk van allianties en verdragen en misschien zelfs al het afvuren van de eerste salvo's.

'Denk je dat er echt oorlog komt?' vraagt Petrus.

'Hoe zou ik dat moeten weten.'

Zwijgend varen ze terug naar de visafslag aan de Admiraal de Ruyterkade, waar ze de boot geleend hebben van een jongen die Petrus van het Waterlooplein kent. Overal op de kade staan groepjes mannen te praten. Als ze aanleggen en op de kant springen, komt er meteen een opgewonden knaap op ze af. 'Mobilisatie!' roept hij. 'Mobilisatie! Bij de Visafslag en overal hangen de oproepen: alle militie en alle Landweer moet zich melden!' Voor ze hem nog iets kunnen vragen is hij alweer doorgelopen.

'Mobilisatie?' zegt Petrus. 'Nederland is toch neutraal?'

'Als het werkelijk losbarst in Europa zal ook onze neutraliteit verdedigd moeten worden,' zegt Vermeulen. 'Laten we naar *De Groene* lopen, misschien weet Wiessing meer.'

Het luiden van de klokken is inmiddels opgehouden. Bij het Centraal Station is er grote drukte rond de oproepbiljetten en al veel gerangeer van spoorwegmaterieel voor het soldatenvervoer. Onderweg naar de Herengracht zijn overal mensen op straat, zoals bij de onafhankelijkheidsfeesten van vorig jaar, maar er is geen feestelijke stemming. Iedereen lijkt in verwarring, al zijn de meesten rustig. Sommigen doen cynisch, een paar vrouwen lijken in paniek. Kinderen hollen schietend tussen de pratende groepjes door, en krijgen een oorvijg. Niemand weet wat er precies gaande is, behalve dat alle dienstplichtigen zich moeten melden en dat het vaderland verdedigd moet worden. Als straks de avondbladen uitkomen zal er wel een run op de kiosken komen. 'Het is alleen maar een voorzorgsmaatregel,' zegt iemand. 'Als er iets gebeurt wil de regering voorbereid zijn.' Een paar straten verderop staat voor een schoolgebouw een rij paard-en-wagens vol stro en dekens. Morgen zullen duizenden soldaten moeten overnachten voor ze naar hun posities vervoerd kunnen worden.

Op de redactie van *De Amsterdammer* is iedereen normaal op zijn post. Het werk voor de komende nummers moet gedaan worden. Alleen heerst er een opgewonden sfeer in het anders zo stille gebouw. Wiessing kijkt nauwelijks op van zijn papieren.

'Moeten jullie je morgen ook melden?' vraagt hij.

'Nee, we zijn allebei afgekeurd. Is er al iets meer bekend?'

Wiessing legt zijn pen neer. 'Er gaan geruchten dat Rusland gisteren een algehele mobilisatie heeft afgekondigd om Servië te hulp te kunnen komen. Als dat waar is – en gezien de reactie van onze regering is dat waar – zullen ook Oostenrijk-Hongarije en Duitsland mobiliseren. En mijn Parijse contacten telegrafeerden dat er ook in Frankrijk al volop mobilisatievoorbereidingen zijn. Kortom: de oorlogsverklaringen zullen niet lang uitblijven.'

'We kunnen dus alleen afwachten en hopen op een godswonder.'

Wiessing knikt. 'Al verwacht ik persoonlijk niets van zo'n wonder. De nationalistische hartstochten zijn ontketend en iedereen popelt om eindelijk de wapens aan te gorden. Alleen de socialisten roepen nog op de vrede te bewaren. In Parijs wil Jaurès een algemene internationale arbeidersstaking op touw te zetten om de oorlog te voorkomen. En gaan jullie vanavond naar het IJsclubterrein? De SDAP houdt een Oorlog-tegen-de-oorlog-bijeenkomst. Troelstra spreekt.'

'Daar wil ik graag heen,' zegt Petrus.

'Ik ga ook,' zegt Wiessing, 'al voelt het nu al of Troelstra met een toverspreuk de stormvloed wil keren.'

De hele volgende dag zwerven ze doelloos door de stad. Wat is er anders te doen dan rondkijken, hopen dat er ergens een nieuwtje is op te vangen en afwachten wat er gaat gebeuren. Afgezien van de ontwikkelingen rond de mobilisatie hebben de kranten nog niet veel te melden. Het is wederom stralend zomerweer, de vogels zingen in de bomen, alles is kleurig en staat in bloei, wat de stad een onwerkelijke sfeer geeft. Op de Turfmarkt staat een menigte voor De Nederlandse Bank. Iedereen wil zijn papiergeld inwisselen omdat het nergens meer geaccepteerd wordt. Voor veel winkels ook lange rijen. Hele hammen worden er versleept, halve varkens, zakken meel, kinderwagens vol aardappelen. Overal op de grotere straten stoeten zwetende soldaten op weg naar de kazernes, jongemannen van hun leeftijd, omringd door meelopende vrouwen en kinderen. De meesten hebben hun soldatenkistjes al lang afgedragen en in allerijl weer wat opgelapt. Voor de kazerne aan de Sarphatistraat is het een wirwar van blauwe en veldgrijze uniformen; het moet bijna niet uit te houden zijn in die dikke, muffe plunje. Velen staan met hun petten onder de arm en hun tunieken opgeknoopt te roken. Sommigen hebben hun hele familie meegenomen in afwachting van hun registratie. Vrouwen wrijven de knopen van hun man nog eens op, en praten druk met elkaar. Zij staan plotseling overal alleen voor en niemand weet voor hoe lang. Vanuit de kazerne nu en dan afmarcherende compagnieën op weg naar het station of hun tijdelijke onderkomens in scholen, kerken of opslagloodsen. Zelfs in het Paleis voor Volksvlijt schijnen soldaten ondergebracht te zijn.

Al die mannen en jongens, zomaar uit hun dagelijkse levens en bezigheden weggerukt, liggen vanavond ineens met elkaar op een hoop stro grappen te maken en morgen onwennig met een geweer in hun handen de tijd te doden in een duinpan, een fort, bij een spoorbrug of in de Zuid-Limburgse heuvels. Wachten wachten wachten tot er zich misschien iets voordoet om op te schieten. Duitsers, net zo jong als zijzelf, maar vast een stuk fanatieker en beter bewapend en getraind, die via Limburg en België naar Frankrijk op willen rukken. Of misschien zijn het Engelsen die vanuit zee over het Nederlands grondgebied de Duitsers een lesje willen gaan leren.

'Laten we naar huis gaan,' zegt Petrus.

Vanuit de verte is al te zien dat het bij het Centraal Station nog drukker is dan bij de kazerne. Duizenden mensen zijn er op de been. Veel gereedstaand materieel op de sporen buiten de overkapping, lange treinen vertrekken richting Utrecht, vol zwaaiende soldaten. De toegangen tot het Stationsplein zijn afgezet, bij de Oude Schans worden ze al tegengehouden door een politieagent die zegt dat alleen gemobiliseerden en burgers met een dringende reden om te reizen door mogen. 'Helmond kunnen we voorlopig wel vergeten,' zegt Vermeulen.

Hij moet er ook niet meer aan denken nu, verstoken van elk nieuws op zijn rug onder de dennen aan een ven te liggen.

En terwijl ze in een grote boog om het station heen door het centrum naar de Slatuinen in West lopen, lijkt het of er een reusachtige onzichtbare wolk over de stad hangt, een verlammende spanning die een schaduw werpt, hoe stralend de zon ook in de grachten schijnt en hoe kalm de meeste mensen zich ook gedragen. Elk moment kan er een inktzwarte duisternis invallen of iets verschrikkelijks losbarsten. Deze prachtige zomer is op geen enkele manier te vertrouwen.

Hoe juist dat gevoel was, blijkt in de dagen na de mobilisatie. De Franse socialistenleider Jaurès is vermoord op het moment dat zij tegenover het Concertgebouw naar Troelstra stonden te luisteren op het IJsclubterrein; over een internationale arbeidersstaking hoor je niemand meer. Overal in Europa wordt juichend gemobiliseerd, terwijl Duitsland achtereenvolgens Rusland, Frankrijk en het neutrale België de oorlog verklaart. Over de zonovergoten Amstel varen lange slepen dekschuiten met honderden kanonnen naar de forten van de Stelling van Amsterdam.

'Ik moet iets doen,' zegt hij op een avond tegen Petrus.

'Ga je je aanmelden als vrijwilliger?'

'Vrijwilliger? Ik? Ik kan nog geen kip de nek omdraaien. Maar ik kan hier ook niet blijven stilzitten tot er weer een gerucht opduikt dat later ontkend wordt. Gek word ik ervan!'

Maar wat valt er te doen? Niks! Afwachten. En hij ziet ook geen kans zijn geest te verzetten, een tijdje niet aan de oorlog te denken. De concerten beginnen pas half september weer, over anderhalve maand. Voor lezen, schrijven, pianospelen of zijn partituur corrigeren is hij te onrustig. Met de trein reizen kan zo langzamerhand wel weer, maar waar zou hij heen moeten. Door de stad lopen heeft hij wel genoeg gedaan de afgelopen dagen, en van thuiszitten bij Petrus met zijn bange, klagerige vragen raakt hij alleen maar geïrriteerd.

Dus gaat hij toch maar weer de stad in, alleen, en loopt bij *De Tijd* langs om te horen of daar nog nieuws is binnengekomen.

Als hij de volgende middag onverwacht bij Diepenbrock aanschelt, blijkt die in totale ontreddering te verkeren. Volgens mevrouw Diepenbrock, die hem ontvangt, hoorden ze in Laren pas een dag later van de oorlogsverklaring tussen Duitsland en Rusland en zijn toen spoorslags met hun dochters naar de stad teruggekomen om niet langer van nieuws verstoken te zijn. Diepenbrock heeft zich met boeken over de oude Romeinse oorlogen, Belgische stafkaarten en zoveel mogelijk kranten op zijn werkkamer verschanst. En sinds gisteren het nieuws kwam dat Duitsland daadwerkelijk de Belgische neutraliteit geschonden heeft, kan hij alleen nog maar op de barbaren vloeken.

'Hebt u de laatste berichten gelezen?' Diepenbrock staat voor de balkondeuren van zijn werkkamer die inmiddels uitkijken op de steigers van de De Lairessestraat in aanbouw. 'Ze trekken naar Luik op om via het Waalse laagland Frankrijk aan te vallen. Een dusdanige verkrachting van alle recht en menselijkheid is in de geschiedenis niet eerder voorgekomen!' briest hij. 'Hebben die barbaren niet genoeg aan Elzas-Lotharingen? Willen ze werkelijk heel de beschaafde wereld verpletteren onder hun tweedehands *Bildung* en hun protestantse wancultuur, waarvan de huichelachtigheid zo stuitend van het keizerlijke smoel is af te lezen? De toekomst van Europa hangt ervan af of zij met heel hun helse vernuft en efficiëntie in het Maasdal vernietigd worden! Waar blijven de Fransen en de Engelsen om de dappere Belgen te helpen!' Hij trekt opgewonden aan zijn sigaar.

'Ik wilde even afscheid komen nemen,' zegt Vermeulen.

Diepenbrock kijkt verrast op.

'Morgenochtend vertrek ik voor *De Tijd* naar Maastricht om vandaaruit verslag te doen van de strijd rond Luik.'

'U gaat naar het front?'

'Laudy zocht per direct oorlogsverslaggevers. Hij betaalt me er goed voor. Dan kan ik mijn vader helpen met zijn hypotheek. Het gaat steeds slechter met de smederij en de kachelverkoop.'

'Misschien moet uw vader kanonnen gaan gieten!' zegt Diepenbrock. En omdat hij zelf wel voelt dat dat niet zo'n geslaagde grap is: 'Ziet u dat mijn uitzicht voorgoed verleden tijd is? Het is hier vaak niet uit te houden van het lawaai in die bouwtroep. "De criticus" heeft de schoonheid niet weten te beschermen. Het lijkt wel of alles wat mooi en goed is vernietigd moet worden. Maar misschien heeft u geen tijd voor dit soort beuzelarijen.'

'Ik moet inderdaad meteen weer gaan.'

Beneden op de overloop, waar Diepenbrock hem zelf uitlaat, iets wat hij normaal nooit doet, roept hij zijn vrouw er nog even bij. 'Vermeulen gaat morgen naar het Belgische front als oorlogsverslaggever voor *De Tijd*.'

Mevrouw Diepenbrock lijkt te schrikken. 'Past u goed op uzelf,' zegt ze zo luchtig mogelijk. 'Onze dochters zouden graag nog eens met u voetballen!'

21

In den Vergulden Turk

'Kan ik de bestelling al opnemen?' vraagt de oude kelner voor de tweede keer. Hij heeft niks te doen en stond al een tijdje met een dienblad langs zijn bovenbeen in de deuropening van het café.

'Ik wacht nog even op mijn afspraak,' zegt Diepenbrock. De kelner gaat weer terug naar zijn plek in de deuropening.

Op een paar oudere dames na is het terras leeg, wat vreemd aanvoelt op zo'n stralende zomermiddag in het hart van Leiden. En tegelijkertijd is het helemaal niet zo vreemd als je bedenkt dat een groot deel van de mannelijke bevolking op dit moment ergens in hoogste staat van paraatheid over de zee of de hei ligt te turen in afwachting van de steeds minder waarschijnlijke schending van de Nederlandse neutraliteit.

De huizen tegenover het terras staan te blinken in de zon. Er lopen twee lachende jongetjes voorbij. De bomen langs de rijweg ruisen. Ergens blaft een hond en ratelt een kar. Normale zomergeluiden. Alsof er niets aan de hand is. Alsof er niet op nog geen driehonderd kilometer afstand dorpen in vlammen opgaan, kerken worden geplunderd en verwoest, jongens van nauwelijks twintig bij duizenden worden neergemaaid. Dat is althans wat hij in Vermeulens eerste verslagen uit het Maasdal leest.

Hij trekt zijn horloge uit zijn vestzak. Bijna tien minuten te laat is ze al. De stoomtrams en treinen zijn nog altijd ontregeld na de chaotische mobilisatiedagen. Daar zal het door komen.

Hoe zou ze nu zijn? Dikker, na de geboorte van haar zoontje? Elsa was ook een tijdlang erg zwaar nadat Thea geboren was.

Tweeëneenhalf jaar heeft hij Jo niet gezien, sinds de première van *Die Nacht* in Den Haag. Alleen bij speciale gelegenheden ontving hij nog wel eens een kaartje of een brief. Wat niet wegnam dat hij periodes van oplaaiend verlangen had, maar ook die kwamen steeds minder frequent.

Pas na de Duitse inval in België, toen nog onduidelijk was hoe de Duitsers door het land gingen trekken en waar hun opmars gestuit zou worden, merkte hij dat zijn liefde voor Jo nog altijd diep in hem sluimert en makkelijk weer gewekt kon worden. Dagenlang maakte hij zich de grootste zorgen, zag telkens voor zich hoe dronken Duitsers Ukkel in brand staken en plunderden en in het wilde weg schoten op alles wat bewoog, zoals ook in het Maasdal schijnt te gebeuren. Hij probeerde nog een briefkaart te versturen ('Schrijf alsjeblieft een paar woorden of alles goed is bij jullie!') maar dat had geen enkele zin, verzekerde de postbeambte hem, die kaart kwam voorlopig zeker niet aan. En toen ontving hij, zodra de post in Nederland weer bezorgd werd na de mobilisatie, ineens een brief uit Noordwijk. Ze was met haar man en kinderen op vakantie toen de oorlog uitbrak, in het pension waar ze al sinds jaar en dag haar vakanties doorbrengt, en stelde voor elkaar daar op korte termijn te treffen. Ze zouden samen door de duinen kunnen wandelen, hij zou kennis kunnen maken met Joe, en met haar zoontje Pieter die al zo dapper rondstapt. Ook zou Cathrien het leuk vinden 'Oom Fons' weer eens te zien. Maar de werkelijke reden voor haar onverwachte uitnodiging leek hem, dat Joe en zij na lang aarzelen hadden besloten hun vakantie af te breken en zo snel mogelijk terug te keren naar Ukkel. *Nu is er waarschijnlijk nog betrekkelijk veilig te reizen*, schreef ze. *En Joe verwacht niet dat de Duitsers Brussel zullen bereiken. Mocht het toch gevaarlijk worden, dan kunnen we terecht op de Amerikaanse ambassade. We willen niet als onverhoopte 'vluchtelingen' in Nederland stranden terwijl ons huis en Joe's werk onbeheerd staan. Bovendien zal de oorlog met de Kerst wel voorbij zijn, als de Engelsen en Fransen de Belgen eenmaal te hulp komen.*

Ik wil je graag zien, antwoordde hij. Wie weet wanneer dat pas weer mogelijk zal zijn, nu de Pruisische horden zijn losgebroken in Europa. Maar ik zie er tegenop Joe te ontmoeten. Kunnen we niet bij 'In den Vergulden Turk' afspreken, dat mooie Leidse Grand Café-restaurant waar Mahler me ooit over vertelde?

Hij wrijft zijn haar nog eens glad langs zijn slapen, trekt zijn vest recht en slaat zijn schouders schoon om er zeker van te zijn dat er geen roos op ligt. Hij is zenuwachtig, maar niet zo zenuwachtig als vroeger wanneer hij Jo na een tijd weer ging zien. Misschien moet hij toch alvast maar bestellen. En dan ziet hij haar aan komen over de Breestraat. Fier rechtop loopt ze. Parasolletje aan de arm, een beetje gehaast, zich niet bewust dat hij haar al ziet.

Een hooggesloten, beige reformjurk heeft ze aan met een bruine zijden shawl om de schouders, een tasje van krokodillenleer in de hand en een zwartfluwelen hoedje op met ivoorkleurige georgette en een krans van kersen op de rand. Zoiets zou ze een paar jaar geleden niet snel opgezet hebben. Haar gezicht is voller en rijper geworden. Alles aan haar gestalte en bewegingen is hem vertrouwd, en toch is het een andere Jo. Minder meisjesachtig, rustiger, misschien zelfs een tikje bezadigd.

Als hij opstaat en ze hem ziet, zwaait ze. Daarna reikt ze hem de handen en begroet hem als een dierbare vriend. 'Fons. Hoe gaat het je?'

Op haar bovenlip zit een koortsuitslagkorstje, haar neusvleugels zijn schraal, van veel snuiten. Er gloeien een paar puistjes op haar kin.

'Ik moet je weer feliciteren zie ik,' zegt hij. Van dichtbij is zelfs door haar wijde japon heen duidelijk een bolling te zien. 'Wanneer komt het?'

'Eind oktober,' zegt ze.

Hij biedt haar een stoel aan en wenkt de ober. 'Twee thee alstublieft, met wat petitfours. Of wil jij er sandwiches bij?'

'Graag,' zegt ze en legt haar shawl voor zich op tafel. 'Wat heerlijk om jouw stem weer te horen.'

Ze praten even over de onbetrouwbare treinenloop, tot de bestelling gebracht is. Dan pakt ze zijn hand vast. 'Toen ik zag hoe Elsa jou in de gaten hield, die laatste keer in Den Haag bij *Die Nacht*, en je me niet eens durfde groeten, besefte ik dat ik me beter op mijn leven met Joe kon richten, als ik niet heel ongelukkig wilde worden. Het oude vuur vlamde nog even op toen je me schreef na de geboorte van Pietertje, maar daarna heb ik mezelf gedwongen me neer te leggen bij het leven waarvoor ik gekozen had. Daarom ben ik ook niet naar het feestconcert voor je vijftigste verjaardag gekomen. Ik wilde het jou en mezelf niet aandoen elkaar weer zo afschuwelijk te moeten negeren. En langzaam lukte het me er vrede mee te hebben dat ik je waarschijnlijk nooit meer zou zien, maar nog wel af en toe met je zou corresponderen. Dacht ik. Want toen het ineens oorlog was, besefte ik dat we nooit waardig afscheid genomen hebben, en *moest* ik je nog een keer zien. Nu we zo'n ongewisse tijd tegemoet gaan, wilde ik je nog één keer in de ogen kijken, en afscheid nemen op de manier die we aan onze liefde verplicht zijn, zoals jij me ooit schreef.' Ze blaast en neemt een voorzichtig slokje van haar thee.

'Ja,' zegt hij.

'Overmorgen vertrek ik. Een vriend van Joe komt ons vanaf de grens met een automobiel halen.'

Weet je hoe ongerust ik ben geweest, wil hij zeggen. Haar op het hart drukken toch vooral in Nederland te blijven met de kinderen, of desnoods naar Amerika te gaan. Maar hij vraagt: 'Is de route veilig?'

'Joe zegt van wel. De Duitsers zullen als ze eenmaal langs de forten bij Luik zijn ongetwijfeld via Henegouwen rechtstreeks door willen stoten naar de Franse grens. Wij reizen veel westelijker en komen onderweg waarschijnlijk nauwelijks Duitsers tegen.' En alsof ze het verder niet over de oorlog wil hebben vervolgt ze: 'Cathrien is al zes. Joe heeft haar prachtig getekend. En Pietertje ook. O, ik had gewild dat jij Pietertje nog even had kunnen zien. Het is zo vreemd te bedenken dat jij helemaal niet weet hoe hij eruitziet. Het is zo'n lief mannetje. Echt het aanhankelijkste kereltje dat ik ken. Soms mis ik het ineens om met jou over hem te kunnen praten. Jij begrijpt altijd zo goed wat ik bedoel. Bij jou heb ik bijna geen woorden nodig.'

Hij steekt een petitfour in zijn mond en voelt de zoetigheid tot in zijn tandwortels. 'Hoe is het nu tussen jou en Joe?'

'Hij is lief en zorgzaam, een echte kameraad. Er is veel genegenheid tussen ons, het is prettig de alledaagsheid met hem te delen. Met hem praten doe ik weinig, zijn hoofd is altijd vol van zijn werk, en nu van de oorlog. Maar ik voel me rustig en gelijkmatig bij hem.'

'Ben je gelukkig?'

'Ik ben tevreden. Jij?'

'Elsa doet de laatste tijd weer wat aangenamer tegen me. Toen ze net wist dat wij geliefden waren, was ze alleen maar bitter en gekrenkt en sloot zichzelf geheel van me af. Maar langzaam is ze toch ontdooid. Ze is net terug naar Laren nu de oorlog Nederland bespaard lijkt te blijven. Ik ga er binnenkort ook weer heen.'

'Wat zullen de meisjes nu al groot zijn,' zegt Jo.

'Ze waren erg verbaasd dat we midden in de zomervakantie halsoverkop teruggingen naar Amsterdam. Met warm weer vervelen ze zich op het bovenhuis. En ze snapten ook niet waarom ik de hele dag kranten ging kopen en liep te ijsberen en onafgebroken boos was op die ellendige "Duisters".'

Jo lacht. 'Cathrien snapt er ook niet veel van. Waarom staan er ineens zoveel mensen voor de winkels, vroeg ze. En toen legde ik haar uit wat hamsteren is en zei ze 's avonds tegen haar kleine broertje: omdat het oorlog is zijn alle mensen bang dat er binnenkort geen hamsters meer zijn en daarom gaan ze die nog gauw allemaal kopen.'

'Elsa wilde liever in de algehele misère delen als het voedsel inderdaad op zou raken, dan dat ze ons huis vol levensmiddelen zou hebben, terwijl anderen niks meer kunnen krijgen.'

'Ik heb precies hetzelfde gedacht. Maar tot nu toe is alles nog gewoon te koop. Het wordt alleen erg duur. Dat zal in Brussel wel helemaal verschrikkelijk zijn.'

Iets wat vroeger nooit gebeurde, gebeurt nu wel: ze weten allebei even niet meer wat ze moeten zeggen. Jo neemt een hap van haar sandwich. En hij ziet ineens dat ze de ring om heeft die hij voor haar kocht de laatste keer dat hij bij haar logeerde en die ze hem nooit terug heeft gegeven.

'Hoe is het met je muziek,' vraagt ze na een tijdje.

Hij vertelt dat hij op de dag van de mobilisatie honderd exemplaren van het gedrukte piano-uittreksel van *Die Nacht* ontving, en drukproeven van de orkestpartituur. 'Die heb ik laten graveren met een deel van het geld dat ik voor mijn vijftigste verjaardag heb gekregen. Ik had me voorgenomen je dat uittreksel onmiddellijk te sturen, maar ik heb er niet eens meer aan gedacht. Het hele pakket is nog in Laren en ook de drukproeven van de partituur liggen daar onaangeroerd. Ik kan me er niet toe zetten. Sinds de oorlog uitbrak voel ik me afgesneden van alle muziek, van mijn verleden, van alles waar ik mijn leven lang in geloofd heb. Het klassieke ideaal van de muziek als opvoedster en leermeesteres van de mensheid: een absurditeit is het naast alle verschrikkingen die dagelijks de kranten vullen. Dat je de beschaving en de menselijkheid zou kunnen dienen door noten op papier te schrijven of composities uit te voeren; dat je de schoonheid van het goddelijke mysterie op aarde aanwezig zou willen maken – wat een lachwekkende pretenties! Zelfs het je alleen maar laten meeslepen door muziek, of er je geest mee te verzetten voelt momenteel als een perversiteit.' En hij vertelt dat hij overweegt te solliciteren op een vacature aan het gymnasium om zichzelf wat afleiding te bezorgen. 'Als ik jonger was zou ik als vrijwilliger met de Belgen mee gaan vechten.

Nu zit ik maar thuis met mijn kranten en boeken en zou iets willen doen. Maar ik ben te oud om te marcheren en een geweer vast te houden. Mijn ogen zijn zo slecht dat ik nog geen hooiberg zou kunnen raken.'

Jo legt haar hand op de zijne. 'Fons, die kist op de Verhulststraat met je werken, daar zit in wat jij de mensheid te bieden hebt. Daar help je de beschaving veel meer mee dan met het doodschieten van een paar Duitse jongens of zelf gedood te worden! Dat voel je nu niet zo, maar geloof me. Ik moet dit soort dingen ook steeds tegen Joe zeggen, die voelt zich momenteel meer Belg dan Amerikaan. Hopelijk zal deze catastrofe snel voorbij zijn en dan zal de gelouterde mensheid jouw muziek en de idealen waar jij voor staat hard nodig hebben!'

Jaja, de idealen waar ik voor sta, denkt hij. En vraagt dan: 'Herinner je je Vermeulen nog? Die jongen die veel bij me langskwam en muziekkritieken schreef voor *De Amsterdammer* en *De Tijd*?'

'Die vurige donkere krullenkop die altijd zo tekeer gaat tegen Mengelberg?'

'Die jongen loopt nu als oorlogscorrespondent tussen de linies bij Luik.'

'En jij bewondert hem daarom?'

'Ik bewonder zijn onverschrokkenheid. Zo ben je waarschijnlijk alleen als je jong bent, en lang honger hebt geleden zoals hij.'

'Vind jij doodsverachting iets bewonderenswaardigs?'

'Doodsverachting schijn je vanzelf te krijgen als de granaten om je heen fluiten. Wat ik bewonder is de moed en het heilige vuur waarmee hij het strijdtoneel opzoekt om ons te kunnen vertellen wat zich daar werkelijk afspeelt en met eigen ogen gaat zien wat er waar is van alle triomfantelijke verhalen die Berlijn de wereld wil laten geloven. Dat is het verschil tussen hem en mij: ik zit veilig thuis en wind me op over de berichten, hij gaat naar Luik en schrijft ze.'

Nadat hij heeft afgerekend lopen ze gearmd naar het station.

'Weet Elsa dat je hier met mij had afgesproken?'

'Nee.'

'En ga je het haar vertellen als je weer in Laren komt?'

'Nee.'

'Waarom niet?'

'Ik zou het haar nauwelijks uit kunnen leggen en dan gaat ze zich onmiddellijk weer zorgen maken en achterdochtig doen en ik verdraag het momenteel niet als ze weer moeilijkheden gaat maken. Vind je dat laf?'

'Ik zou het wel vertellen. Eerlijkheid is altijd het beste. Als je niets zegt en ze komt er later toch achter, heeft ze pas echt reden tot wantrouwen.'

'Ja,' zegt hij. 'En toch vertel ik het niet.'

Op het station brengt hij haar naar haar perron. De tram naar Noordwijk staat al onder stoom. Voor ze instapt omhelzen ze elkaar minutenlang zonder een woord te zeggen. Omgeven door haar lichaamsgeur en met haar hoofd op zijn schouder voelt hij het oude verlangen weer in zich opkomen. En net als vroeger kan het hem even niets schelen als een bekende hen hier zou zien staan.

'Ik heb zoveel angsten om je uitgestaan.' Hij streelt haar gezicht. 'Elke dag vroeg ik me af wat je deed en hoe het met je ging. En dat zal ik blijven doen wat er ook te gebeuren staat.'

Jo kijkt hem diep in de ogen. 'Ik hou zo veel van je Fons. Het is elke dag weer een geluk voor me te weten dat jij bestaat en aan mij denkt. Ook al heb ik dan Joe en jij Elsa, en is dat ook goed zo, onze liefde zal bestaan zolang wij leven. Daar klamp ik mij aan vast.'

Ze kussen elkaar lang en innig en dan fluistert hij dat ze haar tram niet moet missen.

Als ze instapt zegt ze nog: 'Laten we elkaar blijven schrijven als dat mogelijk is.'

'Ja,' zegt hij. 'Kus Pietertje en Cathrien van me.'

'En stuur jij me zodra het kan dat piano-uittreksel.'

Even later, in zijn eigen coupé, voelt hij zijn hart nog bonzen en mist hij haar al met het oude, verliefde gevoel – een verrukkelijk melancholiek schroeien diep in zijn binnenste. Tot hij bedenkt dat hij eigenlijk niet zozeer de Jo mist van wie hij net afscheid heeft genomen, de moeder van Pietertje en Cathrien, maar vooral de Jo die altijd bij hem is in alles wat hij doet. De Jo van hun nachten in de groene kamer en van het boottochtje naar Nieuwendam. De Jo die niet meer bestaat. Misschien zijn het alleen dat verlangen en die verliefdheid van toen, die hij net hartstochtelijk gekust heeft en waar hij zich nu weer verliefd op voelt. Een gedachte die hij snel van zich af probeert te zetten terwijl hij over de vredige landerijen en bollenvelden uitkijkt waar zijn trein doorheenrijdt.

Oorlog. Het is oorlog.

Als hij straks op Amsterdam Centraal arriveert, moet hij even *De Telegraaf* kopen. Een van de weinige kranten die zich niet aan het neutraliteitsgebod van de overheid houdt en uitgesproken anti-Duits is. Thuis zullen het *Handelsblad* en *Het Volk* er al wel zijn. Wie had ooit kunnen denken dat hij zich nog eens op zowel een liberaal als een socialistisch dagblad zou abonneren...

22

Het grote zwijgen

'Deutschland, Deutschland über alles!' klinkt het meerkelig uit het café tegenover het hotel, beneden in de straat. Café de la Paix, godbetert. Gezang dat overgaat in gelal en gebrul, uitsluitend Duits. Hoe kan het ook anders, denkt Vermeulen. Wie van de Luikenaren zou zich op dit moment in de feestvreugde begeven, terwijl hun zonen, broers, mannen, vaders, geliefden in de omliggende heuvels sneuvelen of de forten verdedigen die de grote Duitse opmars over de Maas zo lang mogelijk moeten tegenhouden? In de hellende straatjes rond het hotel klinkt nu ook geschreeuw, dreigender, en gebons op deuren. Daardoorheen mechanische walspatronen van een orkestrion en af en toe een geweerschot in de diepte van de lagergelegen stadsdelen, hopelijk alleen maar een dronken soldaat die in de lucht schiet. Zulke schoten zijn het gevaarlijkst op dit moment. Want het is geen echt feestgedruis, wat hier door het open raam naar binnen komt; meer een door alcohol aangewakkerde en naar uitzinnigheid neigende opwinding van mannen die de hele dag oog in oog met de dood hebben gestaan – een uitzinnigheid die door het minste of geringste kan omslaan in 'represailles' en nietsontziende moordpartijen. Iedere Duitser die je spreekt, begint meteen over sluipschutters. Kennelijk zijn ze daar panisch voor. Alsof er op dit moment ook maar één Luikenaar op een Duitser zou durven schieten...

Zou er ooit op één dag zoveel lawaai geklonken hebben? Alleen het kanongedonder in de verte lijkt eindelijk opgehouden. Maar voor het sluiten van het raam is het te warm –

wat bovendien geen enkele zin zou hebben: op de kamer naast de zijne laat een van de gepoederde en hooggekapte dames uit de bar beneden zich luidkeels de paardrift welgevallen van een van haar klanten. Zo'n dame knipoogde zelfs naar hem toen hij doodmoe het hotel binnenkwam en na vertoon van zijn Nederlandse papieren en veel gesoebat deze zolderkamer kon krijgen. Zuipen, in het wilde weg schieten, beestachtig de liefde bedrijven – iets moet er gedaan worden om alle doorstane doodsangsten, alle opgekropte spanningen en aanschouwde of zelf veroorzaakte gruwelen af te reageren.

Met de kaars in zijn hand staat hij op van het toilettafeltje dat hij als schrijfbureau gebruikt om zijn notities van de dag tot een verslag om te werken. Zodra hij morgen terug is in Maastricht wil hij het naar de krant doorseinen. Concentreren kan hij zich niet meer, slapen al helemaal niet, ondanks zijn loodgrijze vermoeidheid. In een roes heeft hij zitten schrijven en heel de dag nog eens doorleefd, tot het ineens ophield. Het lawaai van buiten drong zich op, zijn woorden raakten leeg, brachten niks meer over van de beelden in zijn hoofd.

Hij ziet het gebloemde behang in het flakkerende licht, stelt zich voor hoe het zou opkrullen en verschroeien in een vlammenzee, gaat met zijn vingertoppen langs de druipdik in de verf zittende raamkozijnen en vensterbank. Dan knijpt hij de kaars uit, snuift de wasgeur op, vermengd met de vage rottingslucht uit de dakgoot. En kijkt in de verte. Tot aan de gezichtseinder van donkere omliggende heuvels met uitgebrande dorpen strekt zich de bezette stad uit. Een spookachtig decor vol aanplakbiljetten met waarschuwingen en dwangbevelen aan de bevolking, vol vernielde bruggen, woningen en leeggeroofde winkels, vol doodsbange, hongerige vrouwen, kinderen en bejaarden achter angstvallig gesloten deuren en luiken met witte vlaggetjes door de latten. Aan de overkant van de Maas, in het historische stadsgedeelte Outre-Meuse, hier en daar de opflakkerende gloed van brandende huizen – 'verzetshaarden', waarvan de bewoners hun rijwiel nog niet inleverden, een zak meel achterhielden, of zich verweerden tegen de verkrachting van hun dochters of kleindochters. En boven dat alles de dimensieloze rust, de oneindigheid van duisternis en licht: het souvereine firmament.

Hij denkt aan zijn nachten met Petrus, in Diemen en Helmond en Sloten, als ze op hun rug in de natuur lagen en praatten over het geloof, over het raadsel van het oneindige, over het unieke denkvermogen waarmee de mens in de loop der eeuwen heeft kunnen ontdekken welke vorm de aarde heeft, welke banen de zon, de maan en de sterren doorlopen en hoe zij onderling van elkaar afhankelijk zijn. En hij denkt aan zijn oreren over het geheim van het Licht, dat ook het geheim van de muziek is, de levenwekkende golfstroom die het onbevattelijke Alles doortrilt, het heilige Vuur dat Diepenbrock de Liefde noemt en dat iedere ware kunstenaar sinds mensenheugenis probeert op te vangen en tot aardse schoonheid om te vormen. Hij denkt aan zijn symfonie en aan zijn melodieën waarin hij zijn ziel tot uitdrukking heeft trachten te brengen – zijn ziel die een vonk is van dat heilige vuur en die zich vanuit zijn onbegrensde bewustzijnsloze niet-zijn voor een tijdje gehuld heeft in een vergankelijk omhulsel met een naam en een gewicht en een gezicht, uit verlangen naar de gelukzaligheden van het kortstondige. En die vanuit dat kortstondige tegelijk onophoudelijk terugverlangt naar zijn dimensieloze voorgeboortelijke eeuwigheid en daarover wil zingen.

Al die gedachten en gesprekken, al zijn muziek, en al die avonden en nachten met Petrus – onvoorstelbaar ver weg lijkt dat alles hier op deze Luikse zolderkamer, onvoorstelbaar vanwege de vredigheid, de verheven verlangens, de diep-ernstige naïviteit.

Wat zou Petrus doen op dit moment? Op zijn viool oefenen? Een gedicht lezen? Zich zorgen maken over hem? Waarschijnlijk ligt hij allang te slapen op zijn buik, met zijn rechterarm als een vraagteken rondom zijn blonde hoofd op het kussen.

In precies diezelfde houding zag hij vanmiddag een Duitse soldaat op de helling naar Fort Liers liggen toen de rook- en stofgordijnen van een mortierinslag optrokken. Een van de vele gepiekhelmde jongens die bij een van de vele bestormingen van het fort door de Belgen werden uitgeschakeld. Maar anders dan bij de slapende Petrus was zijn blonde hoofd half weggeslagen, sijpelden al zijn herinneringen, liefde en verlangens langzaam weg uit het hoopje grauwe gortebrij naast hem in het gras. Nog geen vijf minuten eerder had die jongen nog stoere praatjes uitgekraamd, of een schietgebedje naar zijn Lutherse god gezonden of aan zijn meisje in Keulen gedacht, op de manier waarop hij nu aan Petrus zit te denken. En intussen ging de bestorming alweer door, een nieuwe golf soldaten rende juichend naar voren door de rookvlagen en kruitdampen, onder wie sommigen van de eerder neergevallenen die weer overeind gekrabbeld waren. Tot een nieuwe regen van exploderend ijzer en opspattende aarde ze tegen de grond smeet en in stukken sloeg als koeien in een abattoir.

Achteraf verbaast het hem dat hij al dat loeiende sterven zo koelbloedig aan kon blijven zien. Dat hij tussen de stormlopen en de explosies door zelf rustig vragen wist te stellen aan de Duitse commandant die hem als 'bevriende' Nederlandse journalist had toegestaan vanaf een betrekkelijk veilige plek in de buurt van een stuk Duitse veldartillerie, getuige te zijn van de heldhaftigheid der Duitse *Mannschaft*. Alsof het middenrifsplijtende dreunen van de Duitse artillerie richting fort, en van de inslaande Belgische mortiergranaten, elk besef doofde van wat er zich op zo'n heftige en onafzienbare schaal voor zijn ogen afspeelde.

Alles wat hij gezien heeft vandaag, en de afgelopen week, alle absurditeiten en ellende die hij op dit moment in de donkere stad om zich heen hoort en vermoedt, heel die voortrazende stroom van niet te verwerken gruwelen waarin hij zich heeft ondergedompeld – het lijkt hem terug te werpen in een kaal, onomstotelijk heden. Een angstaanjagend pot- dicht afgesloten heden ook, dat elk gevoel, elke compassie, elk mysterie buitensluit, dat elk vermoeden van iets boven- werkelijks of heiligs hoonlachend smoort. In dit ontheiligde, allesoverheersende hier en nu is het firmament niet langer ondoorgrondelijk, is het licht een reeks getallen, is alles plat, feitelijk, causaal en zinloos.

Met een nooit eerder zo ervaren gevoel van leegte en uit- zichtloosheid, trekt hij uiteindelijk toch maar de geborduur- de gordijntjes voor de sterrenhemel, en gaat met wijdopen ogen op het veel te zachte eenpersoonsbed liggen. Rond de gaskroon aan het plafond, die voorlopig niet zal branden omdat het gas is afgesloten, zoemen een paar muggen, die hem uit zijn slaap houden zoals muggen dat in alle zomer- nachten door alle eeuwen heen gedaan hebben met overver- moeide mensen. En buiten houdt de geweldsdronken luid- ruchtigheid aan onder het grote zwijgen van het firmament, is elke uitgebrande kerk, elk verwoest museum een stapel ge- blakerde stenen, en het doden van een mens een onbeteke- nend voorval, als het doodslaan van een insect.

Een daverende knal, vlakbij voor zijn gevoel, wekt hem uit warrige dromen. De ramen rinkelen en het hele gebouw staat op zijn grondvesten te trillen. Zo'n harde knal heeft hij gisteren noch ooit eerder in zijn leven gehoord. Een paar se- conden kijkt hij verdwaasd om zich heen, beseft dan waar hij zich bevindt en is in een paar stappen bij het raam. Het moet nog vroeg zijn, het licht is grauw. De knal kwam niet van zo dichtbij als het leek, want overal in de huizen aan de overkant maar ook verder de heuvel af ziet hij luiken open- gaan en gordijnen opzijschuiven met verschrikte gezichten erachter.

Honger heeft hij. Van ontbijten in het hotel is geen sprake, en hij heeft eergisteravond in Maastricht zijn laatste norma- le maaltijd gehad, afgezien van het vroege ontbijt gisterochtend en het brood en de appels die hij op zijn voettocht had meegenomen. Hij zal niet de enige zijn met een lege maag in Luik op dit moment. De Duitsers hebben alles geconfisqueerd en nieuwe aanvoer is er nauwelijks zolang er nog gevochten wordt. Wel moeten alle winkels inmiddels op last van de bezetter weer open, maar veel meer dan chocola en rookwaren te verkopen hebben ze niet.

Weer zo'n knal. Dit kan geen normaal artillerievuur zijn. Snel stopt hij zijn spullen bij elkaar in zijn kleine rugzak en verlaat het hotel om poolshoogte te gaan nemen – hij kan zo weg, gisteravond bij aankomst heeft hij al meteen moeten betalen. Al gaat de wereld in vlammen op, geld verdiend moet er worden.

Ondanks het vroege uur zijn er al talloze mensen op straat. Angstige, verbeten gezichten. Iedereen lijkt zich in de richting te spoeden waar de knallen vandaan komen. Overal op de pleinen en bredere straten marcheren grote colonnes Duitsers, vergezeld van een muziekcorps soms, en velen met een flinke kater vermoedelijk, onderweg naar de laatste belegerde forten of al op doortocht richting Frankrijk. Hij sluit zich aan bij de menigte, en hoort dat de Duitsers al enkele dagen bezig zijn rails te leggen in een paar grote straten, om er met tientallen paarden gigantische stukken geschut over in stelling te kunnen brengen, zoals ze eerder ook al kanonnen op de citadel hebben geplaatst. Een uitgekookt plan, omdat het zo voor de Belgische verdedigers in de forten onmogelijk is de vijandelijke kanonnen met tegenvuur uit te schakelen, willen ze niet hun eigen stad en hun eigen mensen beschieten. En het soort tactiek dat de Duitsers vaker schijnen toe te passen. Zo heeft hij gisteren geruchten gehoord over burgers die gedwongen werden voor de Duitse troepen uit te lopen naar een in puin geschoten verdedigingswerk met daarin de lijken van hun 'jongens'. Zo beschermden de Duitsers zichzelf tegen een eventuele hinderlaag of ondermijnde toegangsweg. Bovendien konden de Belgen dan hun eigen doden uitgraven.

In een plantsoen langs een van de boulevards staat op een opgeworpen aarden verhoging inderdaad een kolossaal stuk geschut, zo log en gedrongen als een havenkraan en zo angstaanjagend groot dat sommigen van de vrouwen die het zien elkaar jammerend in de armen vallen. Daar zul je zeker dertig paarden voor nodig hebben om het te verslepen. De loop, die bijna recht omhoog staat, heeft minstens drie keer de lengte van een mens, en de doorsnee van een flinke fabrieksschoorsteen. De granaten die ermee afgeschoten worden zijn manshoog en moeten honderden kilo's wegen. Zonder twijfel heeft dit hem gewekt: de helse triomf van het Duitse industriële vernuft. Een tiental soldaten is op verscheidene platforms bezig het reuzenkanon weer te laden en te richten, en even later wordt een volgend schot gelost, met een knal waardoor de paarden van een groep cavalerie die juist uit een zijstraat de boulevard op komt rijden beginnen te steigeren en waardoor alle toeschouwers een tijdje verdoofd zijn. Er ontstaat beroering onder de omstanders, iemand roept dat het gaat om Fort Loncin, het laatste dat de Duitsers nog moeten veroveren. Fort Liers blijkt gisteravond al gevallen, ten koste van ontelbare doden.

Na een paar minuten klinkt er uit de richting waarin geschoten is een vaag gerommel als van een ver onweer, gevolgd door een reeks zwaardere klappen. Op een kilometer of tien afstand moet dat zijn. Dan wolkt er aan de horizon een gigantische rookkolom op. Het gerommel blijft klinken. Waarschijnlijk is er een munitiedepot geraakt en vliegt nu heel fort Loncin de lucht in. In ieder geval gooien de soldaten bij het kanon juichend hun helmen de lucht in terwijl er één staat te telefoneren, en slaan elkaar op de schouders. Voltreffer! Voltreffer! Ongelofelijke gedachte: op dit moment sterven er honderden mannen. 'Kijk ze juichen, de varkens,' zegt een jonge vrouw. En een ander: 'Dit is het einde.' Velen kunnen hun tranen niet bedwingen. Dan lopen de meesten met gebogen hoofden en elkaar ondersteunend weg over de boulevard. Hij denkt er even over om de Duitse soldaten bij het kanon een paar vragen te gaan stellen, maar loopt dan ook met de mensen mee, weg van de navrante zegedans.

Langs de eindeloze kanaalweg terug naar Maastricht, min of meer parallel aan de Maas, trekt een onafzienbare stroom Duitse troepen en voertuigen op richting Tongeren en Leuven. Na het vallen van de laatste forten bij Luik kunnen de Duitsers nu met behulp van pontonbruggen ongehinderd de Maas oversteken, en verder oprukken. Zo onopvallend mogelijk loopt Vermeulen aan de rand van de weg of door de berm een stuk met ze op, staat af en toe stil om de warreling van laarzen, paardenhoeven, wielen van kanonnen, munitie- of fouragewagens aan zich voorbij te zien trekken. Dan slaat hij een zijpad in dat door de velden richting Maasoevers loopt. Hier overal het inmiddels vertrouwde beeld: een zomers landschap van vertrapte akkers en weiden, met hier en daar een stinkend kadaver of lijk, en kapotgeschoten boerderijen waar alleen nog wat kippen of een hond tussen de smeulende puinhopen scharrelen. Dagenlang heeft het hier granaten geregend. In de bermen bloeien de klaprozen en de kattenstaarten, in de bomen die nog overeind staan zingen de vogels alsof het een prachtige dag is.

En terwijl hij naar het geschitter van het zonlicht op de bladeren kijkt (iets wat hem anders altijd een geluksgevoel geeft), en zich de fanatieke, vastberaden gezichten van de opmarcherende soldaten voor de geest haalt, beseft hij plotseling dat alle gruwelen die hij de afgelopen dagen gezien heeft, en nu ziet, slechts het begin zijn van wat Europa nog te wachten staat. Dit kan niet snel voorbij zijn. De Duitsers zijn definitief de Maas over en stromen als mieren België in op weg naar Frankrijk. De Fransen zullen zich verdedigen. De Engelsen zullen te hulp schieten. In het noorden zal Rusland Duitsland aanvallen. Dit Belgische slagveld is slechts de opmaat tot iets veel groters en verschrikkelijkers. Hoe dat zal zijn kan niemand zich nog voorstellen, zoals niemand ook heeft kunnen vermoeden hoe het hier nu is. Maar het is duidelijk dat de wereld iets te wachten staat wat haar voorgoed zal veranderen.

Door het zien van de schoonheid van de zomerse natuur bevangt hem dezelfde ijskoude leegte weer, die hem vannacht onder de onverschillige sterrenhemel boven de bezette stad overviel. Misschien is onverschilligheid wel de enige manier om wreedheden op deze schaal, begaan met het soort wapens als hij vanochtend gezien heeft, te kunnen doorstaan. Alles terug te brengen tot kale, betekenisloze feiten, waaraan je vervolgens onaangedaan voorbij kunt leven. Fort gevallen, paar honderd doden. Maar hij wil niet onverschillig en gevoelloos worden. Hij wil zijn geest niet laten overschaduwen door deze totale eclips, hij wil het overdonderende momentane niet het eeuwige in hem laten buitensluiten. Hij ziet het overal om zich heen gebeuren, met iedereen die hij spreekt. Bij al die radeloze burgers en bij alle soldaten die oprukken naar de volgende slachtpartij. Iedereen heeft die lege, koortsige blik.

Op de onverharde weg ligt een roodwit trekpopje in het zand. Even verderop een linkerschoen, een zijden schouderdoek, een kleine staartklok, een porseleinen vaas en zelfs een schilderijtje – alles besmeurd en kapotgetrapt. Een spoor van 'geredde' kostbaarheden dat leidt naar een fel brandende hoeve achter leilindes in de verte. Oorlogsbuit, die de Duitsers bij nader inzien toch maar niet mee hebben genomen op hun veroveringstocht.

De boerderij kan nog niet lang geleden in brand gestoken zijn; de vlammen slaan knetterend en wellustig uit het dak en alle ramen aan de voorgevel. De blaadjes van de leilindes krullen op en verschrompelen van de hitte, en het zal niet lang duren voor die bomen ook vlam vatten. Alles lijkt verlaten, waarschijnlijk zijn de bewoners allang gevlucht, maar dan klinkt boven het geraas van de vlammen uit een eentonig menselijk geluid opzij van het huis, geneurie bijna.

Op een bankje onder een boom aan het begin van een ap-

pelboomgaard zit een oude vrouw met een blauwe hoofd-
doek om en een doos sigaren op haar schoot. Met op en neer
gaand bovenlijf, als een jood voor de Klaagmuur, prevelt ze
onafgebroken weesgegroetjes. 'Ik heb ze zelfs de sigaren aangeboden, mijnheer,' zegt ze. 'Ik heb ze zelfs de sigaren aangeboden.'

Verderop in de boomgaard klinkt een jammerlijk gemek-
ker. Een geit heeft zich vastgelopen om zijn paaltje in het hoge gras, uit schrik voor het lawaai en de vlammen uit het huis.
De oude vrouw is niet te helpen, dus gaat hij maar naar het
angstige dier. Het stribbelt hevig tegen, maar hij weet het
toch achteruit om de paal te leiden, zodat het touw zich weer
loswikkelt en het dier meer bewegingsruimte krijgt. Als een
absurde, zinloze daad van barmhartigheid voelt het. En dan
ziet hij verderop in het ongemaaide gras, niet ver van de geit,
iets blauws schemeren. Met een angstig voorgevoel loopt hij
erheen. Twee mannen, van ongeveer zestig en dertig, en een
blonde jongen van Petrus' leeftijd – als lappenpoppen over elkaar heen en tegen elkaar aan gevallen, met grote bloedplek-
ken in hun overals en schotwonden in hun borst of hoofd. De
jongen heeft zijn ogen open en staart naar een overvolle tak
van de appelboom boven hem. De wonden en de gezichten
van alledrie zijn bezaaid met vliegen.

Door het gekwinkeleer en de zoete zomerse geuren heen
ruikt Vermeulen ineens de verzengende stank die overal in
dit verwoeste landschap hangt; brandlucht gemengd met het
weeë van rottend vlees en ontbinding. Alsof die stank nu pas
echt tot hem doordringt. Zo ruiken onmenselijkheid en onverschilligheid, denkt hij. Zo ruikt het grote zwijgen dat deze drie mannen en al die andere zinloze slachtoffers in zich
opslokt.

Ineens spert de jongen zijn ogen wijd open. Zijn lijf begint te schudden, hij werpt zijn hoofd in een kramp achterover en opent zijn mond alsof hij iets wil zeggen. Dan geeft
hij een zacht piepje, er komt een guts bloed uit zijn mond en
zijn hoofd valt opzij.

Minutenlang staart Vermeulen naar het verkrampte lichaam. Hij kan zijn ogen er niet van los krijgen. Het is alsof zijn eigen borst is doorboord en de pijn zo groot is dat hij het niet kan voelen. Hij voelt alleen verbijstering, leegte, en de neiging door te gaan met waar hij mee bezig was. Die jongen leefde nog, kan hij alleen maar denken. Hij leefde nog en ik ben het laatste wat hij zag.

Mechanisch begint hij terug te lopen naar het huis. Hij is niet misselijk maar geeft toch over in het gras. Ik moet terug naar de kanaalweg, denkt hij. Ik moet naar Maastricht om de val van Fort Loncin door te seinen naar de krant. Ik ben verdoofd, mijn gevoel is uitgeschakeld. Ik beweeg me door de wereld, registreer alles, kan glashelder nadenken, maar ik voel niks. Ik ben het laatste wat die jongen zag.

Als hij weer bij het bankje achter de brandende boerderij komt is de oude vrouw verdwenen. Hij staat even om zich heen te kijken of hij haar niet nog ergens ziet en wordt dan op zijn schouders getikt. Twee Duitse officieren die eruitzien zoals ze eruit horen te zien: met krulsnorren, tressen en Bismarckhelmen, de een met een pistool op hem gericht, de ander met een dikke sigaar tussen de lippen. Beiden wasemen een sterke alcoholdamp uit.

'Was machen Sie hier?'

Hij vertelt dat hij Nederlands journalist is en onderweg naar Maastricht.

'Papieren bitte!'

Het gezicht van de man met de sigaar klaart op als hij paspoort en perskaart bekeken heeft. 'Ein Journalist aus Holland.' De man steekt hem hartelijk de hand toe.

'Wir sind Collegen, Herr Van der Meulen. Würfels heisse ich, und das hier ist Meinhof.'

Meinhof blijft zijn pistool op hem richten, terwijl zijn kompaan enthousiast vertelt dat hij voor de oorlog voor de *Kölnische Zeitung* werkte. Hij is een paar keer in Nederland geweest, onder meer in het Rijksmuseum en het Mauritshuis, en vindt de Hollanders een verstandig en betrouwbaar volk. En dan begint hij over het melkmeisje van Vermeer.

'Entschuldige, maar kunt u mij misschien zeggen wat er hier gebeurd is?'

Zijn geschoktheid en verontwaardiging ontgaan Würfels niet.

'Franc-tireurs.'

'Zijn er vanuit dit huis Duitse soldaten beschoten?'

'Natuurlijk. Waarom zou het anders branden?'

En plotseling barst Würfels uit in een tirade tegen 'dat stelletje misdadigers dat zich Belgen noemt' en dat een Germaans broedervolk dwarsboomt in zijn poging een lafhartige Franse aanval op de Heimat te verijdelen. 'En niet alleen schieten ze vanuit hun huizen op onze nietsvermoedende soldaten en verhinderen onze vreedzame doortocht. Gevangengenomen Duitsers worden gemarteld, hun ogen worden uitgestoken, hun handen afgekapt, geslachtsdelen worden afgesneden en aan de beesten gevoerd.' Würfels probeert hem met zijn rooddoorlopen dronkenmansogen strak aan te kijken.

'Waar gebeurt dat dan, als ik vragen mag? Ik heb dat soort dingen nog nergens gezien.'

Würfels stoot een dreigend lachje uit. '*Overal* gebeurt dat, Herr Van der Meulen. Maar de Belgische zwijnen hebben er alleen zichzelf mee. Want wie de Kaiser zo beestachtig beledigt en zijn vriendschap verraadt, zal onder de Duitse stoomwals verpletterd worden.'

Vermeulen beseft dat hij deze 'collega' niet verder moet uitdagen, of diens onzinnige beweringen zelfs maar in twijfel moet trekken. 'Ik zal verslag uitbrengen in mijn krant,' zegt hij. 'Als u mij permissie verleent mijn weg te vervolgen.'

Het pistool van Meinhof is nog steeds op hem gericht. Würfels graaft met zijn hand in zijn binnenzak en trekt een stafkaart te voorschijn. Vervolgens knielt hij en spreidt de kaart uit op de grond. 'Kijkt u even mee,' zegt hij.

Meinhof, die het gesprekje met kille, alerte ogen heeft aangehoord, gebaart met zijn pistool naar de grond. Vermeulen knielt ook.

'Bij Visé kunt u niet meer de Maas over,' zegt Würfels en wijst naar een paar doorgekraste bruggen op de kaart en vervolgens naar een rookkolom op de einder. Zijn drank- en tabaksadem is bijna niet te verdragen.

'Kijkt u zelf maar even.' Würfels staat weer op, gaat naast Meinhof staan en zegt iets tegen zijn kompaan.

Wat belet ze om mij nu in mijn achterhoofd te schieten, denkt Vermeulen. Hij doet of hij nog even naar de kaart kijkt en komt langzaam overeind.

'Ook daar,' – Würfels wijst met zijn sigaar weer naar de rookkolom – 'hebben wij de lafhartige tegenstand de kop in moeten drukken. Vannacht is heel dat verradersnest uitgeroeid. Schrijft u dat maar in uw krant.'

Vorige week was Visé nog een prachtig middeleeuws stadje aan de Maas, waar een vriendelijke madam Vermeulen in een taveerne aan het marktplein een middagmaal had geserveerd. Toen was er ook nog voedsel. Met grote verontwaardiging vertelde de vrouw hoe de Duitsers de prachtige Romaanse kerk met gebrandschilderde ramen kapotgeschoten en in brand gestoken hadden omdat de toren een richtpunt was voor de Belgische kanonnen van het Luikse fort Pontisse. Goddank waren de relikwieën nog wel in veiligheid gebracht. Nu staat zo te zien het hele stadje in lichterlaaie en dus ook het eethuis en de tafel waaraan hij toen zat. Hopelijk heeft de vrouw op tijd naar Nederland kunnen vluchten. Haar man, een goeiige zwijgzame kastelein, zal wel als werkkracht voor de Duitse oorlogsindustrie zijn afgevoerd. Als hij niet gefusilleerd is, zoals de mannen in de boomgaard.

'Het beste kunt u doorlopen naar de noodbruggen bij Lixhe,' zegt Meinhof en wijst de plek met de loop van zijn pistool aan op de kaart.

Zonder verdere toestemming van de twee Duitsers af te wachten, draait Vermeulen hen zijn rug toe en begint te lopen. Zijn knieën knikken en hij is plotseling uitgeput. Als hij de weg bereikt heeft, roept Würfels hem nog na: 'Maakt u uw landgenoten vooral goed duidelijk welke misdaden hier in

België tegen het Duitse broedervolk gepleegd worden! Und grüssen Sie Rembrandt und Vermeer von uns!'

Vermeulen steekt een hand op maar durft niet om te kijken.

23

In het oog van de orkaan

Een rijtuig ratelt achter het tuinhek over de Drift naar het dorp. In de tegenovergestelde richting is een zondags wandelechtpaar onderweg naar de hei. Wat moet het bizar voor Vermeulen zijn, denkt Diepenbrock, deze vredigheid hier: onze bloeiende tuin, het ongerepte huisje, Elsa die rustig met theekopjes in de weer is op de veranda. Alsof er niets gebeurt in de wereld, alsof alles gewoon bij het oude is. Terwijl we ons in het oog van een orkaan bevinden.

'En u was ook nog in Leuven?' vraagt hij.

Vermeulen wrijft door de baard die hij tijdens zijn Belgische expedities heeft laten staan en kijkt alsof hij niet weet waar hij zou moeten beginnen met dat verhaal. Dan schieten zijn ogen naar twee witte vlinders boven het gazonnetje waar Thea en Joanna als vanouds met hem wilden voetballen toen hij arriveerde. Maar van voetballen was natuurlijk geen sprake geweest, dit keer.

Bedeesd zitten de meisjes met grappig vooruitgestoken schoenen bij het gesprek. Ze kunnen hun benen nog niet over de rand van de rieten tuinstoelen buigen maar zijn inmiddels te groot om ze met een bal het gras op te sturen. Vooral Joanna luistert met grote verschrikte ogen.

'Naar Leuven ben ik op de fiets gegaan,' begint Vermeulen aarzelend. 'Na een tocht van zes uur was ik er rond het middaguur. Van een boer langs de weg had ik al gehoord dat de stad die nacht door de Duitsers in brand gestoken was. Al van grote afstand was een vuurgloed te zien boven het centrum.' Terwijl hij spreekt, kijkt hij telkens even naar Thea en Joanna, zoals hij bij het stoeien ook wel doet om er zeker van te zijn dat hij ze niet bezeert. In alles wat hij tot nu toe verteld heeft, gebruikte hij nadrukkelijk abstracte formuleringen als 'een geteisterd land' of 'de getroffen bevolking'. Over doden en gewonden heeft hij het niet. Zelfs met gewone, ongevaarlijke details lijkt hij terughoudend.

'Wat een spookachtig beeld moet dat geweest zijn,' zegt Elsa.

'In de weilanden vlak buiten de stad was het ondanks het stralende weer schemerig van de rook en overal dwarrelden asdeeltjes en halfverbrande stukken papier door de lucht. Ik raapte een paar snippers van de grond en bleek oud drukwerk en een geblakerd stuk manuscript in mijn hand te houden. Pas op dat moment drong tot me door dat heel die smeulende papierrommel afkomstig moest zijn uit de Universiteitsbibliotheek in de oude Hallen en dat ik er toevallig getuige van was hoe in die vuurzee in de verte een ongekende schat aan eeuwenoude boeken en kunstvoorwerpen in rook opging.'

'En bent u ook in de stad geweest?'

'De hele middag zwierf ik door troosteloze, half in puin geschoten straten rond het centrum, op zoek naar informatie, en bij een bejaarde vrouw en haar kleindochter kon ik op de zwaar gehavende zolder overnachten. Toen ik de volgende dag met een paar collega-journalisten de desolate en inmiddels grotendeels uitgebrande binnenstad in ging, scheen de zon over de smeulende ruïnes en floten de vogels. Dat heeft me van alles misschien wel het meest geschokt. De doodse stilte tussen al die ingestorte en geblakerde huizen en de volstrekte onaangedaanheid van de natuur bij alle verwoestingen en ellende.' Hij kijkt weer naar de meisjes, probeert geruststellend naar ze te lachen, maar lijkt eerder op het punt te staan in tranen uit te barsten. 'De rest hebt u in de kranten kunnen lezen.'

De rest – weet Diepenbrock – dat zijn de inderhaast gedolven graven langs de wegen, de rottende paardenkadavers

en ontbindende lijken in de straten, de schroeiende schoen-
zolen bij het klimmen over nasmeulend puin, de radeloos-
heid van de op de vlucht gejaagde vrouwen en kinderen,
de paniekverhalen over grootscheepse executies en de koe-
le hooghartigheid waarmee de Duitsers spraken over al het
door hen aangerichte onheil.

'Uit alles wat u vertelt blijkt zonneklaar, dat de moffen het
Belgische volk met méér dan onbeschrijflijk leed alleen willen straffen.'

'Hoe bedoelt u?' vraagt Vermeulen. Hij neemt een slok
thee en brandt bijna zijn lippen.

'Waarom worden prachtige stadjes als Visé en Leuven met
de grond gelijk gemaakt terwijl ze al gevallen waren en er
geen enkele strategische reden voor was? Waarom worden
er systematisch kerken en religieuze kunstwerken vernietigd
en katholieke geestelijken vermoord? De culturele eigenheid
van België willen ze vernietigen, het katholieke verleden, de
ziel van het land! Dat is barbaars en de grootste vernedering
die een soeverein, neutraal volk kan worden aangedaan. Ik
heb het al eerder gezegd en ik zal het blijven zeggen: het huidige Duitsland is een bedreiging voor de Europese beschaving. Een beschaafd land respecteert de vrijheid van anderen.
Het oude Duitsland van voor 1870 had die beschaving, maar
het huidige meent iedereen het zwijgen op te moeten leggen met brandstichting, plundering, moord en 42-centime-
ter kanonnen!'

Elsa zet haar kopje iets te hard neer en kijkt hem even aan.
Ze is het geheel met hem eens en net zo nieuwsgierig als hij
om Vermeulens verhalen te horen, maar nu vindt ze dat hij
ten overstaan van de meisjes zijn woede niet zo de vrije loop
moet laten. Toch kan hij het niet laten Vermeulen verder te
vragen naar zijn ervaringen.

'Is Leuven werkelijk vernietigd omdat de zoon van de
burgemeester vanuit de Hallen op een Duitse generaal geschoten heeft, zoals de Duitse kranten beweren?'

Vermeulen snuift ironisch. 'De burgemeester van Leuven
heeft niet eens een zoon.'

'Hoe verklaart u deze schanddaad dan? Afschrikkingstactiek? En wat zal dan de volgende stad zijn die in vlammen opgaat? Brussel?' Hij klinkt schril.

Vermeulen zwijgt ongemakkelijk.

'Ik heb vrienden in Brussel, net als in Luik en Leuven!'

Joanna schrikt. Zo geëmotioneerd ziet ze haar vader niet vaak.

'Is pappie bang om Jo?'

'Ja lieverd,' zegt Elsa. En tegen Vermeulen: 'Een goede vriendin van mijn man woont met haar gezin in Ukkel.'

'Brussel hebben ze zonder slag of stoot in kunnen nemen,' zegt Vermeulen. 'Dat heeft de afschrikkingstactiek in Luik en Leuven al opgeleverd voor de Duitsers. Iedereen weet nu wie ze tegenover zich hebben. Daar hoeven ze Brussel niet ook nog voor plat te branden.'

'Ik zag dat u weer concerten bespreekt,' zegt Elsa.

'Het muziekseizoen is begonnen.' Vermeulen plukt weer in zijn baard. Met die begroeide wangen lijkt hij ineens veel ouder dan 25. 'De krant wil dat ik weer ga recenseren, hoe onvoorstelbaar dat nu ook lijkt.'

'Mag ik daaruit opmaken dat u niet meer teruggaat naar België?' vraagt Elsa. Ze geeft Thea de schaal koekjes om ermee rond te gaan.

Vermeulen lijkt zich wat te ontspannen en neemt een slok thee. 'Na Leuven was ik murw door alles wat ik gezien heb. Ik voelde me terneergeslagen en apathisch. Wat dat betreft kwamen mijn muzikale verplichtingen goed uit. Al stemt het Nederlandse concertleven me ook niet vrolijk. In het Concertgebouw doet iedereen of er niets aan de hand is in Europa. Er wordt gewoon gespeeld en gehuldigd, hoogstens is er wat minder publiek dan normaal, wat over een paar weken ook wel weer bij zal trekken. Terwijl alle muziek, zeker de Duitse, in een ander licht is komen te staan. Hoe zou je op dit moment 'objectief' of 'neutraal' kunnen luisteren? Is het niet ongepast en vals zich nu door Mahlers *Kindertotenlieder* of *Das Lied von der Erde* te laten ontroeren? Maar in het Concertgebouw lijkt niemand gekweld te worden door dit soort dilemma's. Daar voerde Mengelberg afgelopen donderdag met veel pathos Richard Strauss' *Tod und Verklärung* uit en werd toegejuicht als een held. Nou, van die "Verklärung" heb ik weinig gemerkt in België.' Hij pakt een biscuitje van de schaal die Thea hem voorhoudt.

'Mengelberg is een Duitser in hart en nieren en een naïeve ezel! Ik kan dat weten, ik ben al jaren met hem bevriend. En wat het publiek betreft: allemaal koeienadoratie, mijnheer Vermeulen.'

Elsa roept Koosje om de theetafel af te ruimen. 'Willen jullie dit gesprek niet in jouw werkkamer voortzetten Fons?' Ze knikt naar de meisjes. Die zijn dol op 'ome Willempie' vanwege de jaarlijkse sinterklaaspakketten en zijn joviale grapjes. 'Of gaan jullie nog een wandeling maken?'

'Las u dat stuk in het *Handelsblad* over Mengelbergs terugreis vanuit zijn Zwitserse vakantiehuis?' vraagt Vermeulen als ze even later de hei oplopen.

'Jazeker,' zegt Diepenbrock. Een potsierlijk vraaggesprek had hij het gevonden, waarin Mengelberg als 'de gevierde Hollandse dirigent' alle ruimte kreeg uit te weiden over de omslachtige en ongemakkelijke treinreis die hij moest maken om weer op tijd op zijn post te zijn en het Amsterdamse publiek te kunnen bedienen met het eerste Abonnementsconcert. Over het 'uitgestorven' Zwitserland en chaotisch gemobiliseerde Nederland had hij weinig positiefs te melden, maar over het goed georganiseerde, van activiteiten gonzende Duitsland vertelde hij vol enthousiasme, ondanks de uren vertraging die hij er opliep door de eindeloze treinen met artillerietroepen en kanonnen op weg naar het front. Zelfs de concerten werden goed bezocht in Duitsland, wist hij uit 'betrouwbare bronnen' te melden, terwijl het land grote offers voor de oorlog moet brengen, en vele moedige orkestleden hun vaderland zijn gaan dienen. Impliciet riep hij daarmee het Amsterdamse publiek op een voorbeeld te nemen aan de Duitsers en juist in deze moeilijke tijden naar het Concertgebouw te komen 'voor henzelf, de musici en het land'.

'Mijn mond viel open toen ik het las,' zegt Vermeulen. 'De Duitsers hebben net Leuven met de grond gelijk gemaakt, Antwerpen wordt met zeppelins bestookt, elke dag eist duizenden slachtoffers. En het enige wat Mengelberg doet is een lofzang houden op het kranige Duitse volk en klagen dat hij veel langer in de trein heeft moeten zitten dan hij gewend is. Maar dat heeft hij uiteraard graag over voor "de geestelijk hoogstaanden" in Nederland, "die de emoties van de oorlog diep voelen" en daardoor behoefte hebben aan de "andere emoties" die hij ze met het orkest kan geven. Hoe durft iemand zoiets zelfs maar te denken? En dan die brutaliteit waarmee hij ook nog eens heldhaftig aankondigt zijn engagementen in Frankfurt, München en Wenen gewoon door te laten gaan! Ach ja, waarom zou hij niet in Duitsland en Oostenrijk dirigeren? Wat heeft muziek met politiek te maken? En hij is immers neutraal! Daardoor hoeft hij ook zijn programmering niet aan te passen. En het neutrale Nederlandse publiek slikt het allemaal. Sterker nog, ze beschouwen hem als een held. Onze dappere Mengelberg die zoveel over heeft voor de geestelijk hoogstaanden! Verbijsterend vind ik dat, en dat zal ik niet ongezegd laten! Ik heb in België dingen gezien, die ik nooit aan iemand zal kunnen vertellen. Dingen die mijn kijk op de wereld en op de muziek voorgoed veranderd hebben en me nog bijna elke nacht uit de slaap houden. Dingen die uiteindelijk allemaal door de Duitsers veroorzaakt zijn. Daarom snap ik niet hoe iemand op dit moment neutraal kan zijn. Het enige dat nu zou moeten klinken, is een luid protest tegen de misdaden die Duitsland in België pleegt!' Hij staart over de hei, in de richting van de prehistorische grafheuvels die daar als vage glooiingen liggen.

'U wist toch wel hoe Duits-georiënteerd Nederland is?'

zegt Diepenbrock. 'En zeker het geestelijk hoogstaande Amsterdamse Concertgebouwpubliek? Bij Mengelberg is het nog betrekkelijk onschuldig: zijn moeder was Duitse, en hoezeer hij ook beweert neutraal te zijn en de muziek volledig los te zien van politiek, zijn Duitse achtergrond raakt hij nooit kwijt. Maar bij de rest van Nederland zit er iets veel verwerpelijkers achter. Stel je voor dat onze lucratieve betrekkingen met Duitsland eens in gevaar zouden komen! Daarom wil men geen woord van afkeuring over de Duitse gruweldaden horen. Het is oorlog en waar gehakt wordt vallen spaanders, redeneert men. Als er twee vechten hebben er twee schuld. Laat Nederland zich daar in godsnaam buiten houden. En zo worden alle Duitse misdaden onder een laffe neutraliteit verdoezeld. Ja, mijnheer Vermeulen, kleingeestig en laagbijdegronds eigenbelang, meer is het niet, heel die vermaledijde Nederlandse neutraliteit!'

Ze lopen een tijdje langs de bosrand. Aan de horizon in de verte doemt de toren van de Hilversumse Sint Vitus op: een scherp afgetekend silhouet tegen de lichte lucht, die ongemerkt helemaal dichtgetrokken is. Het begint zelfs te miezeren.

'Ik hoorde dat u een stuk voor *De groene Amsterdammer* gaat schrijven over de verwoesting van Leuven,' zegt Vermeulen.

'Wiessing heeft een paar wetenschappers en kunstenaars gevraagd om een reactie.'

'En de uwe zal niet neutraal zijn, neem ik aan.'

Ze staan even stil, slaan dan een zandspoor in dat vanaf de bosrand recht over de hei leidt.

'Sterker nog, ik heb Wiessing gewaarschuwd dat mijn stuk hem wel eens flinke problemen met de overheid zal kunnen opleveren. Ik ga er namelijk geen doekjes om winden dat "der grosse und gerechten Kulturmission", zoals ze deze vervloekte veroverings- en godsdiensoorlog in Berlijn noemen, maakt dat ik mij schaam mijn kinderen een Duitse achternaam bezorgd te hebben.'

'Daar zult u zich in het Concertgebouw niet populair mee maken.'

'In het Concertgebouw zal men mij voorlopig niet zien.'

Deel III

1916

24

Marsyas

Een kolossale vrouw met een hoed vol hoog opwolkende struisvogelveren komt door de lege stoelenrij als een locomotief op Vermeulen af. Ze groet hem kort voor ze omstandig aanstalten maakt naast hem plaats te nemen: een draaibeweging die vanwege de ruimtelijke beperkingen van een frontbalkonplaats haar gehele aandacht opeist. Haar echtgenoot, een kleine tanige loketbeambte met borstelsnor en ver uiteenstaande ogen, neemt hem uitvoerig op en knikt dan afgemeten. Als de vrouw na veel gepuf en gerangeer ten slotte haar eindpositie bereikt heeft, fluistert hij tegen haar: 'Je zit naast *De Telegraaf.*' Ze werpt een moeilijk te duiden zijwaartse blik op Vermeulen, die hij met een vriendelijk glimlachje beantwoordt. Dan diept ze een programmaboekje uit haar handtas op en begint dat hardop te bestuderen.

'De *Marsyas-suite.* I. Voorspel: het ontwaken van Marsyas in de lente. II. Entr'acte: Zwerftochten door het woud. III. Marsyas en de nimfen... *Marsyas,* ging dat niet ooit onder Royaards in het Paleis voor Volksvlijt?'

Haar man knikt. 'Maar dit is een bewerking voor de concertzaal. Net als die Gijsbrecht-muziek na de pauze. En de componist dirigeert vanmiddag zelf.'

Alsof Royaards ooit ook maar één noot gedirigeerd zou hebben.

De vrouw leest de rest van het programma voor en begint dan aan de toelichtingen. Ze puilt zo ver over de tussenleuning heen, dat Vermeulen er zijn arm niet op kan leggen en zelfs niet achterover kan zitten zonder lijfelijk met haar in contact te komen. Daarbij wasemt ze een geur uit van eau de cologne, opgedroogd zweet en etensluchtjes.

Hij leunt voorover met zijn onderarmen op de balustrade. Beneden begint de zaal al goed vol te lopen.

Hoe vaak heeft Petrus hier niet naast hem gezeten, op de plek waar nu die immense vrouw zit? In het halfjaar dat ze inmiddels geen contact meer hebben, heeft hij hem nauwelijks gemist. En nu denkt hij ineens met weemoed aan hem – omdat hij hem zo graag de *Marsyas* had willen laten horen. 'Dat ik hier nog eens zou komen.' Hij hoort het hem weer zeggen, die eerste gelukzalige keer. En: 'Je maakt jezelf onmogelijk Thijs!' bij die Wilhelmusvertoning na Diepenbrocks *Te Deum*. Ja, tegenover Petrus heeft hij zichzelf inderdaad onmogelijk gemaakt. Maar daar wil hij nu niet aan denken.

Beneden in de zaal en op het podium zwelt het vertrouwde rumoer aan van beschaafd pratende concertgangers en stemmende of loopjes oefenende instrumentalisten. De eerste violist speelt de openingsmaten van de grote solo in de zomernachtscène in hoog tempo door; uit de fluitsectie klinkt vier, vijf keer het verliefde thema van Marsyas die door het lentewoud zwerft.

Boven verwachting vol is het, terwijl het nog minstens vijf minuten duurt voor het concert begint. Heel hoogwaardigheidsbekledend Amsterdam is op zijn paasbest uitgerukt, en zit omgekeerd in zijn stoelen geanimeerd te converseren. Goed om te merken dat Diepenbrock na twee jaar afwezigheid nog zoveel belangstelling trekt, zeker na zijn openlijke, fel anti-Duitse stellingname aan het begin van de oorlog.

'Kijk daar heb je Mengelberg!' zegt de vrouw naast hem met confetti en serpentines in haar stem, en dringt hem met een onverhoedse, voor haar man bedoelde wijsbeweging verder in de verdediging.

Door de rechterzijingang voor het podium betreedt de grote Willem inderdaad de zaal als toehoorder en schrijdt,

om zich heen groetend als een bisschop onder een balda-
kijn, mee in de stroom binnenkomende concertbezoekers
door het middenpad. Die zelfingenomenheid heeft hij de afgelopen tijd flink te horen gekregen in *De Telegraaf*, net als
zijn heersersmentaliteit als orkestleider, zijn geldzucht, zijn
ijdelheid en egocentrisme, en vooral zijn aanhoudende, on-
beschaamd Duitse programma- en solistenkeuze. Wagners
Kaisermarsch zou hij uitgevoerd hebben, als het Concertgebouwbestuur dat niet vanwege het iets te 'neutrale' van dat
stuk verijdeld had. En toch verdient hij vaak ook de hoogste
lof. Ondanks alles blijft Mengelberg een geniaal dirigent, en
juist dat genie in hem moet nu meer dan ooit onder alle zelfingenomenheid vandaan geprezen worden.

Nog altijd knikkend en groetend waadt de maestro door
zijn stoelenrij naar zijn plaats – onophoudelijk voor en achter zijn echtgenote langs handen drukkend van bekenden
die even voor hem opstaan. Alsof de hele zaal hem persoonlijk wil gelukwensen met zijn aanwezigheid. Want dat het
een forse zelfoverwinning moet zijn voor Mengelberg om
hier vanmiddag acte de présence te geven, daar is iedereen wel van doordrongen. Na Diepenbrocks furieuze artikel over Leuven in *De groene Amsterdammer* heeft Mengel
berg niets meer van hem uitgevoerd, op één reprise van *Die
Nacht* na, die al geprogrammeerd stond vóór het uitbreken
van de oorlog. Ook persoonlijk schijnen de heren elkaar te
mijden. Slechts tot een afgemeten groet omhoog naar mevrouw Diepenbrock, die op haar vaste plaats op het linkerzijbalkon zit, verwaardigt hij zich.

Aan Mengelberg is het dan ook niet te danken dat Diepenbrock hier vanmiddag voor het eerst sinds twee jaar weer
voor het orkest zal staan. Dat is geheel op rekening te schrijven van het Concertgebouwbestuur, dat hem eindelijk weer
naar de Van Baerlestraat heeft weten te lokken met het voorstel een geheel aan eigen werk gewijd programma samen te
stellen. Bijna was dat nog fout gegaan, omdat Diepenbrock
erop gestaan had naast eigen composities ook Debussy's *Ber-*

ceuse Héroïque op het programma te zetten. Iets wat het bestuur vanwege de daarin geciteerde *Brabançonne* op dezelfde gronden als Mengelbergs *Kaisermarsch* op het laatste moment had moeten verbieden.

Een typische Diepenbrock-actie was dat: via de achterdeur het Belgische volkslied het podium op smokkelen. Sympathiek, maar zinloos. Want wat zou hij ermee bereikt hebben? Hoogstens wat verontwaardiging onder het pro-Duitse deel van het Concertgebouwpubliek, en wat instemmend geknik bij een ander deel. En iedereen zou nog eens gewezen zijn op wat iedereen al lang weet: dat dr. Diepenbrock onversaagd aan de kant van de *Entente* staat. Chapeau! En over tot de orde van de dag.

Met die paar woedende krantenstukken en soldatenliederen die hij sinds het begin van de oorlog schreef, was het niet anders gegaan. Messcherpe artikelen, en strijdbare liederen, daar niet van. Maar wat had het uiteindelijk opgeleverd? Hij had zijn onvoorwaardelijke steun aan de Belgen en Fransen nog eens glashelder gemaakt, wat hem een paar vriendschappen gekost had en een boycot van zijn muziek bij sommige uitvoerders. En dat was het. Een tragische, geïsoleerde figuur dreigde hij te worden, in zijn machteloze felheid. En dáár heeft hij zich niet tegen verzet – na die paar erupties viel hij in het openbaar stil. Nieuw werk heeft hij – afgezien van die twee martiale liederen – niet meer gemaakt. Een man met zo'n talent en zo'n rijkdom aan onbenutte mogelijkheden! Het is alsof hij zich, na een paar keer vergeefs gebruld te hebben, hooghartig van de oprukkende wereld heeft afgewend en teruggetrokken in zijn bastion van schoonheid en geïdealiseerd verleden, om daar verongelijkt af te wachten tot de wereld weer wordt zoals ze ooit was. Wat ze natuurlijk nooit meer wordt. Zijn weidse uitzicht over de polder van Nieuwer Amstel bestaat niet meer. De De Lairessestraat wordt niet meer afgebroken. De incunabelen van Leuven zijn voor altijd verloren.

Daarom is het goed dat het Concertgebouwbestuur hem

vanmiddag weer eens de kans geeft zijn muziek te dirigeren en dat hij die kans gegrepen heeft. Wellicht helpt het hem zijn verontwaardiging en neerslachtigheid te overwinnen. Zijn muziek is nog altijd meesterlijk en van het grootste belang. Zijn muziek zal hem hopelijk nieuwe moed en kracht geven om zichzelf tot de orde te roepen en te doen wat hem nu meer dan ooit te doen staat: zijn eigen kunstenaarsdromen serieus te nemen en om te zetten in een op de toekomst gerichte daadkracht.

De zaalwachters sluiten de hoge, gecapitonneerde deuren, het geroezemoes in de zaal neemt langzaam af. Orkestleden leggen hun instrumenten in hun schoot en nemen een afwachtende houding aan. En dan verschijnt Diepenbrock rechts naast het orgel en begint aan zijn lange afdaling naar de directielessenaar.

'Het gaat beginnen,' deelt de dikke vrouw aan haar echtgenoot mee. 'Dus dat is nou Alphons Diepenbrock.'

Applaus, harder dan anders lijkt het. Orkestleden tikken met hun strijkstokken op de lessenaars, nu al. Alsof iedereen Diepenbrock bij voorbaat dankt dat hij vanavond uit zijn muzikale lethargie is opgestaan en hem wil aanmoedigen zich krachtig te hernemen.

'Wat een breekbare, fijnbesnaarde man,' zegt de vrouw.

Onwillekeurig kijkt Vermeulen even naar Mengelberg en zijn echtgenote om te zien hoe die op Diepenbrocks verschijning reageren: nauwelijks. En als hij zijn blik even naar het linker zijbalkon laat gaan, kijkt mevrouw Diepenbrock precies op hetzelfde moment naar hem. Ze begint te lachen, op dezelfde manier als waarna hij haar een keer tegen haar dochters hoorde zeggen: wat is pappie toch onhandig jongens. Hij lacht terug.

Sinds hij in België was, is er langzaam een verstandhouding tussen hen gegroeid, een soort bondgenootschap, iets waar zij het initiatief in heeft genomen. Alsof zij de enige intimi van Alphons Diepenbrock zijn; de enigen die deze moeilijke en overgevoelige man in zijn grootheid kennen, maar ook in zijn kleine, minder verheven en zelfs onmogelijke momenten.

Waar die verstandhouding uit voortkomt, is moeilijk te zeggen. Jarenlang deed ze tegen hem zoals ze waarschijnlijk ook tegen Diepenbrocks leerlingen deed: als de vrouw van een belangrijk man, voorkomend en afstandelijk. Al merkte hij af en toe wel dat ze goed op de hoogte was van zijn omstandigheden en journalistieke vorderingen. Maar na zijn aanvaring met Diepenbrock over Nietzsche, na zijn eerste bezoek aan Laren, zijn cadeaus voor de meisjes, en na zijn Belgische expeditie, merkte hij dat ze hem steeds meer als een huisvriend begon te behandelen. Ze toonde zich een scherpzinnige lezer van zijn artikelen, werd minder formeel, alsof ze wilde dat hij haar onafhankelijk van haar man zou gaan zien, en maakte geruststellende grapjes als Diepenbrock weer eens nors deed. Ook leek ze te genieten van de manier waarop hij met haar dochters omging. Bij de paar bezoeken aan Laren die op het eerste gevolgd waren, vroeg ze hem soms te blijven eten, of ze nodigde hem in Amsterdam uit bij een van de kamermuzieksoirees in het zaaltje van de Handelsbank aan de Herengracht, waar Diepenbrock ten behoeve van de Belgische krijgsgevangenen of het Servische Rode Kruis als pianist aan meewerkte. Bij zo'n gelegenheid, toen ze het even over een van zijn recensies hadden, zei ze ineens: 'Onverschrokken en compromisloos moet een criticus zijn. Dat waardeer ik zo in u.' En vorig jaar, na zijn aanstelling als Hoofd Letteren en Kunst bij *De Telegraaf*, stuurde ze hem een hartelijk briefje. Ze begreep volkomen dat hij, na door Laudy en Wiessing in het vak te zijn ingewijd, zijn vleugels wilde uitslaan nu hem deze kans geboden werd bij zo'n belangrijke vooruitstrevende en anti-Duitse krant. En toen hij zich van zijn veel ruimer inkomen na al die zoldertjes en ver van het Concertgebouw gelegen pensionkamers een woning kon veroorloven in de Valeriusstraat, feliciteerde ze hem er schertsend mee dat hij nu eindelijk ook 'op stand' ging wonen in de Concertgebouwbuurt.

Ze lacht nog eens naar hem en richt haar ogen dan weer op haar echtgenoot die inmiddels halverwege zijn afdaling is.

Wat een verschil met Mengelberg, als die daar naar beneden trippelt! Diepenbrock weet het hartelijke en aanhoudende applaus op geen enkele manier in ontvangst te nemen. Hij kijkt strak naar de treden die hij nog te gaan heeft, en geen enkele keer de zaal in. Dit is meer de schuwheid van iemand die het liefst niet gezien zou worden, waarbij je ook nog eens je hart vasthoudt dat hij met zijn verzenuwde motoriek niet languit voorover van de treden zal storten. De wandelende tak, noemde Wiessing hem niet ooit zo?

Aangekomen bij de bok, drukt hij de concertmeester de hand, haalt diep adem, slaat zonder op of om te kijken de partituur open en heft de baton. De dikke vrouw gaat met veel kledinggeruis nog eens uitgebreid verzitten, waardoor er iets meer bewegingsvrijheid om haar heen ontstaat. En dan klinken de eerste geheimzinnig suizelende maten van de *Marsyas*: het schemerige woud dat uit een diepe winterslaap ontwaakt.

Vermeulen sluit zijn ogen en heel even is hij terug in de theaterzaal van het Paleis voor Volksvlijt. Zonder deze muziek zou hij zijn eigen symfonie nooit hebben kunnen maken, zou hij niet geworden zijn wie hij nu is. Alsof hij er zelf uit geboren is, zo voelt het.

Maar zo vervoerend en betoverend als het zes jaar geleden klonk, zo slap klinkt het nu. Wat een zwakke inzetten van de houtblazers. Wat een krachteloze spanningsbogen en matte kleuren in de strijkers. En het ligt niet aan het orkest. Diepenbrock zelf mist elke overtuigingskracht, moet herhaaldelijk in zijn partituur kijken – alsof hij elke toegang tot zijn eigen noten kwijt is, elk geloof in zijn eigen muziek verloren heeft. Nog altijd is hij lamgeslagen door zijn geschoktheid over de oorlog.

Zelf kent Vermeulen dat gevoel maar al te goed. Na de augustus- en septemberdagen van 1914 en zijn ervaringen bij Luik en Leuven, voelde hij zich maandenlang leeg en terneergeslagen. Niets leek er te bestaan dan de verschrikkingen in zijn hoofd en in de dagelijkse kranten, en de grauwe Hollandse dagen zonder enige schoonheid of hoop.

Tot hij de woorden las waarmee Debussy een van zijn beschouwingen afsloot: over de muziek, die de stilte breken moet die zal volgen op het knallen van de laatste granaten. Die paar simpele woorden schudden hem wakker uit zijn verdoving. Hij moest zich als kunstenaar in dienst stellen van de toekomst. Hij mocht niet onverschillig worden en zich afwenden; zijn idealen, de muziek en de Liefde in hem, niet laten overstemmen door het oorlogstumult. Nietzsches oorverdovende Grote Zwijgen dat hij die eerste oorlogsmaanden zo aan den lijve heeft ervaren, moet doorbroken en weersproken worden – niet alleen met een vurig strijdlied op een besloten soiree, maar met iets anders, iets groters, iets krachtigers ook dan een *Ave Maris Stella*-citaat. Die melodie behoort tot het verleden. Dwars tegen het kanongedaver en het geloei van de vlammen in, en zeker ook in de stilte van de vrede, zal een nieuwe schoonheid, een nieuwe lyriek van het heilige innerlijke Vuur op moeten klinken; een nieuwe nog te schrijven toekomstmuziek die de mensen tot in hun ziel raakt en kan behoeden voor de onverschilligheid, de verblinding, de ontworteling, zoals een *Te Deum* of een *Veni Creator Spiritus* dat vroeger deden. Meer dan ooit zal de muziek, de enige kunst waarin de diepte van het zijn, de oer-wil, het boventijdelijk ware soms even rechtstreeks te ervaren is, troost, verbondenheid en vooral hoop moeten bieden. Daar ligt nu de grote taak van iedere componist en dirigent, en in het bijzonder van de jeugd die deze rampspoed doormaakt en overleeft.

Daarom prijst hij de geniale musicus in Mengelberg waar hij kan en wijst hij de zelfgenoegzame maestro strenger dan ooit op zijn plichten tegenover de muziek. Daarom heeft hij zijn eigen symfonie alsnog met grote gedrevenheid voltooid. En daarom ook hoopte hij dat de schim die Diepenbrock zo langzamerhand geworden is vanmiddag krachtig uit zijn schemering tevoorschijn zou treden, inspirerend zoals hij dat vroeger was.

Maar wat een teleurstelling. Het klankenweefsel ontplooit zich zonder enige betovering of vervoerende kracht. Een en al matheid en neveligheid is het, geworstel met details. Moet je Diepenbrock zien stuntelen met zijn eigen nuances. Moet je die weifelende gebaren zien. Dit is dirigeren dat geen knopen door durft hakken, geen leiding durft te nemen. Zijn gezicht, dat tijdens het spelen aan zijn Erard zo van binnenuit kon stralen, vol passie en vuur, vol verheven kracht, lijkt leeg nu, een wazige vlek. Geen emotie is erop te zien. De schaduwen van zijn machteloze gebaren vallen eroverheen. Alsof hij in een toenemend duister staat te dirigeren, een schemering, en steeds vager wordt, zijn magere hoofd is al bijna verdwenen, een doodskop haast. Hoe heeft hij dit kunnen laten gebeuren? Zijn idealen zijn overschaduwd en hij heeft zich mee laten trekken de duisternis in – hij die als enige 'oudere' de jeugd zou kunnen leiden, die het Grote Zwijgen kan doorbreken, die in staat is het licht te openbaren, het heilige Vuur dat groter is dan het licht!

De dikke vrouw naast Vermeulen laat onafgebroken bewonderende geluidjes horen, zacht instemmend gezoem of een binnensmonds 'mooi' tijdens de verstilde passages in de muziek.

Maar hij moet opschrijven wat hier vanmiddag echt gebeurt en Diepenbrock tot de orde roepen. Hij moet zijn deceptie onder woorden brengen. Alleen, hoe kan hij dat in godsnaam doen?

Een oproep moet het zijn, een scherpe, persoonlijk tot Diepenbrock gerichte petitie, om hem aan te sporen zijn verantwoordelijkheid te nemen en niet langer de schim te spelen uit verlangen naar een verleden dat niet meer bestaat.

Want *hij* moet op grond van zijn meesterschap, zijn autoriteit, zijn verleden en zijn idealen een voorbeeld zijn voor de jeugd. *Hij* moet die jeugd uit het Duitse moeras van het gezapige Hollandse muziekwereldje leiden en vooruit helpen op de weg die naar een betere toekomst leidt.

Bij het slotapplaus wordt Diepenbrock minutenlang toegejuicht. Als hij zich van het orkest afwendt en bescheiden naar het publiek keert, worden hem twee kransen van het Concertgebouwbestuur omgehangen. 'Wat een geest, wat een verfijning!' verzucht de kolossale vrouw tegen haar man. En zo te horen is het hele publiek het met haar eens. Zelfs Mengelberg en zijn vrouw staan op uit hun stoelen (ze zouden moeilijk kunnen blijven zitten in deze ovatie) en ook mevrouw Diepenbrock klapt haar echtgenoot van harte toe. 'Onverschrokken en compromisloos moet de criticus zijn,' vond ze toch?

Wacht maar, tot ze morgen de krant open slaat.

25

Hij daagt je uit!

'Heb je Vermeulen gelezen?' Met *De Telegraaf* voor zich uit beent hij de salon in.

Elsa zit met de meisjes op de sofa te handwerken en geeft Joanna net haar borduurlap terug. 'Nee,' zegt ze. 'Wanneer zou ik dat gedaan moeten hebben?'

'"U huivert voor de daad. U geeft ons emoties en laat ze steriel, u geeft ons dromen, waaraan u zelf niet schijnt te geloven, hoop die u zelf niet durft te omhelzen en volgen. U bent een meester en speelt de schim." Also sprach Vermeulen!'

Het kan hem niet schelen dat hij bitter en gekrenkt klinkt. Als een bijtend zuur hebben deze woorden zich in hem gevreten, nog wekenlang zullen ze hem kwellen, weet hij nu al. Nog wekenlang zal hij ermee in innerlijk debat zijn en niet kunnen nalaten er tegen Elsa cynische, zelfverwerpende grappen over te maken. 'Ach, ik ben maar een schim, ik durf mijn hoop niet te omhelzen en volgen!'

Zijn dochters kijken verschrikt op van zijn heftigheid. Elsa geeft ze nog wat aanwijzingen voor hun werkjes en komt dan rustig naar hem toe. 'Laat eens kijken?'

Met een triomfantelijk gebaar overhandigt hij haar de krant – jij vindt die jongen toch altijd zo geweldig – en ze gaat ermee aan tafel zitten. 'Haal Koosje maar even, dan kan zij de meisjes verder helpen.'

Terwijl hij naar de keuken loopt, hoort hij Elsa zeggen: 'Vader is boos op mijnheer Vermeulen omdat die iets strengs tegen hem in de krant heeft geschreven.'

Hij gaat nog even naar het closet en blijft daar tot ruim nadat het dienstmeisje zijn dochters heeft meegenomen. Als hij weer binnenkomt zit Elsa nog steeds te lezen.

'Hoe durft hij, vind je niet?'

Ze reageert niet meteen.

'Een regelrechte vadermoord is het. Nou voel ik ook eens wat Dopper en Mengelberg al zo vaak over zich heen hebben gekregen.'

Elsa kijkt hem verwonderd aan. 'Wat doe je kleinzerig!' Ze staat op om de deur te sluiten zodat Koosje en de meisjes niet kunnen meeluisteren. De wandklok uit haar ouderlijk huis begint onheilspellend te slaan.

'Iemand die ik als een vriend beschouwde,' roept hij verontwaardigd, 'geeft mij onverwacht een dolksteek in de rug en dan noem jij mij kleinzerig?'

Elsa kijkt bijna meewarig. 'Een dolksteek in de rug? Hij valt je muziek toch niet aan? Zijn stuk is een oproep. Hij daagt je uit. Wees blij dat je tenminste nog één vriend hebt die je zo de waarheid durft te zeggen!'

'De waarheid?' Hij moet zich inhouden om niet te gaan schreeuwen. 'Wat beweert dat hele stuk nou eigenlijk? Dat ik een genie ben dat geen school heeft gemaakt? Dat ik zonder weerklank zal blijven omdat ik niet voor mijn belangen en opvattingen opkom? Dat ik alweer bijna in de vergetelheid ben opgelost? Het publiek was anders enthousiast genoeg! Waarom zou een kunstenaar voor zichzelf op moeten komen? Zijn een *Missa*, een *Te Deum* of een *Marsyas* niet genoeg?'

Elsa schudt haar hoofd als over een hardleersheid van de kinderen. 'Je bent overstuur. Dat begrijp ik. Maar lees dat stuk nog eens goed als je gekalmeerd bent. Vermeulen vindt dat je je kracht en elan verloren hebt en wegzinkt in verbittering. Dat je met je rug naar de toekomst staat. Dat je opgeeft in plaats van het vaandel op te pakken en weer hoog te houden. Helemaal ongelijk kan ik hem daar niet in geven...'

'O bedoelt hij dát met huiveren voor de daad! Ik ben een

lafaard! En al die soirees dan voor de oorlogsslachtoffers waar ik belangeloos aan meewerk? Mijn liederen voor de Belgische soldaten? Zijn dat geen daden? Is dat de moed opgeven? Is dat niet opkomen voor mijn idealen?'

'Ja, maar je componeert geen grote werken meer. En je hebt je teruggetrokken uit de muziekwereld in plaats van je krachtig te roeren. Wat heeft het voor nut je dagelijks lam te laten slaan door alle verschrikkingen en verwoestingen waar je niets aan kunt doen en woedend te zijn om alles wat verloren ging? Wat heeft het voor nut om precies te willen begrijpen hoe het allemaal heeft kunnen gebeuren en wie er de grootste schuld aan heeft? De oorlog zal er niet door ophouden of minder gruwelijk van worden, de Duitsers zullen zich niet minder beestachtig gaan gedragen, wat verdwenen is komt er niet door terug. Je verliest je in iets zinloos en wordt daar somber van, terwijl je je eigenlijke roeping en verantwoordelijkheden verwaarloost.' Haar ogen dwalen even naar de spiegel aan de schouw, waarin ze als twee kemphanen tegenover elkaar staan in hun mooie kamer. En plotseling klinkt ze scherp: 'Zoals je je van mij en ons huwelijk hebt afgewend vanwege je droom van iets onmogelijks, zo wend je je nu af van je talent en je idealen, in plaats van ze in te zetten voor de toekomst. Dat is wat Vermeulen je verwijt. Omdat hij op jou rekent als leidsman, en jij hem in de steek laat.'

'Ik begrijp niet waarom je ons huwelijk er weer bij moet halen,' zegt hij kortaf en begint voor de haard langs te ijsberen. 'En hoezo zou ik Vermeulen in de steek laten, als ik na twee jaar weer even mijn draai moet vinden op het podium? Jarenlang heb ik hem geholpen. Zonder mij zou hij nog op een armzalig zolderkamertje wonen en zich met de miserabelste baantjes in leven moeten houden. Zonder mij was hij nooit aan de *Groene* gekomen en was hij nu geen Hoofd Letteren en Kunst van *De Telegraaf*! Ik heb zelfs geld voor hem ingezameld zodat hij kon componeren!'

Elsa slaat de krant op tafel dicht en vouwt die zorgvuldig op. 'Heb je hem ooit laten weten wat je van zijn symfonie vindt?' Haar stem klinkt alsof ze hem onverwacht schaakmat heeft gezet.

'Wat heeft dat ermee te maken?'

'Alles. Die jongen adoreert jou. Door jou heeft hij die symfonie kunnen schrijven. Hij heeft je zijn werk voorgelegd, trillend van de zenuwen herinner ik me. En jij hebt er niet op gereageerd.'

'Beschouwt u dit als *mijn* Missa,' zei Vermeulen toen hij met Nieuwjaar 1915 zijn partituur in Laren kwam brengen. Alsof hij Mahler was die het over zijn Achtste had! 'Ach mein lieber Diepenbrock, nu heb ik u dan *mijn* mis kunnen laten horen...' Dat verhaal had hij Vermeulen zelf verteld.

Drie maanden lang lag de symfonie onaangeroerd op zijn bureau. Al bij het eerste doorbladeren zag hij vanalles wat hem niet beviel: te vol was het, te druk, er gebeurde te veel tegelijk; een caleidoscopische warboel van op zich interessante melodieën en de uiteenlopendste maatsoorten, geen hechte thematische eenheid, een onduidelijke, verglijdende tonaliteit in een gedeelte waar 'Nachtmuziek' boven stond – waar had hij die aanduiding eerder gezien? Kortom, een vermoeiend geheel vol beginnersfouten en onverwerkte invloeden leek het – waar hij zich met grote inspanning doorheen zou moeten worstelen als hij er werkelijk iets over wilde zeggen. Iets waartoe hij zich verplicht voelde, maar waartoe hij zich met geen mogelijkheid wist te zetten. Hij kon toch niet maat voor maat zijn bezwaren gaan optekenen! Steeds schuldiger ging hij zich voelen, en steeds meer ergernis kwam er in hem op als hij de partituur weer zag liggen. Tot Vermeulen na drie maanden eens voorzichtig informeerde naar zijn bevindingen en aangaf dat hij de symfonie graag aan Cornelis Dopper zou voorleggen omdat die aan het eind van het seizoen op repetities wel eens nieuw Nederlands werk doorspeelde in aanwezigheid van de componist. Tamelijk plompverloren gaf hij hem zijn muziek toen terug zonder er veel meer over te zeggen dan dat hij er niet aan toegekomen was.

In zijn verlegenheid met het hele geval maakte hij ook nog een niet al te gelukkig grapje over een kat die in zijn eigen staart bijt, vanwege het aan het eind van de symfonie plotseling weer opduikende openingsthema. Een beetje beduusd maar zonder aandringen op nader commentaar nam Vermeulen zijn werk weer in ontvangst. Hij was duidelijk teleurgesteld, maar leek het wel te begrijpen – hun gesprekken gingen op dat moment over niets anders dan de oorlog. En van die teleurstelling liet hij daarna nooit meer iets merken. Dopper had uitvoerig met hem over zijn partituur gesproken, vertelde hij later nog eens, en Dopper stond er niet afwijzend tegenover. Die goeiige, brave Dopper, na alles wat Vermeulen over hem in de krant geschreven had. Maar tot een doorspeelsessie was het niet gekomen, waarop Vermeulen de euvele moed had het werk ook nog aan Mengelberg voor te leggen. Daarna was de symfonie nooit meer ter sprake gekomen.

'Ik heb hem gezegd dat mijn hoofd niet stond naar het beoordelen van partituren,' zegt hij. 'Er woedt een oorlog in Europa.'

'Dat bedoel ik,' zegt Elsa. 'En dan verbaas jij je dat die jongen je eens flink de oren wast. Je hebt verwachtingen bij hem gewekt die je niet inlost. Zijn stuk is geen dolksteek, maar een schop onder je achterste. Met alle verschuldigde eerbied, zoals hij zegt. Zoiets doet alleen een vriend. Een vijand zou je rancuneus vernietigd hebben. Je zou hem dankbaar moeten zijn en zijn kritiek eens goed ter harte nemen!'

'Als je maar niet denkt dat hij er hier ooit nog inkomt.' Met een klap slaat hij de kamerdeur achter zich dicht.

26

Elisabeth

De transparante laklaag van de deur glanst op in de lage lente-zon, alsof er een fel wit licht door het hout heen brandt. Hoe vaak heb ik hier niet gestaan, denkt Vermeulen, hoe vaak ben ik niet achteloos door deze deur naar binnen gegaan en de trappen opgelopen. En nu sta ik hier weer alsof het de eerste keer is. Met bevende hand reikt hij naar de koperen belknop, voelt de kou ervan in zijn vingers doordringen en draalt nog even. Om er dan krachtig aan te trekken. De metalen klin-gel kaatst door het trappenhuis, en hij ziet voor zich hoe het klokje aan de veer in het trapportaal heen en weer geslingerd wordt en zijn onherroepelijke tonen het huis in werpt.

Anderhalve maand geleden is het dat zijn stuk in de krant stond, en anderhalve maand heeft hij gewacht op het ver-trouwde crèmekleurige kaartje waarmee Diepenbrock hem altijd uitnodigt om te komen praten. Maar er kwam geen kaartje. Was hij dit keer te ver gegaan en had hij nu definitief de vriendschap verspeeld? Dat zou hem bitter tegenvallen van de man die hij nog altijd als zijn mentor beschouwt.

Boven aan de trap klinken voetstappen en na een zwiep van het touw draait de deur uit het slot. 'Wie daar?' De stem van de dienstbode, vanaf de overloop. Hij roept zijn naam en begint met bonzend hart de treden te bestijgen. 'Mijnheer is niet thuis,' roept het meisje al als hij halverwege is. Ze kent hem goed en is duidelijk verrast dat hij onverwacht langs-komt. 'Misschien wilt u een bericht achterlaten?' Dagenlang heeft hij zich opgeladen voor een confrontatie met Diepen-brock en toch lucht dit onverwachte uitstel hem op.

'Zeg hem maar dat ik langs geweest ben.' Hij wil alweer de trap aflopen als de deur van de salon opengaat en het hoofd van mevrouw Diepenbrock om de hoek verschijnt.

'Mijnheer Vermeulen. Bent u het. Mijn man moest plotseling naar Utrecht, misschien is uw komst hem ontschoten?'

'We hadden niet afgesproken. Maar ik zou hem graag even spreken.'

'Dat zal dan even moeten wachten. Maar waarom komt u niet even verder? U bent hier nu toch.'

Hij doet nog een zwakke poging te ontkomen. 'Stoor ik niet?'

'Nee hoor. Dank je Koosje.'

Mevrouw Diepenbrock gaat hem voor, de stijlvol, maar sober ingerichte salon in die tevens dienst doet als eetkamer. In de vijfeneenhalf jaar dat hij hier nu over de vloer komt was hij nooit eerder in dit vertrek. Geen draperieën, koorden, kwasten of andere tierelantijnen. Een papyrusplant, oosterse kleden op de vloer en de tafel, een eenvoudige spiegel boven de zwartmarmeren schouw met kolenkachel. En een met elegant houtsnijwerk versierde Wolfframmpiano met kandelaars. Aan de wand een ouderwetse Brabantse klok en een lithografisch portret van Beethoven.

'Neemt u plaats.' Ze gebaart naar een van de rookstoelen in de hoek naast de kachel en overlegt in de deuropening nog even met de dienstbode over de thee en het uit school halen van de dochters. Daarna gaat ze tegenover hem op de gestreepte sofa met kussens zitten en glimlacht – beminnelijk, zou je haast zeggen, alsof ze alleen maar verheugd is hem weer eens te zien.

'Een kranig artikel was dat over mijn man,' begint ze. 'Heeft hij u er nooit iets op laten horen?' Aan omzeilende beleefdheden doet ze niet, dat is hem al eerder opgevallen.

Hij schudt zijn hoofd.

'Erg moedig van u dan, om hier vanmiddag langs te komen.' En onomwonden vertelt ze dat het stuk hard is aangekomen bij Diepenbrock. Maar wat Vermeulen verwachtte blijft uit. Geen verwijt of terechtwijzing, niks.

'Ik hoopte iets bij hem los te wrikken, hem uit...'

'Daar bent u uitstekend in geslaagd.' Ze klinkt bijna ongeduldig, alsof ze popelt andere onderwerpen aan te snijden. 'Gunt u hem gewoon wat tijd. Binnenkort gaat hij een paar weken alleen naar Laren om te werken. Daar knapt hij altijd enorm van op, zeker als juni zo mooi blijft als mei nu is. Mijn man was erg in beslag genomen de laatste weken. Bovendien weet hij diep in zijn hart dat u gelijk hebt. Hij zou niets liever willen dan meer daadkracht tonen, zich meer willen roeren in het zelfgenoegzame Nederlandse muziekwereldje.'

'Gaat hij componeren in Laren?'

'Dat hoop ik van harte.'

Langzaam gaan Vermeulens zenuwen liggen. Wat zit mevrouw Diepenbrock er souverein bij, met die kaarsrechte rug, die volle boezem, die lange slanke handen in haar schoot en dat prachtige hoge voorhoofd. En ze blijft maar vriendelijk naar hem kijken.

'Hoe staat het met uw symfonie?'

Zou ze weten dat Diepenbrock me mijn partituur onbeoordeeld heeft teruggegeven? denkt hij.

'Die ligt al een half jaar bij Mengelberg. Maar hij heeft beloofd er vóór de zomer naar te kijken.'

'Daagt u hem dan niet wat al te nadrukkelijk uit, door hem steeds zo terecht te wijzen in de krant?'

'Ik heb hem gevraagd mij als componist te beoordelen, niet als criticus.'

Ze lacht met een zweem van ironie en vertedering, als om een onredelijk, koppig kind. 'Mengelberg is er de man niet naar die zaken zo zuiver te scheiden, vrees ik. Maar je weet het nooit bij hem. Ik ben benieuwd wat hij u gaat zeggen.' En vervolgens informeert ze hoe zijn nieuwe functie aan *De Telegraaf* hem bevalt. 'Kunt u het een beetje vinden met Schröder? Wat een schandaal was dat, om die man met de feestdagen bij zijn kinderen weg te halen omdat hij weigert zijn mening voor zich te houden.' Ze doelt op de affaire van afgelopen winter toen de *Telegraaf*-hoofdredacteur de kerstvakantie in de cel door moest brengen omdat hij Duitsland en Oostenrijk-Hongarije in de krant 'een groep gewetenloze schurken' had genoemd en weigerde dat vanwege de Nederlandse neutraliteit terug te nemen.

'We liggen elkaar wel,' zegt hij.

Zijn opluchting begint over te gaan in een feestelijk gevoel, ondanks het nog verre van ongedwongen gesprek. Maar hij blijft op zijn hoede. Waarom ontvangt ze hem zo vriendelijk, alsof hij nooit een vernietigend stuk over haar man heeft geschreven?

'En bevalt het u ook in uw nieuwe woning?' vraagt ze. 'U woont daar inmiddels met uw hele familie, begreep ik?'

'Ja,' zegt hij en gaat even verzitten. 'Mijn broer kon vorig jaar een leraarsbetrekking krijgen in Amsterdam. En mijn vader wist de smederij niet meer draaiende houden. Met mijn ruime inkomen bij de krant en dat van mijn broer, leek dit ons een goede oplossing.'

'Geeft u dat geen triomfantelijk gevoel, dat u nu voor uw familie kunt zorgen, na hoe u hier ooit begonnen bent? Mathieu le Vainqueur?'

'Ach,' zegt hij.

Er wordt aan de deur geklopt en het dienstmeisje komt de kamer binnen met de thee en een schaaltje bonbons op een blad.

'In ieder geval krijgt u eindelijk goed te eten,' zegt mevrouw Diepenbrock.

Hij lacht. 'Ja, het koken kan ik met een gerust hart aan mijn moeder overlaten.'

Het meisje schenkt de kopjes vol en zet ze op het tafeltje tussen hen in.

'En die vriend van u? Hoe gaat het daarmee? Hoe heette hij ook weer?' Mevrouw Diepenbrock houdt hem het schaaltje bonbons voor.

Hij neemt er een en zit even met zijn mond vol zoetigheid. Dit is wel het laatste gesprek dat hij vanmiddag had gedacht te zullen voeren. 'Petrus is zijn eigen weg gegaan,' zegt hij. 'Vorig jaar is hij vertrokken. Al voor er sprake was van het Valeriusstraat-plan.'

Het dienstmeisje verlaat de kamer. Zijn afwerende ongemakkelijkheid is mevrouw Diepenbrock niet ontgaan. Maar misschien denkt ze dat het door de aanwezigheid van Koosje kwam, want nu vraagt ze: 'Het leek mij zo'n aardige jongen. Bent u gebrouilleerd geraakt?'

'Onze manier van leven verschilde te veel. Er ontstond steeds meer wrijving.'

Hij kan er nog steeds niet goed aan denken: het einde van zijn vriendschap met Petrus. Een van de weinige momenten in zijn leven die hij diep betreurt. Niet zozeer vanwege het aflopen van die vriendschap op zich, maar omdat hij zich zo heeft laten meeslepen door zijn drift.

Een beschamende vertoning was het. Na vier jaar viooles speelde Petrus inmiddels zo verdienstelijk dat hij zijn eigen kostje kon verdienen in allerlei amusementsorkestjes en zelf lessen aan kinderen gaf. Een van zijn pupillen was een meisje van zijn eigen leeftijd, dat hij ontmoet had in bioscoop Hollandia, waar hij middagvoorstellingen begeleidde en ook de meeste van zijn leerlingen ronselde. Hij had al een paar keer over haar verteld, met een verdachte terloopsheid en terughoudendheid, en op de bewuste avond zou hij haar weer les gaan geven. Hij was duidelijk zenuwachtig terwijl hij zijn viool in de kist stond op te poetsen. Die middag had hij een nieuw jak gekocht en dat had hij nu aan, zijn schoenen blonken en zijn blonde krullen waren platgekamd alsof hij voor de koningin moest optreden. Op de vraag of hij soms zo opgedoft was voor dat meisje, vertelde hij met een blos dat hij verliefd was, en toen werd ook duidelijk waarom hij na sommige lessen zo laat thuiskwam, soms pas aan het eind van de avond. Betalen hoefde het meisje niet voor het genoten onderwijs. Ze werkte als dienstertje bij een familie in de Vossiusstraat, en wat ze van haar loon niet thuis hoefde af te dragen liet Petrus haar liever opsparen voor haar uitzet, want zo ver waren ze al, dat ze spraken van verloven en trouwen en dan een eigen woninkje ergens in de Pijp. Trots en provocerend zei hij dat, en toen ineens ook: 'Verbied je mij soms verkering te hebben, Thijs? Je bent toch mijn vriend? Ik had verwacht dat je blij voor me zou zijn.'

Die trotse verontwaardiging van Petrus werkte als een rode lap op een stier. Met een ongekende heftigheid kwam al het ongenoegen boven dat er sinds het uitbreken van de oorlog tussen hen gegroeid was. Alles kreeg Petrus te horen. Zijn gebrek aan muzikale en intellectuele ambities, zijn eeuwige gescharrel op het Waterlooplein, dat eindeloze gedoe met die stinkvogels. Tortels, eksters, roeken, uiltjes – een hele volière hadden ze onderhand in huis. En waarom wilde hij steeds minder mee naar het Concertgebouw, en nooit eens iets horen over Gallipoli en de Dardanellen, of de loopgraven in Vlaanderen en Noord-Frankrijk, of zelfs maar over Leuven of Luik? 'Weet je wat jij bent?' riep hij. 'Een angstige, kleinburgerlijke sjacheraar. En meer zul je nooit worden ook!' Waarop Petrus verbeten antwoordde: 'We kunnen niet allemaal zo verheven en geniaal zijn als jij Thijs!'

Dat was de druppel. Ineens sloeg hij de juist nog zo mooi opgepoetste viool aan stukken op de tafelrand. Petrus rende half vallend de trappen af met zijn armen beschermend boven zijn hoofd tegen de woedende klappen en de hem nagesmeten vioolkist. Die godverdomde stinkvogels en de hele uitdragerij van tweedehands rotzooi moest hij maar op komen halen als er niemand thuis was, maar liefst wel zo snel mogelijk. En verder donderde hij maar op naar zijn brave vriendinnetje met haar uitzet in de Pijp.

'En ziet u elkaar nog?' vraagt mevrouw Diepenbrock met onverminderde belangstelling.

'Hij schijnt in het scheepsorkest van een mailboat naar de Oost te spelen. Ik heb hem al maanden niet gesproken.'

Koosje klopt nog eens aan de deur om iets vragen en verdwijnt weer om de meisjes uit school te gaan halen. En dan lijkt eindelijk tot mevrouw Diepenbrock doorgedrongen dat het onderwerp Petrus gevoelig ligt, want zonder overgang begint ze een komisch voorval te vertellen tussen Thea en de nonnen op het schooltje, waardoor de stemming ontspant en ze al gauw zitten te lachen. En voor hij het weet begint hij zelf een verhaal over de paters op zijn eigen lagere school in Helmond en het kattekwaad dat hij als kind met zijn broer uithaalde. Hij voelt weer wat hij al eerder voelde als hij haar even sprak: dat zij hem welbespraakt maakt doordat ze zijn formuleringen en grapjes zo waardeert. Het zal nu ook zijn opluchting wel zijn, maar hij kent verder niemand die zijn taal op zo'n aangename manier soepel maakt en vleugels geeft. En ook zij laat gaandeweg alle distantie varen en begint zelfs haar hart bij hem uit te storten. De kleine Joanna heeft een scheve ruggewervel waardoor ze krom dreigt te groeien. Er is kans dat dat niet meer goed komt als het kind geen speciale medische behandeling krijgt, maar dat is kostbaar, terwijl ze er financieel niet florissant voorstaan. En Diepenbrock denkt geen moment aan geld. Hij is nu al twee jaar geobsedeerd door de oorlog, besteedt bijna al zijn tijd aan de kranten en pamfletten en boeken over het pan-Germaanse gevaar, en komt nauwelijks tot werken. Ja, hij retoucheert af en toe een oude partituur, ontvangt nog wat leerlingen, en woont vergaderingen bij van anti-Duitse comité's. Het geld dat hij voor zijn vijftigste kreeg heeft hij voor een groot deel besteed om zijn twee oorlogsliederen te laten drukken en verspreiden. De *Berceuse Héroïque* van Debussy is hij zelf uit de pianoversie gaan orkestreren voor zijn concert in het Concertgebouw, omdat hij niet op tijd aan de orkestpartituur uit Parijs kon komen. Dagen heeft hij eraan gewerkt, zonder er een cent voor te ontvangen, en het is allemaal op dat veto van het Concertgebouwbestuur uitgelopen.

Kalm hoort Vermeulen haar aan en probeert af en toe iets relativerends te zeggen. 'Kan Mengelberg die Diepenbrock-Debussy-Berceuse binnenkort niet eens uitvoeren?'

Even schiet ze in de lach, maar dan is de bezorgde trek om haar mond er weer. 'En nu denkt hij erover deze zomer zijn *Missa* te herzien, terwijl het nog maar de vraag is of het nu dan werkelijk tot een uitvoering gaat komen.'

Hij veert verrast op. 'Zijn er plannen voor de *Missa*? Dat zou wel zeer verheugend nieuws zijn!'

'Mijn man is vanmiddag naar Utrecht om erover te praten.'

Het lijkt wel of dit nu een onderwerp is dat zíj het liefst zo snel mogelijk achter de rug wil hebben.

Door toedoen van de ruimdenkende en doortastende voorzitter van de Gregoriusvereniging, vertelt ze zakelijk, is er na vijfentwintig jaar ineens zicht op een *nihil obstat*, en nu zijn er plannen voor een liturgische uitvoering in de Utrechtse Catherina-kathedraal. Diepenbrock wil er deze zomer zoveel mogelijk bij betrokken zijn, want deze première zal, gezien de legendarische roep van het werk en zijn omstreden positie door de oorlog, zeker de nodige aandacht trekken.

'In de *Missa* heeft Diepenbrock van al zijn werken het meest bereikt waar het hem om te doen is,' zegt Vermeulen. 'Het zou geweldig zijn als dat juist in deze tijd tot klinken kan komen. Een verlaat geschenk aan de mensheid!'

'Ja,' zegt ze, een beetje vermoeid. 'Zeker. De *Missa* is zijn belangrijkste werk, en de kerkelijke goedkeuring en een geslaagde uitvoering ervan zou een mijlpaal in mijn mans loopbaan betekenen. Maar het gezin moet ook leven. Ik heb al eens voorgesteld mijn logopedie-praktijk weer op te vatten of een kamer te verhuren. Maar daar voelt hij allemaal niets voor.'

Als Vermeulen even later opstaat om te vertrekken, bedankt ze hem voor zijn begrip en opbeurende woorden.

En dan doet ze iets dat hem volledig overvalt, meer nog dan haar grootmoedige reactie op 'Aan een schaduw' en haar plotse openhartigheid: ze stelt voor elkaar in het vervolg te tutoyeren.

Twintig jaar ouder is ze. Een verlegen makende, prachtige vrouw. De echtgenote van zijn leermeester, die hem op dit moment niet eens wil spreken. Maar dat is niet de voornaamste reden voor zijn schroom. Diepenbrock en hij tutoyeren elkaar na bijna zes jaar nog altijd niet – hoe indringend hun gesprekken soms ook geweest zijn.

'Ach, Fons is erg conventioneel in die dingen,' wuift ze zijn bezwaren weg. Met een uitdagende blik steekt ze hem de hand toe. 'Elisabeth.'

'Matthijs.' Hij kan bijna niet geloven wat er gebeurt. Toen ze hem vanmiddag binnenvroeg, rekende hij op een schrobbering. En nu staan ze hier vriendschappelijk afscheid te nemen.

Terwijl hij zijn mantel aantrekt op de overloop, lacht ze naar hem op een manier die hem nog verder verwart. 'Praat maar niet met Fons over alles wat ik je verteld heb,' zegt ze.

'Als hij me nog wil spreken na mijn stuk.'

'Natuurlijk wel. Je valt zijn muziek toch niet aan? Je noemt hem zelfs een *meester*. En kleingeestig is hij zeker niet!'

Hij zet zijn kraag op en begint de trap af te lopen.

'Nou dag Matthijs. Tot snel weer hoop ik.'

Hij draait zich om en ziet haar in haar volle glorie boven aan de trap staan. 'Dag, Elisabeth.' Erg vanzelfsprekend klinkt het nog niet.

27

Een hemels jubelen

Afwachtend slaat Diepenbrock zijn armen over elkaar, en verplaatst zijn zwaartepunt van zijn linker- naar zijn rechterbeen. Hij staat in het middenpad, omringd door lege banken die naar boenwas ruiken. Achter in de kerk, op het balkon vóór het orgel, zet de koordirigent het *Sanctus* in. De man staat gevaarlijk dicht bij de balustrade, met zijn rug ernaartoe, en zou zo vijf of zes meter achterover de diepte in kunnen storten. Weifelend begint het orgel te spelen, de monden van de koorleden gaan open en dicht, als van vissen. Enkele van de zangers kijken glazig over hun partijen heen naar hem, de componist, ver beneden hen in de kerk. Van enige devotie, laat staan opgloeiende vervoering bij dit 'heilig, heilig, heilig' is nog weinig te horen. Eigenlijk zou er nu meteen al afgetikt moeten worden, voor betere instructies vooraf. Maar de dirigent wil het deel eerst in zijn geheel doornemen en dirigeert onverstoorbaar verder, zelfs als het ritme reddeloos uit de rails loopt.

De overgang naar 'Dominus Deus Sabaoth'.

Hier moet in het orgel even de vuurzuil opvlammen die het heiligste aankondigt en de ontsteldheid van het koor op 'Deus' voorbereidt. Maar het orgelspel blijft onzeker en vlak. Net als het koor: niks ontsteldheid over het zien van de godheid. En daar is de solist – zoals al eerder vanmiddag veel te uiterlijk en pathetisch. Een amateur-tenor die droomt van Wagnerrollen. 'Pleni...' loeit hij, alsof hij zijn verloofde zichzelf tijdens het borduren levensgevaarlijk in de vinger ziet prikken. 'Pleni sunt caeli...'

Hoe moet dit ooit een overtuigende uitvoering worden? Er lijkt geen beginnen aan, met deze dilettanten. De organist heeft moeite met de frasering. En het koor blijkt nog lang niet opgewassen tegen de lichte, zwevende stijl van deze mis. Palestrina kunnen ze aan, maar een Palestrina die door Bach en Wagner heen is gegaan, met alle ritmische subtiliteiten en harmonische bedwelmingen, lijkt boven hun mogelijkheden te liggen.

Hij keert zich maar weer om, gaat gelaten in een bank zitten om de muziek van achter uit de kerk over zich heen te laten komen, zoals het publiek dat tijdens de première ook zal doen. Als *hij* er al niet in slaagt zijn aandacht bij deze brij te houden, wat moet het publiek er in oktober dan wel niet van denken?

Kon hij maar ingrijpen! Kon hij de hele instudering maar zelf ter hand nemen. Maar er is zelfs al geen sprake meer van dat hij de première dirigeert, zoals de voorbereidingscommissie hem in eerste instantie vroeg. Blijkbaar is die iets te zelfverzekerde en ambitieuze jonge koordirigent niet bereid zich de grote gebeurtenis te laten ontnemen na de moeite van het instuderen. En het is toch niet te geloven dat de componist verzocht wordt niet bij de zangers te gaan zitten, maar beneden in de kerk! Met andere woorden: bemoeit u zich er vooral niet te veel mee. U hebt de noten geschreven, wij zorgen voor de interpretatie. Een mengeling van jeugdige trots, onhandigheid en onzekerheid zal het wel zijn. Maar ergerniswekkend is het wel. Nu moet hij straks weer zijn commentaar naar boven roepen. Want voor iets wat op een interpretatie lijkt zullen ze zijn aanwijzingen hard nodig hebben. In ieder geval moet hij proberen apart met de solist te repeteren, desnoods vraagt hij de man een paar keer op zijn kosten naar Laren te komen.

Hij is te dun gekleed en begint het koud te krijgen. Buiten is het een warme dag, maar in de kerk is het schemerig en koel. Een mooie, neogotisch geornamenteerde, niet al te grote ruimte is het, met een redelijke akoestiek, al klinkt alles zonder publiek nu erg hol en galmend. Geen Dom, laat staan een Sint Jan, waar hij zich deze muziek oorspronkelijk voor gedacht heeft. Hij staart naar de gewelven boven zich en ondanks de kou en alle fouten en stunteligheden van het koor brengt de muziek hem onherroepelijk terug in 's-Hertogenbosch, waar hij deze innige, verheven melodieën en harmonieën ruim vijfentwintig jaar geleden in een trance van inspiratie neerschreef.

Al zijn vakanties en schaarse vrije uren besteedde hij aan deze muziek. En hoewel hij het werk wel eens weken moest onderbreken wanneer moeilijkheden op school of zijn discussies met Elsa over het geloof en hun toekomst hem te veel uit het lood sloegen – toch lijkt het achteraf of hij deze mis *aus einem Guss* geschreven heeft. Dwars door het geboom van zijn Amsterdamse logés die het Bossche 'nachtleven' wilden zien, en dwars door het gekrijs van de afstotelijkste meiden in de café-chantants op de kermis onder zijn ramen, hield zijn vervoering aan en bleven de melodieën in hem oplaaien. Nooit heeft hij later meer met zo'n gevoel van noodzaak en overgave aan iets geschreven. Hij hoefde maar achter zijn Erard voor het raam te gaan zitten, uit te kijken over het gescharrel op de Grote Markt, en de muziek stroomde op papier. Als een hemels jubelen, een extatisch bidden hoorde hij het in zich. Als een uitspansel van zingende lijnen, een verklanking van alles wat hij als kind in de kerk ervaren heeft, van de alomvattende Liefde ook die de harten van de toehoorders zou verheffen en veredelen, ze tot liefdevollere, grootmoediger mensen zou maken, tot een gemeenschap met geloof in de toekomst, waarop de vernietigende krachten van het materialisme en de leegte, de zinloosheid en de kleingeestigheid geen vat meer hadden. Jaja, zo bevlogen en naïef was hij toen nog, zo vervuld van het geloof waarin hij is opgegroeid en van het Beethovense ideaal. *Alle Menschen werden Brüder!* Dat was zijn oude Droom waar Vermeulen het over heeft, de Droom die definitief is weggevaagd en waarvoor hij niets meer in de plaats weet te stellen, nu de barbaren hemel en aarde in lichterlaaie hebben gezet, en alle hoop en geloof in de toekomst liggen weg te rotten in de loopgraven.

Het 'Hosanna' zet in. Veel te theatraal en massief.
 Lichter moet het! Lichter en inniger! Dat is het eerste waar ze aan moeten werken.

Wonderlijk om te bedenken dat hij zich nu – in deze rampzalige oorlogstijd en na die ellendige kritiek van Vermeulen – weer net zo voelt als toen hij deze muziek schreef in Den Bosch: een wereldvreemde estheet met verheven idealen, die volledig buiten de werkelijkheid staat waarin hij verzeild is geraakt. Alleen maakte dat gevoel hem vijfentwintig jaar geleden niet somber en gedeprimeerd, integendeel. Als hij terugdenkt aan die tijd, komt er nog altijd iets in hem boven dat je wel geluk zou mogen noemen, een gevoel van begenadiging, een niet aflatende innerlijke geestdrift. Iets wat Elsa aan hem gezien moet hebben toen hij haar dit *Sanctus* voorspeelde op die prachtige Bechstein in de salon van haar ouderlijk huis, en haar vol vuur vertelde over zijn muzikale bedoelingen. Het was ook de reden waarom ze hem had willen 'redden' uit dat moeras van kleinburgerlijkheid. O wat was hij toen een bevlogen jongmens! Achtentwintig jaar, net zo oud als Vermeulen nu. Alsof hij door een vreemde macht bestuurd werd, zo voelde hij zich toen hij zijn mis schreef, als iemand met een roeping, een missie tegenover de verloederde wereld.

Veel te luid en log komt het *Sanctus* tot een eind. Hij staat op en keert zich naar het koor en de dirigent, die zich juist ook omdraait en verwachtingsvol naar beneden kijkt. Zo zelfverzekerd is die jongeman blijkbaar ook weer niet.
 'Zou ik even iets mogen opmerken,' roept hij naar boven.
 'Ga uw gang,' roept de dirigent terug.
 'Het slot was in de richting, maar vooral aan het begin moet nog hard gewerkt worden!'

'Dat wilden we nu gaan doen,' zegt de dirigent.

Wat is het toch afschuwelijk dat hij niet gewoon kan praten. Hij zet zijn handen aan zijn mond. 'Openbaring en innerlijke verrukking, dat moet de grondstemming zijn in dit deel!' Hij loopt naar het midden van het gangpad. 'En tegen de solist moet ik helaas opnieuw zeggen...' – de man komt naar voren aan de balustrade – '... u blijft met te veel pathos zingen. Dat vertroebelt de serene sfeer.'

De zanger kijkt als een scholier die een standje krijgt.

'U moet zich voorstellen dat u een ziener bent die de volheid van hemel en aarde aanschouwt op "Pleni sunt". Het koor is dan een volksmenigte aan uw voeten die door uw profetische woorden ook gaat zien en langzaam uw extase overneemt. Wat dan uitmondt in de hoogste algehele geestdrift op "Hosanna".' Hij moet even hoesten van het harde roepen.

'Geldt dat straks ook weer in het *Benedictus*?' vraagt de dirigent. Op zich geen onintelligente vraag.

'Nee, dáár moet het "hosanna" juist uitbundiger en aardser klinken, als van de mensenmenigte die op Palmzondag Jezus met palmtakken welkom heette in Jeruzalem.'

Hij schudt zijn armen even los en zet zijn handen weer aan zijn mond: 'Het *Sanctus* is extatisch en ingekeerd tegelijk vanwege de openbaring van Gods glorie in de hemelen en op aarde. Het *Benedictus* heeft een feestelijker, aardser lentesfeer, waarin een menigte door de intredende Liefde in jubelende vervoering raakt. Die lente-intocht heb ik bedoeld als een symbool voor een nog te verwezenlijken ideaaltoestand op aarde. U moet begrijpen, ik was nog jong toen ik dit schreef. Deze mis is een jeugdwerk.'

De koordirigent bedankt voor het 'instructieve en verhelderende commentaar' en praat even met de solist.

Ineens verlangt Diepenbrock intens naar een gesprek met Vermeulen. Talloze keren heeft hij het met hem over deze zaken gehad. Vermeulen begrijpt deze muziek als geen ander. Weliswaar lijkt hij sinds hij in België was geen heil meer te verwachten van de Roomse kerk en de oude traditie en zoekt hij een *nieuwe* schoonheid die juist op dit moment zou moeten klinken. Een nieuwe, op de wereld gerichte 'muziek van de Daad' zoals hij het een keer formuleerde. Dat riekt verdacht veel naar socialisme, en evenmin als de kerk hebben de socialisten de oorlog kunnen tegenhouden. Maar ondanks alles is Vermeulen nog net zo vurig idealistisch als hijzelf was toen hij dit *Sanctus* schreef. Dus laat hem toch maar weer eens komen wandelen in Laren. Laat hem maar eens komen uitleggen wat hem precies voor ogen staat!

'Het *Sanctus*, vanaf het begin,' zegt de dirigent nu tegen de koorleden. 'Tot aan Dominus Deus, dit keer.'

Hij heft zijn dirigeerstokje. En weifelend zet het orgel in.

28

Een kruier op station Breukelen

O, dat gekakel van die twee vrouwen, denkt Vermeulen. Dat hun mannen er niet stapelgek van worden! Vanaf het moment dat ze station Weesperpoort uitreden gaat het over het weer, over welke tram ze in Utrecht het beste kunnen nemen en hoe ze vanaf het Domplein moeten lopen. En over de brutaliteit van het tegenwoordige dienstpersoneel gaat het, de laatste hoedenmode, en alles wat zich door het gangpad langs de coupé beweegt. Het lijkt wel of de hersens van die twee rechtstreeks op hun monden aangesloten zijn, zonder tussenfilter of stopkraan.

Het enige waar het niet over gaat is het doel van de reis. Daar hebben hun echtgenoten het over. Rutten, die voor het *Handelsblad* schrijft, heeft net een uiteenzetting gehouden over waarom hij vindt dat Diepenbrocks mis eigenlijk ongeschikt is voor een uitvoering in de eredienst: omdat de muziek te veel de aandacht op zichzelf vestigt en te orkestraal gedacht is voor uitsluitend orgelbegeleiding. En Bottenheim, de Amsterdamse muziekverslaggever voor de NRC, is van mening dat Diepenbrock in zijn mis te veel op Wagner leunt, zoals hij in zijn latere werken te veel door Debussy beïnvloed is. 'Iets eigens heeft hij eigenlijk nooit weten te bereiken. Bovendien is het *Sanctus* ronduit zwak en het hosanna-motief voor de tenor-solist daarin banaal en on-expressief. Maar,' voegt hij er met een ironisch lachje aan toe, 'daar zal de heer Vermeulen het niet mee eens zijn.'

'Inderdaad,' zegt Vermeulen, en houdt zich in om niet iets vileins terug te zeggen. Bottenheim is een verklaard Mengelberg-vereerder en *dus* Vermeulen-tegenstander. Hij heeft zich nooit anders dan zuinig over Diepenbrock uitgelaten. Over *Die Nacht* heeft hij het zelfs bestaan te beweren dat het orkest daarin 'schetsmatig' klinkt, en dat de orkestratietechniek weinig opzienbarend is.

Intussen babbelen de dames verder. 'Als al dat volk allemaal onderweg is naar de Catherinakerk, mag Diepenbrock niet mopperen,' zegt mevrouw Bottenheim. Waarop mevrouw Rutten vaststelt dat de première van een compositie die zo lang op de plank heeft moeten liggen en tegelijk zo'n reputatie heeft, toch wel een belangrijke gebeurtenis genoemd mag worden.

Vermeulen probeert neutraal voor zich uit te blijven kijken. Diepenbrock heeft laatst nog tegen hem gezegd dat hij deze uitvoering van zijn mis beschouwt als 'de vervulling van een jeugddroom' en 'de afsluiting van een periode'. En dat de journalisten hem wel weer zijn 'onpraktische' manier van componeren voor de voeten zouden werpen. Het was een terloopse opmerking, maar op zijn gezicht was een bitter lachje te zien.

'We hoorden laatst nog liederen van Diepenbrock in de Kleine Zaal,' zegt mevrouw Bottenheim. 'Een man naast me zei: "Lieve Heer, er zit helemaal geen melodie in!"' Ze lacht op een manier die uitgaat van vanzelfsprekende bijval.

Rutten plukt een denkbeeldig pluisje van zijn pantalon. Zijn vrouw zegt dit keer niets terug.

'Terwijl ik uit uw voorbeschouwing in *De Telegraaf* toch meen te begrijpen, mijnheer Vermeulen,' wendt Bottenheim zich weer ironisch tot hem, 'dat Diepenbrocks muziek vol melodieën van onstoffelijke schoonheid is!' Hij trekt een paar keer flink aan zijn sigaar en voelt zich blijkbaar volkomen superieur.

Vermeulen glimlacht maar weer vriendelijk. Bottenheim, denkt hij. Dat van alle mensen uitgerekend Bottenheim in mijn coupé komt zitten! De domste en meest geborneerde scribent die momenteel de pen voert in Nederland, en die me hier ook nog eens uit mijn tent probeert te lokken. Beweerde Bottenheim niet ooit dat Mahlers *Kindertotenlieder* een requiem was voor Mahlers twee gestorven kinderen? Diepenbrock heeft daar toen een ingezonden brief aan gewijd. Mahler had maar één dochtertje verloren, schreef hij, en dat werk was allang gecomponeerd vóór Mahlers kinderen geboren waren. Om bij een componist van Mahlers genie kunst en leven zo simplistisch door elkaar te haspelen, getuigde wel van een zeer rudimentair muzikaal inzicht. Dat Bottenheim sindsdien geen goed woord meer voor Diepenbrocks muziek over heeft, is tekenend voor zijn niveau. Om van zijn Duitse sympathieën maar te zwijgen.

'Onstoffelijke schoonheid. Dat vindt u toch?'

'Over Diepenbrock ga ik hier niet met u in discussie.'

Als Bottenheim het gesprek even later ook nog op 'de waanzin van de oorlog' brengt ('Wist u dat alleen het *begin* van heel die heilloze onderneming bij de Somme de Britse belastingbetaler al zes miljoen pond heeft gekost!') is de maat vol. Vermeulen springt overeind. 'Excuseert u mij!'

Mevrouw Bottenheim werpt een snelle blik van verstandhouding naar haar man, en richt haar ogen dan op het voorbij glijdende landschap. 'Kijk die zwaluwen eens daar,' zegt ze tegen haar buurvrouw. 'Wat vliegen ze laag! Moet je ze over het gras zien scheren!'

Zo beheerst mogelijk schuift Vermeulen de coupédeur achter zich dicht. Als een zwemmer die te lang onder water is gebleven staat hij in het gangpad, een zwemmer die net op tijd is opgedoken en zijn longen schielijk vol zuurstof zuigt. Hij werpt nog een blik door het glas. De dames en heren zitten alweer te praten. Met als onderwerp ongetwijfeld zijn vriendschap met Diepenbrock, maar wat kan hem dat schelen.

Hij loopt een stuk in de richting van de toiletten. Een jonge vrouw in kakigroen tailleurkostuum met Mary Pickford-hoedje wringt zich na een verontschuldiging langs hem in het smalle gangetje en werpt hem in het voorbijgaan een uitdagende blik toe. Voor ze in een van de compartimenten verdwijnt, moet ze zich nog een paar keer tussen groepjes pratende heren door manoeuvreren.

Dat het vanochtend druk gaat worden in de kerk, was te voorzien, maar dat het in de trein ook al zo vol zou zijn had hij niet verwacht. Op de tussenbalkons, in het gangpad en overal in de coupés krantenmensen en bekende gezichten uit de kunst en de muziek. Half Amsterdam is op dit onchristelijke uur onderweg naar Utrecht om de Hoogmis bij te gaan wonen. Een mooi succes voor Diepenbrock, hoe de hele onderneming muzikaal ook af gaat lopen! De enige die vandaag niet in de trein zit, is Willem Mengelberg. Die vond Diepenbrocks bekransing in het voorjaar kennelijk wel genoeg.

Hij loopt nog een stukje verder, op zoek naar een iets rustiger plek en passeert dan de coupé waar Diepenbrock met zijn gezelschap zit.

Thea en Joanna kijken met slaperige gezichten door de glazen schuifdeur naar hem op. Als hij ze een knipoog geeft veren ze overeind en beginnen te zwaaien. Ze hebben hun zondagse jurken aan, en zien er aandoenlijk uit met hun net boven de vloer bungelende lakschoenen en die grote ronde strohoeden op. Negen en elf zijn ze inmiddels. Vooral Joanna begint al een kleine vrouw te worden. Diepenbrock zit met een dame te praten die wel eens in Laren bij Elisabeth op bezoek was van de zomer. Tegenover hem zitten nog twee dames, familie vermoedelijk. Elisabeth kijkt uit het raam, maar wordt door Thea op haar arm getikt. Dan draait ze haar hoofd naar het gangpad en glimlacht even. Als hij weer doorloopt staart ze al weer naar het landschap.

Buiten zicht vanuit Diepenbrocks coupé schuift hij een raam naar beneden om de frisse herfstwind in zijn gezicht te laten waaien. Op dit vroege uur is Bottenheims sigarenwalm hem op keel en ogen geslagen. De weilanden schuiven onder de grauwe ochtendhemel voorbij. Abcoude ligt al achter hen.

Vanaf het tussenbalkon komt Anton Averkamp met on-zekere tred op hem af, zijn voorganger bij *De Amsterdammer*. 'Wat een schitterende voorbeschouwing had u vorige week over de *Missa*,' zegt hij. De oude man drukt hem de hand en moet bijna schreeuwen om boven de wind en het gedender van de treinwielen uit te komen. 'Ik ben benieuwd hoe de Utrechtenaren het ervanaf gaan brengen. Mij is het indertijd niet gelukt, zoals u weet.' Averkamp heeft ooit een uitvoe-ring willen geven met het koor van de Mozes-en-Aäronpa-rochie. Maar het werk was te moeilijk voor zijn zangers. 'Ik ben ook zeer benieuwd,' roept Vermeulen.

Als Averkamp weer weg is, beweegt hij zijn hoofd een paar keer heen en weer in de wind van het geopende venster. De koelte over zijn gezicht en het wapperen van zijn haren doen hem goed. De lucht is nog grijzer geworden. De trein maakt een flauwe bocht en hij voelt fijne druppeltjes op zijn wangen en voorhoofd alsof ze er met een verstuiver opge-blazen worden. De stoom van de locomotief blijft in slierten boven het grauwe maandagse landschap hangen.

'Mag ik je even gezelschap houden?'

Zonder dat hij er erg in had is Elisabeth naast hem komen staan. Hij schuift het raam een stuk dicht. Vanwege het lawaai komt ze dicht bij hem staan, hij kan haar eau de toilette rui-ken, een onopvallende, frisse geur, die zich vermengt met die van de stof van haar reismantel en het gesteven linnen van haar blouse. De trein schokt een paar keer en haar jasmouw raakt even zijn bovenarm.

Sinds hun vertrouwelijke gesprek in het voorjaar is hij vol-ledig op zijn gemak bij haar, zeker ook nu de kou tussen Die-penbrock en hem uit de lucht is nadat ze weer een paar keer gewandeld hebben in Laren. Over de *Marsyas*-kritiek heb-ben ze het nooit meer gehad, maar des te meer over de *Missa*. En hij heeft als vanouds met Thea en Joanna gevoetbald en is op verzoek van Elisabeth een paar keer blijven eten. Tijdens die bezoeken was ze steeds vrolijk en ontspannen en maakte ze voortdurend bondgenootschappelijke grapjes.

Daarom is het vreemd dat ze nu zo gespannen lijkt. Telkens kijkt ze om zich heen, wat niets voor haar is – nieuwsgierige blikken en kletspraatjes zijn wel het laatste waar zij zich druk over pleegt te maken. Hemzelf geeft het juist een uitdagend gevoel om nu met Elisabeth gesignaleerd te worden. Het *enfant terrible* van *De Telegraaf* in gesprek met de echtgenote van de man over wie vandaag geschreven gaat worden...

De zon breekt even door het wolkendek en ze buigt zich weer naar zijn oor. Het lage licht valt op de minuscule haartjes op haar wang en in haar hals; haartjes die je bij een gewone belichting niet ziet en die haar iets zachts en meisjesachtigs geven.

'Ik moet je iets belangrijks zeggen,' roept ze boven het treinlawaai uit.

'Over de *Missa*?' roept hij terug. Waarschijnlijk wil ze hem nog iets vertellen waarmee hij rekening kan houden in zijn bespreking. Dat heeft ze wel eerder gedaan, als ze bang was dat er iets onterechts in de krant zou komen dat Diepenbrock zou kunnen schaden.

Er klingelt een overweg voorbij. Verderop in het gangpad komt de graatmagere muziekmedewerker van *De Maasbode* zijn coupé uit. Duitsgezinder kan haast niet. De man neemt hen van top tot teen op, knikt dan gereserveerd en loopt met onvaste tred de andere kant op, van hen af.

'De *Missa*?' Elisabeth schudt haar hoofd. Er komen gespannen plooien om haar mondhoeken en ze kijkt hem recht in de ogen. 'Nee, het gaat niet over de *Missa*.' Ze haalt diep adem, als om moed te verzamelen. 'Mijn hele leven gaat het al over de *Missa*. Vandaag gaat het over mij...'

Met een beleefd 'Excuseer' schuifelt een oudere heer met pelskraag langs hen. In de verte nadert een conducteur.

'Ik hou van je, Thijs.' Op het moment dat ze het zegt, passeren ze station Breukelen. Een kruier op het perron leunt even op zijn steekwagen om de langsrazende trein na te kijken. 'Ik wil het niet langer voor me houden. Het spijt me.'

Voor haar woorden goed tot hem doordringen, drukt ze snel een kus op zijn lippen en haast zich met opgehouden rokken langs de tientallen geïnteresseerde gezichten terug naar de coupé met haar echtgenoot en dochters.

29

Missa in die festo

De kerk is afgeladen. In het middenschip zitten de mensen dicht opeengepakt in de banken, in de beuken en het transept staan ze twee rijen dik langs de wanden. Slechts hier en daar is nog een plaats vrij en nog altijd komt er publiek binnen.

Thea en Joanna, die buiten vrolijk tegen Elsa en hun tantes liepen te rebbelen, vallen ineens stil, overdonderd door de gepolychromeerde zuilen en bogen, de drukte en het geroezemoes dat aanwakkert zodra zij passeren. 'Kijk daar heb je de componist! Wat een snoezige meisjes! Zijn dat zijn dochters?'

Zelf voelt Diepenbrock zich ook niet al te gemakkelijk. Alle ogen zijn op hem en zijn kleine gezelschap gericht en overal langs het met oude zerken geplaveide middenpad wordt hij vanuit de banken begroet, moet hij handen drukken.

'Deze kerk is te klein voor jou, Fons!' zegt een protestantse vriendin van Elsa uit Den Bosch met een knipoog. Met moeite wringt hij een glimlachje om zijn lippen. Die vrouw heeft vroeger nog zijn liederen met Elsa gezongen.

Hij knikt naar een paar leden van het Concertgebouwbestuur en hun echtgenoten. Dat al die deftige zakenlieden hier zo vroeg op de ochtend zouden zijn, had hij niet verwacht, en zeker niet na die pijnlijke *Berceuse Héroïque*-kwestie in het voorjaar.

Langzaam begint zijn nervositeit vermengd te raken met een fragiele tevredenheid. Ongelooflijk, werkelijk iedereen is op komen draven. Kennelijk vindt men een jeugdwerk van hem belangrijk genoeg om er in alle vroegte voor naar Utrecht te reizen. Alleen de aartsbisschop is verhinderd, dat was te verwachten. En Mengelberg moet dirigeren in Venlo, maar stuurde ondanks hun stroeve contact sinds het begin van de oorlog, gisteren een briefkaartje.

Een paar Larense kennissen steken hun hand naar hem op. Zelfs die zijn gekomen. Bijna overal ziet hij bekende, groetende gezichten. Onwillekeurig gaat hij met zijn ogen de rijen langs op zoek naar juist dat ene gezicht dat hier vanochtend niet is.

'Kom jij maar gezellig naast je tante zitten, kind,' zegt zijn jongste zuster. Ze laat zich op de meest rechtse van de gereserveerde plaatsen zakken en trekt Joanna tegen zich aan. Elsa schuift ernaast en neemt Thea aan haar andere kant. Als zijn oudste zuster en hijzelf ook hebben plaatsgenomen, is er naast hem nog ruimte over. Maar niemand van de nog altijd binnendruppelende mensen, die allemaal zullen moeten staan, durft plaats te nemen op deze opengebleven plek vooraan.

Achter in de kerk wordt een klok geluid. De kleine Thea – ze wordt al tien maar zal wel altijd 'de kleine Thea' blijven – draait zich om in de bank om naar de processie te kijken die vanuit de sacristie door het middenpad naar voren komt: het gouden kruis op de staf, de kaars- en wierookdragers, de misdienaars, het knapenkoor en de seminaristen, de priester, diaken en subdiaken in hun witte kleden en kazuifels met goudborduursel. Zo'n feestelijke hoogmis in vol ornaat maakt ze niet vaak mee.

'Lavabis me' zingen de langsschrijdende knapen en ze krijgt een paar druppels van de wijwaterkwast op haar wangen. Nu zul je witter zijn dan sneeuw, denkt hij. Elsa lacht even naar haar terwijl ze met een zakdoekje langs haar wang gaat en fluistert haar iets in het oor. Ze kijkt haar moeder bestraffend aan en legt dan een vinger op haar lippen. Niet praten in de kerk hoor, denk erom!

Dan begint de priester aan de gebeden en de schuldbelij-denis: 'Introibo ad altare Dei...'

'Ad Deum qui laetificat juventutem meam.' Onwillekeu-rig prevelt Diepenbrock de vertrouwde woorden zachtjes met de misdienaars mee, en wordt zich daar pas van bewust als hij een bestuurslid van het Concertgebouw met een nau-welijks merkbare oogbeweging van zijn bevreemding blijk ziet geven.

Thea legt haar hoofd dromerig tegen Elsa's arm en richt haar blik op het Sint Barbara-beeld schuin boven haar. Dan dwalen haar ogen verder omhoog, langs de groen-blauwe en gouden ranken op de zuilen, langs de lelies op de kapitelen, tot in de booglijsten en kruisribgewelven. Zelf zat hij als jon-gen ook vaak met zijn hoofd achterover omhoog te kijken in de Franse kerk aan de Nieuwezijds, overweldigd door de opgaande lijnen, de gedempte kleuren en de immense ruim-te onder de gewelven. Vooral als die ruimte zich vulde met muziek, de diepe tonen van het orgel, de oeroude Gregori-aanse melodieën en later soms ook de eindeloos om elkaar heen kronkelende stemmen van de Palestrijnse polyfonie. Een prachtig samenvloeien van architecturale en muzikale lijnen. Op zulke momenten moet het verlangen in hem zijn gaan groeien ooit zelf een mis te componeren.

De priester bekruist zich. 'Adjutórium nostrum in nómine Dómini...'

Elsa slaat haar vrije arm om Joanna heen en verschikt iets aan de blonde pijpekrullen die onder haar gevlochten hoed uit komen. Ontroerend om zijn dochters hier zo te zien zit-ten. Ondanks zijn zenuwen en twijfels over het welslagen van de uitvoering geeft het hem een groots gevoel dat ze dit allemaal meemaken. Ze zijn oud genoeg om zich later de imposante plechtigheid te kunnen herinneren, waarin de beroemde mis van hun vader voor het eerst tot klinken kwam. Hetzelfde gevoel had hij toen hij Joanna als kleuter aan Gustav Mahler voorstelde, na een repetitie van diens Ze-vende in het Concertgebouw. Het gevoel dat hij zijn oudste dochter de kans bood getuige te zijn van een historische gebeurtenis. Mahler had alle tijd voor haar genomen en haar in zijn grappige Oostenrijkse Duits allerlei vragen gesteld waar ze natuurlijk niet op kon antwoorden. Achteraf was Mahler erg aangedaan. Niet lang daarvoor had hij zijn eigen dochtertje verloren. Zou Joanna nog iets weten van haar ontmoeting met die beroemde Weense vriend van haar vader? Wat zou hij er niet voor over hebben gehad als Mahler deze uitvoering bij had kunnen wonen.

Even zoekt hij Elsa's blik, maar ze is geheel in gedachten verzonken en staart strak naar de rijkversierde ruggen van diaken, priester en subdiaken voor het altaar. 'Roomse poppenkast' noemde ze de Tridentijnse Ritus toen ze elkaar nog niet zo lang kenden, 'onbegrijpelijke hocus-pocus' waaraan zij zichzelf en haar toekomstige kinderen liever niet bloot zou stellen. Dat komt wel goed, dacht hij toen, als we eenmaal getrouwd zijn. Maar veel gevoel voor de traditie en het ritueel heeft zij ook later niet gekregen, daar is ze te protestants voor gebleven. Ze heeft hoogstens geleerd *zijn* gevoel ervoor te respecteren.

Geluidloos biddend bestijgt de priester de treden naar het altaar. Alleen zijn lippen bewegen. Hij buigt zich voorover, kust de reliekschrijn en bewierookt het altaar. 'Ab illo benedicaris, in cuius honore cremaberis. Amen.'

Thea moet hoesten van de scherpe geur die de kerk in wolkt. Elsa klopt haar zachtjes tussen de schouders en aait haar even over haar rug.

Het orgel speelt de inleidende akkoorden van de Introitus en het knapenkoor zet psalm 102 in: 'Looft den Heer, Gij al zijn engelen', vanwege deze dag van de Heilige Engelbewaarders. Trefzeker zijn de zangertjes niet, maar fout gaat het nergens.

En dan breekt eindelijk het moment aan waarop hij vijfentwintig jaar heeft moeten wachten. Vanaf de orgelbalustrade achter in de kerk, onzichtbaar voor alle aanwezigen, zet de tenor het *Kyrie* van zijn *Missa in die festo* in.

En wie schetst ieders verbazing? Helemaal niet slecht doet hij dat, met een zekere lyrische kracht zelfs.

Trefzeker maar ingehouden komt het orgel erbij. De koorinzetten zijn mooi. Het uitwaaieren van de stemmen gaat goed en blijft goed gaan.

Zelfs de overgang naar het 'Christe eleison' gloeit prachtig op.

Alleen is het orgel nu iets te traag, net niet storend.

En dan gaat het toch mis, bij de tweede solo al. Ineens begint de tenor te loeien en sleurt iedereen met zich mee de afgrond in. Het zullen de zenuwen zijn die hem parten spelen. Reddeloos valt hij terug in het geknepen, quasi-dramatische baritongebrul dat hij na alle extra repetities eindelijk leek te hebben afgeleerd. En weg zijn de lichtheid, de slankheid van ritme, de vloeiendheid. Ineens wordt alles krampachtig, stroef en dramatisch. Ineens raakt alles verward, valt alles in brokstukken uit elkaar. Moet je dit horen! Een hartstochtelijke jubelkreet moet het zijn, en wat komt eruit? Een klaaglijk gekerm. Nu zingt de tenor zelfs vals...

Maar goed: hij doet zijn best. Net als de dirigent, het koor en de organist. Die doen ook hun best. Iedereen doet zijn best. Iedereen is toegewijd. Mensen van goeden wil zijn het. Jazeker. Maar in de muziek telt alleen het klinkend resultaat. Vijfentwintig jaar heeft hij gewacht. En dan nu dit gejakker, geploeter en gebrul! Misschien had hij beter nog vijfentwintig jaar kunnen wachten.

Hij kijkt de kerk eens rond. De meeste toehoorders luisteren met ernstige, geconcentreerde gezichten, een enkeling heeft zijn ogen gesloten. Alsof er niets aan de hand is. Alsof er iets prachtigs te horen is. Alsof niet alle hoop op een indrukwekkende, of in ieder geval redelijke uitvoering alweer vervlogen is.

In het transept ziet hij Vermeulen langzaam met zijn hoofd schudden en naar zijn notitieblokje grijpen: die hoort de boel ook in duigen gaan natuurlijk. Kijk hem eens in zijn krullen krabben en driftig beginnen te schrijven. Het is niet moeilijk te bedenken wat er morgen in *De Telegraaf* zal staan.

En weer maakt het koor een uitglijder en weer kijkt Vermeulen verstoord op, maar nog vóór hij zijn ongenoegen kan noteren, kruist zijn blik die van Elsa. Zij wendt haar ogen niet af maar blijft hem indringend aanstaren tot hij verlegen zijn blik afwendt en zijn notitieblokje wegfrommelt. Vervolgens kijkt hij weer op en glimlacht naar haar. Wat zij weer met een lach beantwoordt.

Wat gebeurt er daar tussen die twee? In de trein verliet ze de coupé vlak nadat Vermeulen langsliep: misschien om hem iets te gaan zeggen. In mei heeft ze ook al met hem gesproken na dat pijnlijke artikel 'Aan een schaduw' en hem ongetwijfeld verteld hoe kwetsbaar hij – 'de grandiose maar broze Alphons Diepenbrock' – zich de afgelopen tijd voelt. Misschien heeft ze Vermeulen nu verzocht niet al te negatief over deze uitvoering te schrijven en herinnert ze hem daaraan.

Bijna triomfantelijk verplaatst Elsa haar blik nu van Vermeulen naar hem. En dan gebeurt er weer iets vreemds. Haar gezicht breekt open in een stralende lach, de lach die ze al jaren niet meer op haar gezicht heeft toegelaten. Wat is er toch met haar aan de hand vanochtend? Sinds ze van huis gingen kijkt ze alsof deze première een nauwelijks op te brengen verplichting voor haar is, en nu lacht ze ineens op de manier waarop ze dat vroeger in de salon bij haar moeder in Hintham deed tijdens het voorspelen uit het *Sanctus*.

De uitvoerders modderen voort, het *Kyrie* is bijna volbracht. Zijn jongste zuster snuit aangedaan haar neus. De kleine Thea zit met open mond te luisteren en Joanna glimt: overduidelijk apetrots op haar vader. Vermeulen staart naar zijn knieën. En Elsa blijft maar lachen, alsof ze zojuist een goddelijke boodschap heeft ontvangen.

30

Een geheim rendez-vous

Prachtig weer voor een ontmoeting tussen geheime geliefden, denkt Vermeulen ondanks zijn zenuwen ironisch. Door
zijn overjas heen voelt hij de wind tot op zijn huid. Al stormt
het goddank niet meer zoals de afgelopen dagen. Leegge-
waaid staan de parkbomen afgetekend tegen de bleekgrijze
lucht. In de verte de contouren van de Vondelkerk. Hij steekt
zijn handen in zijn zakken en probeert de plassen in de met
bladerpulp overdekte rijweg te vermijden om zijn bottines
zo min mogelijk te besmeuren.

Overal in het park zijn de gevolgen van de herfststorm nog
te zien. Ook langs de weg naar de grote vijver en het Paviljoen liggen bomen omver. Sommige afgeknapt met scherpe
witte splinters en draderigheid en de meeste domweg ont-
worteld en in hun volle hulpeloze lengte dwars over hekjes
en banken op de rijweg tegen de grond geslagen. Krampach-
tige stronken en ragfijne haarwortelnetwerken op hun zij in
het niets, terwijl roeken en eksters zich in de zwarte kraters
ruziënd op de onverwachte voedselrijkdom storten.

Op de hoek van het bochtige zijpad naar het Groot Melkhuis staat een groepje kinderen te kijken hoe plantsoenarbeiders de kroon van een gesneuvelde iep van takken ont-
doen en de stam in stukken zagen om die met paarden te
kunnen verslepen. Tussen de schots en scheve begroeiing die
nog overeind staat, is de chalet-achtige uitspanning al te zien.
Hij heeft het altijd een popperig gebouwtje gevonden, met
die versierde daklijsten, alsof er kantwerk aan hangt.

Nooit heeft hij vermoed dat een vrouw hem zo ontredderd en tegelijk euforisch zou kunnen maken. Hoe kon Elisabeth van hem zijn gaan houden? Zij, die prachtige, fiere, twintig jaar oudere vrouw van zijn leermeester? Waarom had ze hem juist op zo'n belangrijke dag voor Diepenbrock haar liefde verklaard? Met man en macht probeerde hij te begrijpen wat er precies gebeurd was, het tot zich door te laten dringen, zijn eigen stormachtige gevoelens helder te krijgen en de mogelijke gevolgen te overzien. Tevergeefs. Hij kon onmogelijk helder denken en redeneren, zou zich het liefst laten meesleuren door de zoete verleiding. Hij vond haar mooi en aantrekkelijk, al vanaf de eerste keer dat ze hem ontving in de Verhulststraat – een besef dat hij zichzelf pas door haar bekentenis had toegestaan, dat door haar bekentenis in hem was losgebroken, zou je beter kunnen zeggen. Telkens op *De Telegraaf*-redactie, of thuis aan zijn schrijftafel of in bed, dacht hij weer aan hoe ze naast hem stond in de trein, aan de bijna onzichtbare haartjes op haar wangen en aan hoe ze naar hem keek toen ze zei dat ze van hem hield en hem kuste. En telkens overspoelde hem dan een opwindend, volkomen nieuw geluksgevoel. Hij stelde zich voor hoe ze zouden wandelen door zomerse landerijen of over de zonnige hei in Laren. En telkens zag hij voor zich hoe ze hem zou kussen en hem in hoog gras achterover zou duwen en omhelzen en helpen haar blouse los te maken. En dan zou hij haar schouders zien, haar armen en oksels en haar borsten, en overal zou hij de kleine bijna onzichtbare haartjes met zijn vingertoppen en zijn lippen aftasten en haar geur opsnuiven. En herhaaldelijk moest hij dan het redactielokaal verlaten om naar de toiletten te gaan, of thuis aan zijn bureau zijn broek openknopen. Nooit eerder in zijn leven kwam hij zo huiverend van overgave tot een hoogtepunt, zo intens dat hij er bijna van moest huilen – totaal anders dan bij fantasieën over verleidelijke actrices of over een zangeres als Ilona Durigo. En ook anders dan in zijn eerste tijd met Petrus.

Nee, het meest herinnerde de passie die Elisabeth nu in hem ontstoken had aan wat de jonge pater op het seminarie voor het eerst in hem losgemaakt had. Een peilloos vermoeden van verwantschap en existentiële verbondenheid, en het verlangen zich letterlijk en figuurlijk volledig bloot te geven, ten diepste gekend te worden en te kennen.

Ze staat er al. Onder de boom tegenover de ingang van het verlaten terras, waar de ingeklapte Parijse stoeltjes schuin tegen de ronde tafels gezet zijn en met touwen vastgesnoerd. Ze ziet hem nog niet, drentelt heen en weer, haar elegante rijglaarsjes al enigszins bemodderd en haar lange wintermantel met opgezette kraag hoog dichtgeknoopt. Prachtig staat die jas haar, door de lichte taillering accentueert hij haar boezem, zonder dat het te nadrukkelijk is. Haar hoed is nieuw, althans hij zag hem nooit eerder: een elegante zwarte met brede rand en schuin omhoog piekend pluimpje. Ondanks de keelband moet ze haar hand er regelmatig naartoe brengen om te voorkomen dat hij opwaait.

Wat zou ze gaan zeggen? En wat gaat hijzelf zeggen? Na alles wat er de afgelopen dagen door zijn hoofd en lendenen gespookt heeft, weet hij dat nog altijd niet.

'Dag Elisabeth.' Zijn hart klopt in zijn keel.

Ze lacht nerveus, op een afwachtende, kwetsbare manier die hij niet van haar kent. 'Dag Thijs.'

Even weten ze allebei geen woord uit te brengen. Dan lacht ze weer en gebaart naar de ravage in het park. 'Ik wist zo gauw geen betere plek. Zullen we toch een eindje wandelen?'

Ze lopen langs het water voor het Melkhuis met een bocht in de richting van de muziektent. In de zomer is dit berkenpad dichtbegroeid. Verderop staan een paar bankjes met uitzicht over het water – een goede plek voor kozende paartjes die niet gezien willen worden. Maar nu is alles kaal en open, door het onttakelde struikgewas kun je tot aan Mengelbergs huis recht tegenover de uitgang in de Van Eeghenstraat kijken.

'Ik was bang dat je niet zou komen.' De kleine haartjes op

haar wangen staan rechtovereind, van aandoening of de kou of allebei tegelijk.

'Ik durfde geen bevestiging te sturen.'

Ze omzeilt een plas op het pad.

'Je hebt me erg in verwarring gebracht,' zegt hij. Zijn nog altijd niet gekalmeerde hart maakt zijn stem onvast.

Ze antwoordt niet meteen, alsof ze zijn woorden stuk voor stuk zorgvuldig weegt. Zegt dan op wegwuivende, verontschuldigende toon: 'Ik had je nooit zo in verlegenheid mogen brengen ten overstaan van je collega's in de trein. Het spijt me.'

'Ik was vooral in de war door wat je zei.' Hij voelt dat hij een kleur krijgt.

Opnieuw wacht ze even, vraagt dan wat hij bedoelt.

Dat ik je erg aantrekkelijk vind, wil hij zeggen. 'Dat ik ook van jou hou.'

Elisabeth lijkt even in te houden, maar loopt dan toch verder en staart naar de grond, alsof ineens de volle omvang van wat ze in gang gezet heeft tot haar doordringt.

'Al overvalt het me en weet ik niet wat ik ermee aan moet en of het kan en of ik er wel aan toe moet geven. Diepenbrock is mijn leermeester. Ik beschouw hem als een vriend.'

Langzaam kijkt ze van opzij naar hem op en lijkt hem te willen kussen. 'Mag ik je een arm geven?'

Onwennig lopen ze verder tot aan de bocht in het pad met een bankje. Ze stelt voor te gaan zitten. In de verte nadert een jonge vrouw met een kinderwagen. Nu zal ze haar arm wel terugtrekken, denkt hij, maar ze doet het niet, lijkt zich nauwelijks van de buitenwereld bewust.

'Ik had me voorbereid op een afwijzing, ondanks je lieve lach tijdens de *Missa*.' Er zit een hoge trilling in haar stem en ze kijkt weer op die kwetsbare manier naar hem. 'Ik had me voorgenomen me te verontschuldigen en je te vragen die hele malle scène in de trein te vergeten. Je te zeggen dat ik me door een gril heb laten meeslepen.' Ze draait even aan de bovenste knoop van haar mantel.

Hij lacht verlegen.

En dan is het alsof er een angstvallig bewaakte dam in haar doorbreekt: 'Maar het was helemaal geen gril, Thijs. Ik ben al zo lang verliefd op je. Die allereerste keer dat je voor me zat in het Concertgebouw met die hoed op je kaalgeschoren hoofd vond ik je al onweerstaanbaar. En dat is alleen maar sterker geworden. Als je met Thea en Joanna speelde in Laren, als je bleef eten en naar me lachte aan tafel, toen je naar het front vertrok. En vooral ook toen ik dit voorjaar je kritiek op Fons las – onweerhoudelijk laaide het in mij op. Na ons onverwachte gesprek dit voorjaar had ik je bijna gekust. En toen stond je daar ineens zo mooi en ondoorgrondelijk in dat gangpad met je vurige donkere ogen en je krullen in de wind.' Ze veegt met haar mouw langs de zijkant van haar neus. 'En nu zeg jij dat je ook van mij houdt. Voor het eerst in mijn volwassen leven zegt een man dat in alle oprechtheid en zonder voorbehoud tegen me.'

'Door mijn kritiek op Diepenbrock werd je verliefd op mij?'

'Die zinnen over Fons, dat hij je emoties en hoop gaf, maar je steriel laat, dat hij huivert voor de daad, voor duidelijke keuzes en in ijl gedroom blijft hangen – ik wist niet wat ik zag toen ik die las. Dat heeft nog nooit iemand over hem gezegd. Het was of ik mijn leven onder woorden gebracht voelde. Alsof je dat rechtstreeks en alleen aan mij schreef. Alsof je Fons naast jouw eigen teleurstelling in hem als mentor, ook mijn teleurstelling in hem als echtgenoot voor de voeten wierp. Om je dat uit te kunnen leggen, moet ik je veel over mijn huwelijk vertellen. En dat wil ik best nog eens doen. Maar nu zeg ik je alleen dat wij al jaren een lege, conventionele verbintenis hebben. Er is geen passie meer tussen ons – zo die er van zijn kant ooit geweest is. Hoogstens soms een zekere kameraadschap.'

Ze zwijgt even om haar bewogenheid weer de baas te worden. Om dan kalmer te vervolgen: 'Jarenlang heb ik me groot gehouden. En jarenlang is hij verliefd geweest op een van zijn leerlingen, en hij heeft zelfs een geheime verhouding met haar gehad, waarvan ik mij afvraag of hij die ooit achter zich zal kunnen laten. Vijf jaar geleden heb ik op het punt gestaan van hem te scheiden, maar alleen voor onze dochters ben ik bij hem gebleven. Uit gebrek aan durf en daadkracht heeft hij dat toen aanvaard, zonder echt voor mij te kiezen, want nog altijd zit hij met die onbereikbare geliefde in zijn hoofd en veel nader zijn we niet tot elkaar gekomen. Integendeel. Hij gaat me zoveel mogelijk uit de weg, en als hij me nodig heeft tolereert hij me beleefd. Tot er ineens iets in mij scheurde toen ik je daar zo in de trein zag staan. Ik kan het niet anders uitdrukken.'

Ze doet een pluk haar goed die van onder haar hoed is losgewaaid. 'Ik wil alleen zeggen: maak je niet te veel zorgen dat je Diepenbrock onrecht zou doen door van mij te houden.'

'Jullie leken altijd zo'n harmonieus echtpaar,' mompelt hij onthutst.

'Schijn bedriegt.'

'En weet Diepenbrock van jouw gevoelens voor mij?'

'Met mijn gevoelens heeft hij zich nog nooit beziggehouden.'

'Ga je het hem vertellen?'

'Waarom zou ik? Aan ons huwelijk verandert het niets. Hij houdt van een ander en praat er niet over, ik ook.'

Aan de overkant van het water raken twee waterhoentjes slaags bij de rietoever van het eilandje vol met klimop-overwoekerde essen en een schuin uit de beschoeiing groeiende treurwilg. Zijn arm is gaan slapen en hij trekt hem voorzichtig los van de hare. Hij kijkt naar zijn bottines en ziet de blinkend gepoetste schoenen en platgekamde haren van Petrus weer voor zich op de avond van hun laatste ruzie. Nu zit ik zelf in mijn beste goed naast een vrouw in het park, denkt hij.

Gearmd laten ze de muziektent achter zich en beklimmen het steile boogbrugje, richting Van Eeghenstraat. Als ze het brede pad naar het Paviljoen oversteken, groet Elisabeth een meisje dat in een groepje kinderen staat te kijken bij de hakkende en zagende plantsoenarbeiders en hun trekpaarden. 'De dochter van de slager in de Cornelis Schuytstraat. Een schat van een kind. Eefje heet ze.' Ze laat zijn arm niet los. Het meisje kijkt verrast naar hem. Vanzelfsprekend doen nu en vooral niet schichtig. Een jongere broer misschien, zou Eefje kunnen denken.

Goddank zijn de reusachtige platanen naast de granieten zuiltjes van het hek naar de Van Eeghenstraat niet omgewaaid. Recht tegenover het halfronde plantsoentje waaromheen de weg zich achter het hek splitst, torent Mengelbergs huis. Een tussen de sierlijke jugendstilgevels wat uit de toon vallend, hoekig pand met wit afgetimmerde zolderverdieping. De platanen moeten het uitzicht van zijn werkkamer zijn. In het souterrain, waar dienstmeisjes in de keuken bezig zijn, brandt licht, op de tweede verdieping achter een van de hoge ramen ook.

'Kijk, de maestro verdiept zich in een nieuw Nederlands werk!'

Elisabeth glimlacht zoals ze ook wel doet na een geestige opmerking van Diepenbrock. 'Heb je ooit nog iets over je symfonie gehoord van hem?'

'Ik sta op punt hem weer eens een briefje te sturen. Vorig jaar november schreef hij me dat hij voor de zomer moeilijk tijd zou kunnen vinden. Ik heb hem toen beleefd laten weten graag te zullen wachten. Inmiddels is het oktober.'

'Ik zal ook eens met zijn vrouw praten. Fons kan niks voor je doen, Willem en hij mijden elkaar vanwege de oorlog zoals je weet, maar Tilly en ik spreken elkaar nog wel een enkele keer.'

Ze steken de Willemsparkweg over en wandelen de Cornelis Schuytstraat in. Hij wilde al bij de uitgang van het park afscheid nemen, maar Elisabeth haalde hem over nog een eindje met haar op te lopen. 'Of ga je niet naar huis?' Pas een flink stuk in de winkelstraat, als hen in de verte een paar wandelaars tegemoetkomen, trekt ze onopvallend haar arm uit de zijne. Een dame in lange beige mantel met een kraag van eekhoornbont en een hoed vol fazantenveren groet minzaam en neemt hen in het voorbijgaan van top tot teen op. Elisabeth knikt haar beleefd toe. Fluistert intussen lachend: 'Bankiersvrouw. Woont een paar huizen bij ons vandaan.'

'Wat gaan we nu doen?' vraagt hij op de hoek van de Valeriusstraat, waar hij rechtsaf moet naar zijn huis. 'Ik bedoel de komende tijd, nu we dit gesprek gehad hebben. Volgende week heb ik een afspraak met Diepenbrock.'

'Ga maar gewoon met hem praten of er niets aan de hand is. Kun je dat? Ik zorg wel dat ik niet thuis ben. Nu ik weet dat je me niet afwijst, zou ik alles het liefste even laten betijen en niets overhaasten. Net als jij voel ik me in verwarring en overvallen. Zullen we elkaar eerst schrijven? Ik heb je zo veel te zeggen en te vragen. Een vriendin bij wie ik af en toe mijn hart lucht over Fons, kan ik rustig in vertrouwen nemen. Als je wilt, zou je me op haar adres kunnen antwoorden. En misschien kunnen we over een tijdje nog eens afspreken of ergens buiten de stad een dag gaan wandelen en rustig verder praten.'

Die heerlijke berekenendheid van de geheime liefde! Die schaamteloze inventiviteit! Samen met Elisabeth een hele dag wandelen in de natuur. Hij durft er bijna niet aan te denken. 'Schrijf me maar,' zegt hij. 'Ik zal in elk stuk dat ik in *De Telegraaf* publiceer een zin opnemen die speciaal voor jou bedoeld is. Dan laat jij me de volgende dag weten welke zin dat was.'

Ze omhelzen elkaar, zomaar op het trottoir als er even niemand te zien is, onhandig in hun dikke mantels. Hij voelt haar hart bonzen door al die lagen kleding heen, of is het zijn eigen hart weer, en ze kussen elkaar. Alsof er niets gebeurd is, loopt ze daarna kalm door naar haar eigen straat, kijkt nog één keer om. De hele verdere dag ziet hij dat beeld nog voor zich: hoe ze als een jong meisje naar hem zwaait en dan links de hoek om slaat.

31

Een pijnlijke ontmoeting

Zodra hij alleen is slaat Diepenbrock de Debussy-partituren dicht en zet de balkondeuren van zijn werkkamer op de haak. Aan de overkant, in het nieuwe huizenblok dat nu zijn uitzicht vult, geeft een jong dienstmeisje de planten water achter het raam. Vermeulen had zijn hoofd er niet erg bij vandaag, zoals hijzelf kan hebben als hij diep in zijn werk zit en tijdens de avondmaaltijd allerlei verhalen van Elsa of de meisjes te horen krijgt. En toch zei Vermeulen een paar dingen over de nieuwe wegen die de muziek kan inslaan die hem in de hoogste boom joegen: zoals het volledig verlaten van de tonaliteit.

Hij wacht even tot hij de buitendeur in het slot hoort vallen, en gaat dan zelf ook naar beneden. Hoewel het gesprek in alle vriendschappelijkheid verliep, is hij nog te opgewonden om meteen weer achter zijn schrijftafel plaats te nemen en zijn correspondentie af te handelen. Bovendien hebben ze onafgebroken zitten roken. Er moet eerst flink gelucht worden.

Koosje is nog even de trappen afgelopen om te controleren of de buitendeur goed dichtgetrokken is.

'Ik ga even een frisse neus halen in het park. Als mevrouw eerder thuiskomt, zeg haar dan dat ik met een uurtje terug ben. En misschien wil je boven de asbakken legen.'

Buiten staat er nog altijd veel wind. De straat is zo goed als leeg: een enkele wandelaar en een slagersjongen op een bakfiets die flink moet trappen. Op de terugweg zal hij even een *Telegraaf* kopen. Vermeulen heeft iets over *Das Lied von der*

Erde en misschien zijn er ontwikkelingen bij Verdun en aan de Somme. Met ferme pas stapt hij de Cornelis Schuytstraat in.

Door de uitvoering van de *Missa*, maar ook door Vermeulens voorbeschouwing daarvan, was hij weer dagenlang verzeild geraakt in de tijd dat zijn mis ontstond. Hij had zelfs zijn oude artikelen in *De Nieuwe Gids* weer eens doorgelezen, en vastgesteld hoezeer Vermeulen door hem beïnvloed is, tot in zijn formuleringen toe: *Voor ons die de toekomst zijn, is het nu beter vooruit dan terug te zien.* Daarnaast trof het hem hoeveel Vermeulen wegheeft van de bevlogen jongeman die hij zelf ooit was: in de ernst waarmee hij de grenzen van zijn kunst wil verruimen, in het verbinden van muziek met de maatschappelijke ontwikkelingen en de tijdgeest, en in de felheid waarmee hij iedereen hekelt die vijandig of remmend staat tegenover de natuurlijke evolutie van de muziek. Vermeulen maakt Dopper en Mengelberg het leven zuur. Hoe heeft hijzelf iemand als Verhulst niet gehoond, omdat die de grote vernieuwingen van Wagner met hand en tand probeerde tegen te houden in Nederland en altijd de leerling bleef van Schumann? *Verhulsts harmonie is correct, maar niet expressief.* Een leerling moet zijn meester uiteindelijk ook voorbijstreven en achter zich laten. En als de leerling dat doet, moet zijn meester zich gelukkig prijzen en hem de hand reiken in plaats van zich verbitterd van hem af te wenden. Zeker als die leerling hem blijft respecteren en alle lof toezwaait. Tot dat inzicht heeft zijn vriendschap met Vermeulen hem het afgelopen jaar gebracht. Het is alleen te hopen dat hij de vernieuwing van de muziek niet gaat zoeken in een soort socialistische revolutie die elk hiërarchisch systeem van tonaliteit volledig overboord gooit, zoals Mahlers leerling Schönberg, want dat kan enkel leiden tot een grauwe, zielloze kakofonie.

Hij schrikt even op omdat er een automobiel langsrijdt en moet onmiddellijk de neiging onderdrukken een portiek in te schieten. Twee bekende gestalten, aan de overkant van de rijweg, op de hoek van de Valeriusstraat. Zouden ze hem gezien hebben? Ze kijken wel zijn kant uit, alsof ze het over hem hebben. Met zijn hoed schuin en zijn ogen strak op de etalages gericht loopt hij zo snel mogelijk door. Pas halverwege het volgende winkelblok durft hij om te kijken. Ze staan er nog altijd, druk in gesprek, en hebben hem waarschijnlijk niet opgemerkt. Als ze hem nu nog zouden naroepen, zou hij kunnen gebaren dat hij haast heeft en alleen bij wijze van groet zijn hand opsteken. Maar ze roepen hem niet na.

Dat beige slagschip met die bontkraag en die fazantenveren is rabiaat Duitsgezind en die opgedirkte dwerg in hoge mate wat men noemt 'loquax' – om niet te zeggen, het meest praatzieke vrouwspersoon op het noordelijk halfrond. Godzijdank kreeg hij ze op tijd in het vizier, deze twee buurtgenotes. Anders was hij ongetwijfeld een kwartier ondervraagd over Elsa en de kinderen en doorgezaagd over de laatste oorlogsontwikkelingen en de voedsel- en brandstofprijzen. En over het weer, niet te vergeten, wat een storm was dat laatst! En zoveel schade overal!

Opgelucht steekt hij de Willemsparkweg over en verliest zich weer in zijn overpeinzingen over de vernieuwing van de muziek.

In het park zijn de gevolgen van de herfststorm nog steeds niet opgeruimd. Overal zijn werklui bezig omgewaaide bomen weg te slepen. Hij wandelt een stuk in de richting van het Paviljoen, en gaat bij het beeld van Vondel op het bankje zitten waar hij vroeger vaak met Jo zat. Toen maakten ze dit wandelingetje soms samen, na afloop van de les, en daar, op dat pad voor het standbeeld van Vondel gaf zij hem toen spontaan die kus. 'Ik kan het ook niet hellepe... hè zeg dat nou niet, dan bestáát het...'

Uiteindelijk is er toch gebeurd wat hij altijd voor onmogelijk heeft gehouden: zijn gevoelens voor Jo zijn vervaagd. Hij houdt nog wel van haar, en hij mist haar af en toe ook nog, zoals laatst bij de première van de *Missa*. Maar de fel-

heid van zijn verlangen is verdwenen en hij kan zich nauwelijks meer een beeld van haar vormen. Hij vraagt zich zelfs af
of het anders gelopen zou zijn als hun contact niet zo abrupt
was afgesneden door de oorlog. Want ook nu, nu er weer
een min of meer normaal postverkeer met België mogelijk
is, blijven ze elkaar sporadisch schrijven – zogenaamd om
'het oude vuur niet te voeden' en Elsa en Joe niet te kwetsen. Maar misschien ook wel omdat ze elkaar niet veel meer
te vertellen hebben. Eens in de zoveel tijd een gelukswens,
een kerstgroet of wat verhalen over de kinderen – veel verder
komen ze niet. Waardoor er soms weken voorbijgaan zonder dat hij aan haar denkt. Het laatste wat hij van haar hoorde
was dat ze verhuisplannen hebben, naar een 'ferme' even buiten Ukkel, op een 'idyllische' heuvel met boomgaarden. Van
de Duitse bezetters of de oorlog merkte ze nauwelijks nog
iets in haar 'kleine wereldje'. En als vanouds verzekerde ze
hem dat ze tot haar dood van hem zal blijven houden en dat
zij met onverbrekelijke banden verbonden zijn *ook al is er anders over ons beider levens beschikt*. Na die toevoeging leek het
een deuntje dat ze uit oude gewoonte en zoete melancholie
nog maar eens afdraaide. Hij was een afgesloten hoofdstuk
in haar leven en daar had ze vrede mee. Zoals zij het feitelijk
ook in zijn leven was.

Alleen vorig jaar stuurde ze ineens een uitvoerige brief die
hem volledig uit het lood sloeg en ook flinke gevolgen voor
de sfeer tussen Elsa en hem had gehad. Na jaren van opstan-
digheid, schreef ze, en van verlangen naar een leven dat niet
voor haar was weggelegd, had ze zich nu geschikt in haar leven zoals het was. Waarom ze hem dit juist op dat moment
weer eens zo omstandig moest vertellen, was hem niet meteen duidelijk. En toen kwam de aap uit de mouw: ze was bevriend geraakt met de plaatselijke pastoor en had haar kinderen en zichzelf – *mede door* onze *vroegere gesprekken over het
geloof* – laten dopen in de katholieke kerk. Ook ging ze alsnog
voor de kerk trouwen. *Uw wil geschiede* – daaraan klampte ze
zich nu vast, omdat haar dat zoveel rust gaf.

Buitengewoon pijnlijk had haar nieuwe vroomheid hem getroffen. Was hun liefde toch nog ergens goed voor geweest, godverdomme!

Elsa had die dikke brief uit Ukkel natuurlijk gezien bij de post, en hij had niet kunnen verbergen hoe aangedaan hij erdoor was. 'Jo is katholiek geworden,' zei hij om haar gealarmeerdheid weg te nemen. Maar het werkte averechts. 'Zij liever dan ik,' zei ze kil. 'Gaan jullie elkaar nu weer dagelijks schrijven?' En maandenlang had ze weer alleen in het bijzijn van de kinderen vriendelijk tegen hem gedaan.

Hij staat op, en begint terug te wandelen. Op het brede pad naar het Paviljoen kijkt hij een paar modieuze juffertjes na die gearmd en proestend van de lach richting Amstelveenseweg lopen. Dan zet hij koers naar de uitgang Van Eeghenstraat.

De voordeur van Mengelbergs huis zwaait open en met korte, snelle pasjes loopt de maestro de trap naar het trottoir af alsof hij zich naar de bok van het Concertgebouw spoedt. En onherroepelijk zet hij vervolgens koers richting park.

Het zal toch niet waar zijn, denkt Diepenbrock.

Het liefste was hij nu omgekeerd en een andere kant opgelopen, maar er is geen ontkomen aan. Mengelberg steekt zijn hand op.

Meer dan twintig jaar kennen ze elkaar. Ze bewonderen elkaar, hebben talloze malen samengewerkt, zijn samen op reis geweest, hebben elkaar op hoogtijdagen als intieme vrienden toegesproken. En nu lopen ze hier op elkaar toe als twee tot de tanden gewapende vijanden die elkaar het liefste uit de weg zouden gaan. En waarom? Enkel door die vervloekte oorlog!

Nou ja, hij moet ook niet overdrijven. Ondanks alles lijkt de vriendschap nog steeds niet helemáál bekoeld – net als vroeger heeft Mengelberg elk jaar met Sinterklaas een pakketje laten bezorgen met wijn en sigaren en een aardigheidje voor Elsa en de meisjes. Dat heeft niets te maken met de schijn ophouden in het openbaar. En dat kaartje om zich af te melden bij de *Missa* was toch ook aardig bedoeld. Of zou Tilly hem daartoe gedwongen hebben? Die betreurt het ongetwijfeld dat de oude hartelijkheid zo verstoord is geraakt. Nee, echte vijanden zijn ze nog niet. Maar een afstandelijke vriendelijkheid *for old times' sake* is nog iets anders dan elkaar in levenden lijve de hand drukken.

Tussen de zuiltjes van het toegangshek, onder de platanen, ontmoeten ze elkaar.

'Nee maar. Diepenbrock, dat is een tijd geleden. Hoe gaat het je? En hoe gaat het je drie prachtige vrouwen?'

'Heel goed, dank je. Hoe maken jullie het?'

Het is natuurlijk niet alleen de oorlog waardoor ze hier nu zo gepantserd tegenover elkaar staan. De oorlog heeft alles alleen op scherp gesteld. Het is ook de natuurlijke loop der dingen. Je begint onervaren, als gelijkgezinden met eenzelfde doel voor ogen. Je bent allebei katholiek, vindt elkaar sympathiek, voelt je verwant en raakt al snel bevriend. En langzaam krijg je verschillende posities, wordt de een afhankelijk van de ander, gaan er tegenstrijdige belangen en opvattingen meespelen. Ieders eigenaardigheden komen tot volle bloei. IJdelheid, geld en teleurstellingen vertroebelen de vriendschap. Tot dat oude verwantschapsgevoel langzaam wegslijt of ineens verleden tijd blijkt. Tot je tegenover elkaar komt te staan en elkaar de waarheid zou moeten zeggen, wat je niet doet omdat je geen vrienden meer bent. Hij heeft Mengelberg nooit voor het hoofd willen stoten, is nooit de confrontatie met hem aangegaan. En wat heeft dat hem opgeleverd? Dat Mengelberg hem nu vraagt of ze niet toch weer eens zullen afspreken. 'Gewoon als vanouds een avondje zwatelen bij een goed glas, zonder het over de oorlog te hebben.' Of dat avondje ervan komt of niet, de vriendschap is hoe dan ook verleden tijd. En hij is degene die met lege handen staat.

'Doe je mijn hartelijke groeten aan Elisabeth? Ik zag haar laatst nog wandelen hier.'

'En doe jij de groeten aan Tilly.'

Mengelberg wil alweer doorlopen maar bedenkt nog iets. 'Trouwens, die vriend van je, Vermeulen, zie je die nog wel eens?'

'Ja?'

'Weet je dat hij mij zijn symfonie heeft voorgelegd?'

'Een jaar geleden toch al?'

'Volgende week komt hij praten. Heb jij die symfonie niet ook gezien?'

'Ik heb hem indertijd bekeken, niet bestudeerd.'

'En, wat was je indruk? Meesterwerk?'

Dit zou het moment zijn om voor Vermeulen in de bres te springen. Zoals Mahler ooit voor Schönberg op de vuist ging, al begreep hij niets van de muziek die hij verdedigde. Maar het enige wat hij weet uit te brengen is: 'Het talent van die jongen zou goed begeleid moeten worden. Door iemand zoals jij.'

'Dat kun je wel zeggen ja. Maar ik moet echt verder. Nou, groet Elisabeth van me.' En met trefzekere, gevierde stappen vervolgt de maestro zijn weg.

Mocht die invitatie inderdaad nog komen, dan gaat hij meteen de kachel in.

32

Eén jaar geluk

De hele wandeling vanaf station Hilversum valt er natte sneeuw over de hei. Lang voor Vermeulen Laren nadert is zijn jas doorweekt en kleven zijn broekspijpen als ijskoude kompressen om zijn benen. De snijdende kou doet pijn in zijn gezicht. Maar het hindert hem allemaal geen zier.

Neem je je symfonie mee? vroeg Elisabeth in een ps onder haar laatste brief.

Meer dan al het andere wat ze hem de afgelopen twee maanden schreef, had dat ene zinnetje hem getroffen. Wat er verder ook gebeuren gaat vandaag, ze wil zijn muziek leren kennen. Blijkbaar is hij meer voor haar dan alleen een aantrekkelijke jongen. Diepenbrock zag niets in zijn muziek. Maar zij, de strenge en ongenaakbare echtgenote, neemt de leerling van haar man serieus, wil weten wat hem bezielt. Dat heeft zijn hondse vernedering door Mengelberg dan toch maar aan het licht gebracht.

De arm waarmee hij het pakket onder zijn jas op zijn plaats geklemd houdt begint stijf te worden en hij schuift het onder zijn andere arm. Volkomen grauw is het om hem heen, grijze sluiers over de troosteloze heidevlakte. Van de bewoonde wereld is nog niets te bekennen. Onafgebroken slaat de natte sneeuw hem in het gezicht.

Zonder Elisabeths bemoeienis zou Mengelberg hem zijn partituur waarschijnlijk zonder commentaar hebben teruggestuurd na een volgende schoonmaak in zijn werkkamer. Maar doordat zij met mevrouw Mengelberg sprak, werd hij na meer dan een jaar wachten prompt in de Van Eeghenstraat

ontboden. Als hij terugdenkt aan dat bezoek in die protse-
rige studeerkamer vol negentiende-eeuwse prulschilderijen
en antiek glaswerk voelt hij zich nog altijd gekrenkt. Over
zijn symfonie ging het nauwelijks. Als een getergde soeverein veegde Mengelberg hem het jak uit over zijn kritieken
– Mengelberg die nooit recensies zou lezen. Tot de kleinste
details had hij ze paraat, alsof hij er aantekening van had gehouden. Hoe kwam mijnheer de criticus erbij dat hij geen
noviteiten bracht! Had hij niet Mahler in Amsterdam geïn-
troduceerd, en Debussy en Schönberg? En hoezo zou hij een
eenzijdig Duits programmabeleid voeren? Hij koos muziek
of solisten los van politieke of welke andere voorbijgaande
bedoelingen! En dan de aanmatiging om hem effectgericht
te noemen en mensen als Flesch, Strauss of Dopper als kleine
jongens in de hoek te zetten! Steeds kwader maakte hij zich.
'Waar haalt u de euvele moed vandaan, mijnheer Vermeulen!' En zo ging het een half uur door.
   'Ik hoopte over mijn symfonie te kunnen praten, en niet
over de journalistiek,' was het enige wat hij tegen die storm
van verwijten in wist te brengen. Waarop Mengelberg de partituur van zijn bureau griste, er een beetje in bladerde met een
gezicht alsof hij het vod zojuist uit de drek had moeten vissen
en een paar stekelige detailopmerkingen maakte. 'D-es-f-g-
as. Bes-c-d-e-f. C-d-es-f-as. Drie stapelingen van secundes
in een halve maat. Wat vindt u daar zelf nou van, mijnheer
Vermeulen? Wilt u uw publiek pijnigen in plaats van ontroeren?' 'Als u er zo over denkt, mijnheer Mengelberg,' zei hij
toen, 'dan kan ik beter weer gaan.' Wat had hij anders moeten
zeggen? Ik had meer van u verwacht? Dat had hij al honderd
keer in de krant geschreven.
   'En?' vroeg Elisabeth gespannen, toen hij het catacom-
be-achtige Rijksmuseumcafé binnenkwam. Ze zat met koffie aan een tweepersoonstafel onder de lage, met Assyrische
diermotieven gedecoreerde bogen van het gewelf en leek
verbaasd dat hij er al was.
   Op een enkele gast na was het café leeg; op zo'n vroeg

middaguur kwamen er hoogstens wat buitenlanders naar het museum en die liepen nu boven, langs de schilderijen.

'Gevild heeft hij me. Had je iets anders verwacht dan?' Met een gelaten gebaar legde hij zijn partituur naast het zilveren koffiestel op tafel en ging tegenover haar zitten, te ontdaan om zelfs maar zenuwachtig te zijn over hun weerzien. Vanachter de karaffen en gebakschalen op het buffet schoot onmiddellijk een gepommadeerde ober toe die in zijn motoriek en houding wel iets van Mengelberg had. Met arrogante, dwingende blik wachtte de man zijn bestelling af.

'Cacao graag.' Het kwam eruit als een woedende links-rechtscombinatie.

Verbaasd keek de ober hem aan. 'Eén Blooker's voor mijnheer!'

'Nou, vertel eens gauw, wat zei Mengelberg?'

De machteloze woede die hij de hele weg van de Van Eeghenstraat naar het Rijksmuseum de baas had proberen te worden was weer op volle sterkte.

'Dat mijn muziek je reinste anarchie is! Dat zei hij. En dat ik maar les moet nemen bij Dopper, als Dopper me hebben wil tenminste.' Opnieuw vlijmden die woorden door zijn ziel.

Elisabeth schudde langzaam haar hoofd. 'Les bij Dopper? Zei hij dat echt?' Onder haar verbazing de oude, bondgenootschappelijke toon.

'Ja, toen ik wegging, boven aan de trap, als om me een schop na te geven.'

Ze nam zijn handen in de hare. 'Willem is een oude vriend en ik heb altijd een zwak voor hem gehad, maar zijn ijdelheid en gebrek aan zelfrelativering gaan hem steeds meer in de weg zitten. Weet je dat hij nog niet zo lang geleden geprobeerd heeft een criticus van de *Frankfurter Zeitung* de toegang tot zijn Duitse concerten te laten ontzeggen, omdat hij zich door diens voortdurende kritiek in zijn goede naam voelde aangetast?'

De ober kwam voorzichtig met een kop chocola achter het buffet vandaan.

'Zoiets riep hij tegen mij ook: uw onwelwillende kwaad-aardigheid schaadt mijn reputatie!'

Elisabeth bleef zijn handen vasthouden terwijl ze beleefd 'Dank u vriendelijk' tegen de ober zei.

'Terwijl ik nooit onwelwillend of kwaadaardig tegenover hem heb gestaan. Hoe komt hij daarbij! Ik ben een mede-stander. Ik bewonder hem liever dan dat ik hem kritiseer. Dat heb ik hem ook nog gezegd. Maar daar kon hij alleen maar schamper om lachen.'

Ze vroeg wat hij nu ging doen. 'Het Residentie Orkest benaderen?'

'Ik ga Mengelberg scherper dan ooit op zijn plichten wij-zen en een tweede symfonie schrijven die hem zal dwingen zijn vergissing in te zien. Hij is de enige in Nederland die mij kan uitvoeren.'

Ze streelde hem even over zijn wang. 'Doe je je nu niet stoerder voor dan je je voelt?'

'Ja,' zei hij. 'Maar ik ga het wel doen.'

Vertederd en tegelijk een beetje meewarig keek ze hem aan. 'Met die kritiek zou ik oppassen. Mengelberg heeft nu een wapen in handen. Elke keer dat je hem terechtwijst zal hij tegen iedereen zeggen: zie je wel, Vermeulen voert cam-pagne tegen me omdat ik zijn muziek niet wil uitvoeren.'

'Dit onderhoud moet maar tussen ons blijven, zei hij me.'

'Ach, wat ben je toch naïef Thijs! Mengelberg kennen-de weet op dit moment half Amsterdam al dat hij je sym-fonie heeft afgewezen. Ik hoor het hem al rondbazuinen op de repetities: "Vermeulen is bij me langs geweest. En weet je wat ik hem zei? Neemt u eerst eens les bij Cornelis Dopper, hahaha."' Treffend imiteerde ze Mengelbergs schaterlachje. Daarna draaide ze de partituur, die ondersteboven voor haar lag, om en vroeg: 'Mag ik heel even kijken?'

'Je reinste anarchie hoor, pas maar op.'

Aandachtig tuurde ze een tijdje naar de eerste bladzijden

en bladerde daarna verder, zonder dat aan haar gezicht te zien was wat ze vond. Hoe langer ze keek, hoe ongemakkelijker hij zich voelde worden. Tot ze ten slotte zei: 'Deze muziek zou ik graag eens horen.'

Iets beters had ze op dat moment niet tegen hem kunnen zeggen.

Zijn hart begint heviger te slaan. In de verte schemert Holtwick eindelijk tussen de kale bomen langs het stijgende zandpad. Een eeuwigheid geleden lijkt het dat ze hem over het grind tegemoet liep met haar dochters, die eerste keer dat Diepenbrock hem met een rijtuig van het station had gehaald. Vóór de oorlog was dat nog. Zijn symfonie stond net in de steigers. 'Wat goed u hier te zien, mijnheer Vermeulen,' zei ze toen. 'En op zo'n mooie dag nog wel.' Haarscherp herinnert hij zich haar blik daarbij, wat wel moet betekenen dat hij haar toen al aantrekkelijk vond. Met terugwerkende kracht strekt hun liefde zich verder en verder in het verleden uit.

Ze moet hem op hebben staan wachten achter het keukenraam, want nog voor hij naar de klink van het tuinpoortje kan reiken, komt ze al met een paraplu en een haastig over haar schouders geworpen omslagdoek over het grindpad aanlopen.

'Wat goed u hier te zien, mevrouw Diepenbrock. En op zo'n mooie dag nog wel.' Hij probeert het niet al te ingestudeerd te laten klinken. Of ze het grapje begrijpt, kan hij niet uit haar gezicht opmaken.

'De emotie jaagt mijn bloedsomloop op hol,' citeert ze triomfantelijk zijn laatste *Telegraaf*-zin voor haar. 'Mijn aderen kloppen hevig.'

'Mijn levenskrachten lijken verdubbeld,' vult hij lachend aan, 'ik onderga genoegens waar mijn verstand geen deel aan heeft.' Zinnen waarmee Berlioz ooit zijn muzikale vervoering beschreef. Nooit zal die vermoed hebben dat zijn woorden nog eens als verhulde liefdesverklaring misbruikt zouden worden.

Ze houdt hem snel de paraplu boven het hoofd, alsof dat nog zin zou hebben, en geeft hem een onhandige kus. De overeind staande haartjes op haar wangen, als op een stengel havikskruid. Haar prachtige gave tanden. Haar ogen, gretig als mussen rond een broodkorst. 'Waarom heb je geen coupé genomen in Hilversum? Je zou nog ziek worden met dit weer.'

Hij haalt zijn schouders op. 'Er was geen coupé. En lopen is gezond.'

Achter het raam van de villa op het heideveld schuin aan de overkant van de Drift, staat een man te kijken. Voor ze over het grindpad naar de voordeur lopen, steekt Elisabeth haar hand naar hem op. 'Onze pianist,' zegt ze. 'Je weet wel, van die Schumann- en Tsjaikovski-stukjes waar zelfs de meisjes dol van worden.'

In het halletje achter de voordeur staan ze schuchter tegenover elkaar – hij druipend op de plavuizen en zij glimlachend op een manier die hij niet goed kan duiden. Talloze versies van dit moment heeft hij de afgelopen dagen beleefd. De ene keer stortten ze zich halsoverkop in een wilde omhelzing, de andere keer kleedden ze elkaar knoopje voor knoopje uit. En weer een andere keer bleven ze terughoudend en beleefd, tot de spanning haast ondraaglijk werd. En nu staan ze hier echt en weten zich beiden geen houding te geven. Ze schudt de paraplu uit, zet hem in een koperen paraplubak, hangt haar omslagdoek aan de kapstok. Hij wurmt het pakket met zijn symfonie vanonder zijn jas tevoorschijn en houdt het omhoog. Ze neemt zijn hoed aan. Hij ontdoet zich van zijn natte jas terwijl hij het pakket steeds van zijn ene in zijn andere hand moet overpakken. Er zijn natte plekken in het pakpapier gekomen. Eindelijk overhandigt hij haar zijn jas, die ze in het badkamertje meteen naast de voordeur legt. En dan omhelzen ze elkaar toch, niet wild, maar ernstig en lang, zonder elkaar te kussen, alsof dat te snel zou gaan, te gulzig zou lijken. Ze klemt hem stevig tegen zich aan, hij staat rillend met zijn natte armen om haar heen en het bruine pakket achter haar rug. Na een tijdje heft ze haar hoofd en lacht hem toe. Ze trilt een beetje, net als hij. Er vallen een paar druppels uit zijn haar op haar blouse. De dunne witte stof voelt warm en zacht aan. Ze heeft er geen korset onder. Ze moet zijn erectie voelen tegen haar buik. Dan maakt ze zich los uit zijn armen en gaat hem voor naar de kleine azuurblauwe woonkamer, waar een vuur in de schouw brandt. In een hoek van de kamer staat een kerstboom met wat pakjes eronder. Die moet ze voor hij kwam hebben opgetuigd; morgen arriveert Diepenbrock met de dienstbode en de meisjes om hier de kerstdagen door te brengen.

'Hang je kleren maar uit bij het vuur. Ik haal even een deken voor je.' En meteen schiet ze de kamer uit, alsof ze schroom heeft samen met hem in dezelfde ruimte te zijn. Hij legt het pakket op tafel, schuift twee stoelen met hun rugleuningen naar het vuur, trekt zijn trui, zijn overhemd en zijn broek uit en hangt ze erover. Gaat vervolgens in kleermakerszit op het Oosterse tapijt zitten en staart in de vlammen.

Het is schemerig in het kamertje door het donkere weer. Buiten is het gaan hagelen. Het huis van de pianospelende buurman is vanaf hier niet te zien. Toch voelt het of hij zich midden op het Leidseplein heeft uitgekleed. Wat een bizar idee om hier nu in zijn ondergoed voor Diepenbrocks haard in Holtwick te zitten, in de kamer waar Thea en Joanna binnenkort hun kerstpresentjes uit zullen pakken. Waarom huren we niet ergens een pensionkamer, had hij de afgelopen week vaak gedacht. Hoe komt ze er toch bij me uitgerekend in Holtwick rendez-vous te geven?

'Hier.' Er ploft een opgevouwen badlaken naast hem neer. Als hij zich omdraait staat ze lachend in de deuropening. 'En sla dit om je heen.' Ze reikt hem een deken aan. 'Ik maak even wat brood. Je zult wel trek hebben na die wandeling.' En verdwenen is ze weer.

Hij wrijft zijn haren droog, slaat de deken om zijn schouders en staart geruime tijd in de vlammen. Als er een blok van het vuur rolt probeert hij het met de pook weer in de vlammen te duwen. Achter hem kraakt de deur van de kamer langzaam open door de tocht. Hij rommelt nog wat in de haard tot het vuur weer goed brandt, wil opstaan om weer op het kleed te gaan zitten. En dan ziet hij Elisabeth in de deuropening staan. Een schaal brood in haar handen, de haren los – in een zwarte zijden kimono met een grote kraanvogel erop.

Haastig krabbelt hij overeind, sprakeloos.

'Ik heb zo naar je verlangd, Thijs.' De kimono valt een beetje open zodat hij een stuk van haar borsten kan zien.

'Kom snel bij het vuur,' zegt hij en probeert het zo vanzelfsprekend mogelijk te laten klinken.

Ze knielt neer voor de haard, en gaat naast hem op het kleed zitten. En ineens liggen ze in elkaars armen, en kust ze hem op zijn mond en waar ze hem raken kan, werkt ze zich uit de kimono en trekt hem zijn hemd over zijn hoofd. Haar handen gaan door zijn krullen, over zijn borst en rug en al snel ook in zijn onderbroek. En hij snuift de geur van haar haren op, van haar oksels, kust haar voorhoofd, haar ogen, haar kin, haar hals, en voelt haar borsten tegen zijn eigen borst, streelt haar schouderbladen met zijn vingertoppen, haar billen met zijn volle handen. En dan rollen ze bijna in de schaal met boterhammen.

'Is het je eerste keer met een vrouw?' vraagt ze kalm.

Hij knikt en slaat zijn armen om zijn knieën. Ellendig en beschaamd voelt hij zich. Vanaf het moment dat ze zijn onderbroek uittrok, lag zijn lid als een pasgeboren lam te slapen.

Niet heel anders dan hij zich had voorgesteld is ze, en toch verraste haar lichaam hem. Haar bleke, sproetige huid, haar mollige, wat slappe bovenarmen, de donkere plukjes haar vanonder haar oksels. Haar zware borsten die een beetje afhangen, met grote, licht naar buiten wijzende tepels. Haar hobbelige buik, brede heupen, het weelderige schaamhaar en haar volle billen en bovenbenen. 'Heb ik je te veel over-rompeld,' vraagt ze ernstig, 'voel je je schuldig tegenover Diepenbrock? Is het dit huis, deze kamer?'

'Ik geloof het niet,' zegt hij.

Ze gaat overeind zitten. Het is een tijdje stil.

'Of vind je me te oud?' Ze bedoelt het als een grapje maar er klinkt ook verwarring in haar stem door.

'Je bent prachtig. De eerste vrouw die mij betoverd heeft.'

'De eerste vrouw? Ben je nooit eerder verliefd geweest op een vrouw?'

'Nee.'

'Heeft dat misschien met Petrus te maken?'

'Petrus? Hoe bedoel je?'

'Ik heb wel eens gedacht dat jullie meer dan vrienden wa-ren. Zoals ik van Diepenbrock tijdens onze eerste jaren *mariage blanc* ook wel eens dacht dat hij van mannen hield.' Ze draait haar haren in een streng en vleit die over haar schouder en borst. 'Tot Jo in ons leven kwam.'

'Petrus en ik waren als Alcibiades en Socrates,' zegt hij. 'Daarna is hij zijn eigen weg gegaan en werd ik verliefd op jou. Maak je over Petrus en mij alsjeblieft geen zorgen.'

'Dat doe ik ook niet,' zegt ze, maar ze is duidelijk niet overtuigd.

In Diepenbrocks eigele werkkamer, waar de Bechstein staat, brandt een kolenkachel. Elisabeth heeft haar zwartzijden ki-mono weer aangetrokken. Ze steekt de bureaulamp en een paar kaarsen aan, daarbij gadegeslagen door haar twee doch-ters vanaf hun plaquette die boven de vleugel aan de wand hangt. Ze sluit de gordijnen voor de verandadeuren. Nie-mand zou hen hier kunnen zien, maar toch is het een pret-tig gevoel dat ze volkomen afgeschermd zijn van de buiten-wereld.

'Deze vleugel stond vroeger in de salon bij mijn ouders in Hintham,' zegt ze. 'Ik heb er als kind nog les op gehad. Later gaf ik er kleine huisconcerten op met een vriendin die zong.

Toen leefde mijn vader nog.' Ze doet de klep open en slaat een paar akkoorden aan. 'Zoals je hoort moet de stemmer nog komen.'

In haar brieven heeft ze herhaaldelijk over haar vader verteld, die al voor zijn zestigste plotseling overleed, een paar jaar voor zij Diepenbrock leerde kennen. *Tweeëntwintig was ik toen*, schreef ze. *En soms mis ik hem nog steeds, om zijn warmte en humor, maar vooral ook om zijn bevlogenheid, zijn niet-aflatende lust tot debatteren, zelfs met mij, om zijn onverschrokkenheid waar het zijn diepste overtuigingen aanging. Daarin doe jij me soms aan hem denken.* Procureur-generaal van het Gerechtshof te 's-Hertogenbosch was de man geweest, en als protestants liberaal een verwoed voorvechter van de verheffing van de werkman, de algemene leerplicht en het verbod op kinderarbeid. Een echte idealist. Al had hij over het algemeen stemrecht veel moeten discussiëren met zijn dochter. Dat ging hem weer veel te ver.

Elisabeth draait Diepenbrocks bureaustoel naar de vleugel en gaat erop zitten. Beeldschoon ziet ze er nu uit in het zachte lamplicht, met haar haren los en die kimono die weer half openvalt. Met Diepenbrock zat hij hier altijd bij daglicht.

'Is het niet te donker?' vraagt ze.

Hij zet zijn partituur op de lessenaar, schroeft de pianokruk omlaag en werpt nog een blik op haar. Ze zit hem aandachtig te observeren en slaat snel haar ogen neer. Heel even schiet die lang vervlogen julinacht in Diemen door zijn hoofd, met Petrus op dat aardappelkratje in de kaarsverlichte Spelonk. 'Dat gaat grote muziek worden Thijs, muziek van Liefde.'

Met de deken om zijn schouders gaat hij zitten, maakt zijn vingers los als een befaamd pianist en lacht naar Elisabeth. 'Matthijs Vermeulen, *Symphonia Carminum*. Eerste deel.' Met volle kracht slaat hij de stijgende kwint van het openingsthema aan en speelt dan zo goed en zo kwaad als dat op een klavier gaat de vijf daaropvolgende frasen door. Al gauw glijdt de deken van hem af, maar hij laat zich er niet door afleiden. Hier zit hij op Diepenbrocks werkkamer: naakt als een Polynesiër, achter Elisabeths oude vleugel waaraan Diepenbrock *Die Nacht* heeft gecomponeerd, en speelt zijn *Symfonie van Extatische Zangen.*

Af en toe moet hij zijn spel onderbreken om iets toe te lichten of te laten horen hoe het meerstemmige weefsel is opgebouwd. Elisabeth luistert vol aandacht, met haar ogen strak op hem gericht, en bij de passage waar de soloaltviool het langzame deel inzet komt ze achter hem staan om mee te kunnen lezen in de partituur. 'Prachtig is dit,' zegt ze. 'Het lijkt Bruckner wel.'

Omdat hij niet de hele symfonie kan doorspelen, laat hij nog het thema van de mars in de dorische toonladder horen, waar Petrus zo van hield, en bladert dan door naar de Nachtmuziek. Ingehouden laat hij de akkoorden opkomen waarboven de lange, dromerige nachtmelodieën opbloeien. 'Hier heb ik het meest bereikt wat me voor ogen staat. Verschillende, onafhankelijke melodielijnen zweven gelijktijdig boven een mysterieus geruis, waaroverheen de fluit dan zijn nachtegaalgezang aanheft. Een minutenlange, betoverende verstilling heb ik willen oproepen, tot het fiere openingsthema de afsluiting inzet.' Hij speelt de melodieën van fluit en klarinet, en daarna nog eens het openingsthema.

'Mag ik die eerste akkoorden nog eens horen?' vraagt Elisabeth. Ze wijst de passage aan. 'In wat voor toonsoort zitten we daar?'

Hij lacht. 'In geen enkele toonsoort.' En hij laat nog een paar afzonderlijke melodiefragmenten horen die gelijktijdig moeten klinken. 'Als geheel is deze symfonie nog wel tonaal, maar alle stemmen bewegen zich zowel melodisch als ritmisch onafhankelijk van elkaar. Elke melodie, elke toon is vrij en levert zijn individuele bijdrage aan het geheel.' Hij voelt zijn oude bevlogenheid weer de kop op steken. Elisabeth gaat er alleen maar verliefder van kijken.

'Op die manier kun je nauwelijks nog van polyfonie spreken,' zegt ze.

'Ik zou het eerder polymelodie noemen.' Nu wordt hij

317

echt enthousiast. 'Hier ligt de toekomst van de muziek! Het gangbare harmonische systeem zoals dat rond 1700 door een stel Duitse pruiken is geconstrueerd, is uitgeput in zijn expressieve mogelijkheden. Dat systeem vertegenwoordigt het rationalisme in de muziek en is vijandig aan elke metafysica van de klank, zoals die in de middeleeuwen nog ervaren kon worden. Het dwingt de tonen en melodieën in voor de hand liggende en onware richting. Alles wat eruit voortvloeit is gepredestineerd. Daarbij weerspiegelt het een hiërarchische wereldorde die sinds augustus 1914 voorgoed verleden tijd is. De psyche van de huidige mens is door de oorlogsgruwelen onherroepelijk veranderd, dus moet ook de muziek veranderen wil zij iets overbrengen. De tonica kan niet langer als God de Heer of Vadertje Tsaar op de troon zitten en alles naar zich richten. Elke toon heeft een eigen emotie die hij bij de andere voegt, zoals de meest uiteenlopende mensen een gelijkwaardige bijdrage leveren aan de gemeenschap.'

Elisabeth hoort hem glimlachend aan. 'Je lijkt Domela Nieuwenhuis wel,' plaagt ze. 'Al zou die nooit in adamskostuum spreken!'

'Ik meen het in alle ernst hoor!' Hij bladert naar het *molto sostenuto*. 'Door de polymelodiek ontstaat hier een volkomen natuurlijk vijfstemmig weefsel dat volgens die achttiende-eeuwse droogstoppels van de Leipziger Schule dissonant is, maar toch wonderbaarlijk mild en welluidend klinkt. Zoals de samenleving zou moeten zijn... Hier, moet je horen.'

Elisabeth luistert weer geduldig en knikt instemmend.

'Allemaal niet volgens de regels! Gaat u maar les nemen bij Cornelis Dopper, mijnheer Vermeulen. Maar het klinkt! En het is wáár!'

Ze slaat haar armen om zijn schouders. 'Wat het ook is, het is muziek,' zegt ze. 'Schitterende, nieuwe muziek.' Ze legt haar kin op zijn hoofd. Zou ze ooit zo met Diepenbrock over zijn muziek gesproken hebben? denkt hij.

Haar kimono moet helemaal opengevallen zijn, hij voelt haar borsten tegen zijn rug en zijn geslacht begint te zwellen.

Langzaam glijdt haar hand naar beneden over zijn borst. Hij draait zich om op de kruk, steekt zijn armen onder de zwarte zijde en drukt zijn hoofd tegen haar buik. En in een plotselinge vlaag van lust probeert hij haar op schoot te trekken. Maar ze zegt 'Niet hier Thijs', geeft hem een hand en trekt hem mee naar de gang, de trap op.

Boven in haar slaapkamertje is het koud. Een klein, sober ingericht vertrek onder het schuine dak is het: een stalen ledikant met siersmeedwerk aan het hoofdeinde, een mahonie kledingkast met inlegwerk en grote spiegel, en een wastafel met een lampetkan erop. De gordijntjes in het dakkapelletje zijn al dicht. Ze slaat de rode gestikte deken terug, laat haar kimono op de grond glijden en schuift onder het dek. 'Kom gauw,' zegt ze, en houdt de deken voor hem omhoog. De lakens ruiken fris maar voelen klam aan, ze moet het beddengoed er vanochtend opgelegd hebben.

Onder de dekens is ze ineens overal om hem heen met haar armen en benen en haar warme zachte lijf. Ze kust hem onstuimig op zijn lippen, in zijn hals, bijt hem zachtjes in zijn schouder. Uitgehongerd lijkt ze, buiten zinnen, ze slaakt kleine kreetjes, klaaglijk bijna, als ze er niet zo'n gelukzalig gezicht bij had. Is dit die ongenaakbare mevrouw uit de Verhulststraat, de vrouw met het hoge voorhoofd op het zijbalkon in het Concertgebouw, de nuchtere, ironische converseerster, de moeder van Thea en Joanna?

Ze omklemt zijn hele lichaam, rolt langzaam op haar rug, zodat hij boven op haar komt te liggen, neemt zijn lid en leidt hem.

Alsof hij in een grenzeloos, warm niets verdwijnt is het, een weldadig duister waarin hij zijn geslacht niet meer voelt, enkel de snel groeiende meteoor in zijn onderbuik. Onder zich haar gezicht, met haren overdekt, haar deinende, platliggende borsten die aan weerszijden van haar tors lijken te glijden. De zurige geur van haar oksels, haar huid. Langzaam opent ze haar mond en staart hem met een zweem van een lachje aan. Dan zet ze haar nagels in zijn schouderbladen en breekt haar lach echt door.

Terwijl hij nog naschokt van zijn onstuitbare, veel te snelle hoogtepunt, pakt ze zijn hoofd met beide handen vast en kijkt hem diep in de ogen. 'Hou je van me Thijs?' 'Ja,' hijgt hij. Ze streelt hem over zijn rug en veegt wat haren uit haar gezicht. 'Ach wat lief, je hebt kippenvel op je billen.'

Even later ligt ze op één elleboog gesteund op haar zij naar hem te kijken en kriebelt met haar vrije hand in de krullen op zijn voorhoofd. Hij verbaast zich over de vormen die haar borsten kunnen aannemen en voelt zich overvallen door een wonderlijke somberheid waardoor hij het liefste op zou staan en teruglopen naar het station.

'Weet je wat ik hoop Thijs?'

'Nee,' zegt hij.

'Dat 1917 eindelijk weer eens een gelukkig jaar wordt. Na alle ellende van de afgelopen jaren. En niet alleen voor ons. Heel Europa verdient een gelukkig jaar. Ja, dat hoop ik ook, dat 1917 het vredesjaar zal zijn.'

Hij glimlacht een beetje treurig en denkt aan de grote kaart van Europa aan de wand van zijn kamer in de Valeriusstraat, waarop hij sinds het begin van de oorlog met gekleurde speldenknoppen de frontlinies heeft aangegeven. Rond Verdun staan de spelden weer in hun oude gaatjes, na een jaar van de bitterste gevechten en honderdduizenden slachtoffers aan alle zijden. Bij de Somme hebben de Britten in vier maanden tijd enkele kilometers terreinwinst geboekt, die ze binnenkort wel weer kwijt zullen raken. Vrede lijkt verder weg dan ooit, laat staan een overwinning van de geallieerden.

'Eén jaar geluk,' zegt ze, met een plotselinge bittere trek om haar mond. 'Dat is toch niet te veel gevraagd!' Ze heeft hem verteld dat Diepenbrocks geheime verhouding met Jo precies een jaar geduurd heeft. 'Zullen wij in ieder geval proberen elkaar dat te geven?'

Hij draait zich ook op zijn zij, somberder nog dan hij zich

al voelde, maar probeert opgewekt te klinken. 'Goed,' zegt hij. 'Eén jaar geluk. En daarna zien we wel verder.'

'En dat jaar begint nu,' lacht ze. Ze buigt zich over hem heen en kust hem hartstochtelijk op zijn lippen. Dan pakt ze zijn hand en drukt die tussen haar benen waar het nog vochtig is van zijn zaad. Als zijn middelvinger op de goede plek ligt, begint ze met korte tussenpozen op zijn hand te duwen, en daar zachtjes bij te hijgen en af en toe weer een kreetje te slaken. Steeds sneller duwt ze, sluit af en toe haar ogen. 'Wil je mijn borsten kussen?' Hij doet het, neemt haar tepels een voor een tussen zijn lippen, tikt er met zijn tongpunt tegen en likt ze, wat haar steeds heviger laat ademen. Intussen duwt ze wilder en wilder op zijn hand, tot hij er een pijnlijke onderarm van krijgt. Na een tijdje drukt ze incens met half geloken ogen en open mond haar hoofd achterover in het kussen, en begint geluidloos te schokken met haar hele lichaam. Hij wil nog doorgaan met zijn vinger en zijn tong, maar ze duwt hem zachtjes weg, terwijl het schokken aanhoudt, en haar een lange zucht ontsnapt. Dan begint ze te huilen, grijpt hem met beide handen in zijn krullen, trekt zijn hoofd naar zich toe. 'Als ik nu stierf zou ik gelukkig zijn, Thijs.' Ze hijgt en snikt nog steeds, het schokken begint langzaam weg te ebben. 'Dan was jij het laatste wat ik zag.'

En dan moet hij haar kus afweren omdat er onverhoeds iets in hem opwelt, een verdriet zo groot dat het hem helemaal vult en onweerhoudelijk zijn ogen uitstroomt en uitstroomt en uitstroomt.

'Ach lieve jongen toch!' Ze komt overeind, zelf nog met betraande ogen, en streelt hem over zijn wangen en door zijn haar. En als hij niet tot bedaren kan komen: 'Wat gaat er toch om in dat mooie hoofd van je?'

Haar half geloken ogen, het schudden van haar lichaam, haar achterovergeknakte hoofd met de wijd open mond – heel even stond hij weer bij de stervende Belgische jongen in de boomgaard.

'Ik weet het niet,' snikt hij. 'Ik weet het niet.'

1917

33

Nieuwjaar op Holtwick

'Hoe laat is Vermeulen hier?' vraagt Elsa. Ze heeft de hele ochtend lopen vitten op Koosje die in de keuken bezig is om het diner voor te bereiden en nu is ze net terug van een wandeling met de meisjes. Met haar mantel nog aan staat ze in de woonkamer. 'Die heb je toch eerder gevraagd?'

Buiten begint het weer te regenen. Diepenbrock legt zijn krant op het tafeltje naast zich. 'Ik begrijp jou niet,' zegt hij. 'Anders sta je erop dat ik Vermeulen inviteer en heb ik de grootste moeite hem mijn kamer in te krijgen omdat jij hem zoveel te vragen hebt. Je tutoyeert hem zelfs. En nu wil je hem er met Nieuwjaar ineens niet bij hebben.'

'We zouden er dit jaar geen heisa van maken,' zegt ze alleen maar.

Hij staat op om een blok in het vuur te gooien. Daarbij stoot hij met zijn arm tegen een tak van de kerstboom zodat er een regen van dennennaalden op de vloer belandt. 'Pas toch op!' roept Elsa. 'Nou moet Koosje weer vegen.'

'Vermeulen komt met de trein van half drie in Hilversum aan en zou een rijtuig nemen, dus ik verwacht hem over een klein uur hier.'

'Dan ga ik me alvast omkleden,' zegt Elsa. 'Roep jij Koosje even voor die naalden. De andere gasten zijn er om vijf uur toch?' Ze bedoelt de pianospelende overbuurman en zijn vrouw.

'Ik weet niet wat jij met je vriendinnen hebt afgesproken?'

'Vijf uur,' zegt ze afgemeten en verdwijnt weer door de deuropening. Dan hoort hij haar met driftige stappen de trap oplopen naar haar kamer.

De hele kerstvakantie is ze al prikkelbaar. Gisteravond om twaalf uur had hij zelfs gezegd te hopen dat ze in het nieuwe jaar weer eens wat hartelijker tegen elkaar konden doen. Maar nee, meteen de eerste ochtend is het alweer raak. Wat maakt ze zich druk over een paar naalden op de vloer onder de kerstboom. Het is maar het jaarlijkse nieuwjaarsdinertje. Als ze nou de Mengelbergs te eten kregen en de De Booys en 'het halve Concertgebouworkest', zoals vroeger wel eens in Amsterdam...

Joanna stormt de kamer in. 'Weet jij waar mammie is pappie?'

'Boven, om zich aan te kleden,' zegt hij. En voor hij kan vragen of ze Koosje even wil roepen om de naalden op te vegen, is ze weer verdwenen, stamp stamp stamp de trap op.

Hij pakt zijn krant weer, bladert er nog wat in maar kan zich niet meer concentreren. Dan staat hij op en gaat naar zijn kamer om zijn *Missa* en het rapport over het gymnasiale onderwijs in Nederland klaar te leggen. Hij verheugt zich erop Vermeulen weer eens te spreken. Door de influenza die hem het hele najaar kwelde, heeft hij hem nauwelijks meer kunnen ontvangen. En er is heel wat te bespreken. In de krant gaat Vermeulen de laatste tijd weer als een dolleman tekeer. Zo zou Mengelberg maar eens dirigeerles moeten nemen bij Richard Strauss...

'Zie ik er goed uit zo?' Elsa komt zijn kamer binnen in haar nieuwe groenfluwelen blouse, die van boven dichtgehouden wordt met de zilveren broche die zij van haar moeder heeft geërfd. Het haar heeft ze in een verzorgde knot met wat elegant loshangende slierten langs haar oor.

'Is dit voor de overbuurman of voor Vermeulen?' vraagt hij op luchtige toon. Hij bedoelt het als een vriendelijk plaagstootje, maar het valt totaal verkeerd.

'Ik snap niet waar je het over hebt.'

Ben je dan niet verliefd op Vermeulen? ligt hem op de lippen, maar hij zegt het niet. Al zou hij wel benieuwd zijn naar haar antwoord. De kinderen hebben het zelfs gemerkt. 'Mammie moet altijd naar Thijs lachen,' zei Thea een keer aan tafel, waarop Elsa rood was geworden.

'Het is maar een grapje hoor!'

'Ik mag er met Nieuwjaar toch wel netjes uitzien als we gasten krijgen,' antwoordt ze ijzig. De vraag was niet eens nodig. Haar hele houding en haar ogen zeggen genoeg. Natuurlijk is ze verliefd. Het lucht hem op dat nu ineens zo duidelijk te zien. Het verklaart haar grillige gedrag van de afgelopen tijd. En het herstelt het evenwicht tussen hen.

Om haar te laten merken dat hij heel goed weet wat er aan de hand is en het niet erg vindt, kijkt hij haar lachend aan. 'Ik begrijp heus wel dat je met Vermeulen dweept hoor,' zegt hij kalm en niet jaloers. 'Het is ook een aantrekkelijke jongen.'

'Vermeulen is belangrijk voor me, dat zal ik niet ontkennen,' zegt ze. 'Het is heerlijk om af en toe eens te kunnen praten over alles waar jij nooit tijd voor hebt...' Ondanks het verwijt dat in haar woorden besloten ligt, wordt haar stem niet bits.

En ook hij blijft vriendelijk en rustig, als een begripvolle oudere broer. 'Ik weet wat het is,' zegt hij. 'Het zal niet makkelijk voor je zijn.' En als ze zijn blik ontwijkt, verzucht hij meer voor zichzelf dan voor haar dat het huwelijk van beide echtelieden soms nu eenmaal veel terughouding en opoffering vraagt, maar dat als ze elkaar een zekere vrijheid gunnen, ze het ook prettiger hebben met elkaar. 'Ik zal de laatste zijn jou te verbieden met Vermeulen om te gaan. Als je jezelf maar in de hand houdt en ervoor zorgt dat er niet te veel praatjes van komen. Vooral in verband met de meisjes, dat begrijp je wel.'

Ze kijkt hem nog altijd niet aan, en frummelt wat aan de manchetknoopjes van haar blouse. 'De mensen praten altijd,' zegt ze. En dan komt Thea de werkkamer binnenstormen. 'Een rijtuig! Een rijtuig! Thijs is er!'

De regen valt nog steeds met bakken uit de hemel en Vermeulen slaat in het smalle halletje zijn hoed af en stampt zijn schoenen schoon op de mat. Hij wordt zo ongeveer besprongen door de meisjes, voor wie hij allebei een klein presentje mee heeft. Dan wenst hij zijn hele ontvangstcomité een gelukkig Nieuwjaar en besteedt daarbij nauwelijks aandacht aan Elsa, doordat hij zich onmiddellijk weer op Thea en Joanna moet richten. Wat Elsa enigszins in verlegenheid lijkt te brengen. Zodra ze kan, verdwijnt ze met Koosje naar de woonkamer om zich daar op de verdere voorbereidingen voor het diner te storten. 'Zijn die naalden nou nog niet opgeruimd!'

'Zullen we meteen even naar mijn kamer gaan, voor mijn dochters u ontvoeren?' stelt hij voor. 'Ik zou u graag even spreken voor de andere gasten komen.' Thea en Joanna hadden al aangekondigd met Vermeulen te willen ganzenborden, nu er in de tuin niet te ravotten valt.

Vermeulen trekt nerveus zijn colbert recht. 'Ik weet niet of we straks nog een spelletje kunnen doen,' zegt hij tegen de meisjes.

In de leesstoel bij het raam bladert Vermeulen verrast het rapport van het Genootschap van Nederlandse Gymnasiumleraren door.

'Ik val maar meteen met de deur in huis. Zou *De Telegraaf* belangstelling hebben voor een groot polemisch stuk, of misschien wel een reeks van stukken, tegen de algemene strekking van dit rapport? Uit de aanbevelingen wordt de onuitroeibare Duitse invloed op het Nederlandse onderwijs in de klassieke talen weer eens al te pijnlijk duidelijk. Zelfs via dit soort slinkse wegen vreet de barbaarse *Kultur* aan onze beschaving. Een grondig pleidooi voor een minder filologische aanpak op onze gymnasia zal ongetwijfeld het nodige stof doen opwaaien.'

'Ik zou het met de hoofdredactie moeten overleggen,' zegt Vermeulen aarzelend, met altijd nog iets van verbazing op zijn gezicht. 'Maar het lijkt me wel. Wat zijn uw bezwaren precies?'

Hij houdt Vermeulen een kist sigaren voor en neemt er zelf ook een. Daarna begint hij dikke blauwe wolken uitblazend langs de Bechstein heen en weer te lopen en steekt van wal.

34

On ne passe pas

'Je hebt gelijk. Ik had nooit moeten komen met Nieuwjaar,' zegt Vermeulen. 'Maar Diepenbrock drong zo aan en ik was bang dat hij achterdochtig zou worden als ik niet kwam. Ik had geen geloofwaardige reden om te weigeren.'

Langs de grauwe, winterse Amsteloever wiegen het verdorde koninginnenkruid en de wilgenroosjes zachtjes op en neer tussen de hoog doorgeschoten brandnetels. Elisabeth haalt een zakdoekje uit haar jaszak en snuit haar neus. Daarna geeft ze Vermeulen weer een arm. In het gerimpelde water van de rivier veroorzaakt de wind een steeds wisselend patroon van lichte en donkere grijsvlakken.

'Fons achterdochtig?' zegt ze. 'Daarvoor zit hij veel te veel in zijn eigen wereld. Hij wilde jou er gewoon bij omdat jij momenteel de enige bent met wie hij nog kan praten.' Ze moet haar zwarte hoed met de piekpluimpjes even vasthouden door een onverwachte windvlaag. Het vriest niet en het is droog, maar de wind maakt het onaangenaam.

'Als ik met hem alleen ben en we onze gesprekken voeren, gaat het altijd goed,' zegt hij. 'Dan denk ik niet aan jou en mij. Maar nu, met dat diner... Dat voortdurende schijn ophouden, die argusogen van jouw vriendinnen en die overbuurman en zijn echtgenote, die mijn komst voor de kerst en onze kus op het tuinpad ongetwijfeld uitvoerig met elkaar besproken hebben... en dan jij tegenover me aan tafel waarbij elke blik, iedere beweging, elk woord een leugen was...'

Ze wandelen langs een deftig landgoed met statige rode

beuken en een toegangshek met hoog opkrullend siersmeed-werk dat hem even aan zijn vader doet denken. De smid 'uit het land der Menapiërs' is nu uitdeuker in een Amstelveens automobielbedrijf. Hoe wonderlijk kan het lopen in een mensenleven.

Als ze het landschapspark gepasseerd zijn, kijken ze weer uit over de weilanden, zover het oog reikt.

'Maar begrijp je waarom ik je even niet wilde zien?' vraagt hij.

'Niet echt,' zegt ze. 'Je schreef iets over jullie gesprek met Nieuwjaar...'

'"Uw vriendschap doet mijn vrouw en dochters zo goed. Daar wil ik u toch eens voor bedanken," zei hij tegen me. Als ik aan dat moment terugdenk, voel ik me nog steeds een schoft.'

Vlak bij hen landt een reiger op een aanmeerpaal langs de oever en gaat naar het water zitten staren. Elsa houdt even stil, neemt zijn handen in de hare en kijkt hem indringend aan. 'Lieve Thijs. Ik heb het je al geschreven en ik zeg het je nog maar eens: laat je toch niet zo meeslepen door je schuld-gevoel. Het enige wat Fons wil, is dat ik hartelijk en vrolijk tegen hem en de meisjes ben, alles goed regel en hem verder met rust laat, zodat hij kan werken. Wat ik buiten hem om doe maakt hem niks uit, zo lang ik maar niet te veel praatjes veroorzaak in verband met de meisjes. Zo heeft hij het in La-ren letterlijk tegen me gezegd.'

Ze lopen weer verder en hij houdt zijn kraag dicht tegen de wind.

'Heb je met hem gepraat?' vraagt hij. 'Weet Diepenbrock dat wij een verhouding hebben?'

'Nee, dat weet hij niet,' antwoordt ze rustig. 'Maar hij weet wel dat ik verliefd op je ben, al heeft hij het me niet met zo-veel woorden gevraagd.' En als hij haar met grote ogen aan-kijkt: 'Zolang het hem geen last bezorgt, maakt het hem niet uit. Hij vindt zelfs dat het de sfeer in ons gezin ten goede komt, daarom bedankte hij je... En trouwens: toen ik in de

Verhulststraat terugkwam na de kerstvakantie lag er weer een dikke brief uit Ukkel voor hem.'

Onder de loodgrijze wolkenlucht in de verre bocht van de rivier is Het Kalfje al te zien. Ze lopen een tijdje over het water uit te kijken.

'Heb je mijn portret nog ontvangen?'

'Jazeker,' zegt hij. 'Het ligt in mijn bureaula en ik kijk er elke dag naar.' Een prachtig kiekje is het, waarop ze hem sensueel toelacht in een witte zomerjurk zonder mouwen en een decolleté met kantwerk. *Voor Thijs, met al mijn liefde* schreef ze er achterop in haar mooie handschrift waar hij van houdt als van de vorm van haar schouders en haar boezem in die witte jurk. Ze had het heel slim meegestuurd met haar antwoord op zijn voorstel een tijdje geen contact te hebben. Dat ze hier nu weer lopen heeft alles met dat opwindende portret te maken.

'Zoiets hoopte ik al,' zegt ze lachend.

Onder de kastanjerij voor Het Kalfje ligt het zomers altijd zo levendige grindterras met de rietstoelen er verlaten bij. Net als de aanlegsteigers van de pleziervaartuigen en de dooltuin met de verspreide tafeltjes en de speeltoestellen. Binnen zitten een paar mannen te kaarten in het cafégedeelte dat blauw staat van de sigarenrook. Het restaurant met de ronde gedekte tafels is leeg. 'Misschien mogen we daar gaan zitten?' vraagt Elisabeth aan de kelner achter de toog.

'Het is daar wel koud,' antwoordt de man. 'We stoken alleen 's avonds, als er tenminste dinergasten zijn.'

Met hun mantels aan nemen ze plaats aan een tweepersoonstafeltje bij het raam aan de Amstelzijde met uitzicht op het lege terras en de rivier. De kelner komt de bestelling opnemen en wijst nog eens verontschuldigend op de schouw. Er is deze maanden zo weinig volk... en met de brandstofprijzen van vandaag...

In de Valeriusstraat stoken ze ook zo min mogelijk en nog maar zelden kolen. Hij heeft zelfs al met zijn broer afgesproken hout te gaan sprokkelen als de turf ook onbetaalbaar wordt. De winter is nog lang niet voorbij.

Wanneer hun port gebracht is, vraagt Elisabeth: 'Had jij de indruk dat Fons iets vermoedt toen je alleen met hem was?' Zo zeker dat Diepenbrock niets in de gaten heeft, is ze blijkbaar niet.

Hij schudt zijn hoofd en neemt een slok. 'Hij heeft me een paar retouches in de *Missa* voorgelegd, nadat hij me eerst de Duitse uitholling van ons onderwijs in de klassieke talen uit de doeken had gedaan. Beetje wonderlijke kwestie vond ik dat om je op dit moment druk over te maken, als je ziet wat de Duitsers verder aanrichten in de wereld.'

Elisabeth neemt ook een slok van haar port. 'Die wetenschappelijke, zielloze blik van de Duitse filologen op de antieke beschaving is voor Fons al jaren symptomatisch, vanaf dat hij zelf nog gymnasiumleraar was. Een verschraling waar Nietzsche zich met zijn *Geburt* al tegen verzette, roept hij altijd. En prototypisch voor een mentaliteit die uiteindelijk geleid heeft tot wat Europa momenteel moet doormaken. En nu blijkt driekwart van de Nederlandse gymnasiumleraren die richting aan te hangen...'

'Ik bedoel het niet als kritiek hoor.'

Ze verschikt iets aan haar hoed, die voor haar op tafel ligt en staat op. 'Mag ik me even verontschuldigen?'

In de hoek van het restaurant, onder een groot, knullig heidelandschap met schapen dat tussen de schilderijen in Mengelbergs werkkamer niet misstaan zou hebben, staat een vleugel die afgedekt is met een dik rood kleed met franjes. Hij loopt er even heen om het *Handelsblad* te pakken, gaat weer zitten en bladert meteen door naar het oorlogsnieuws. Een gevecht tussen Duitse en Engelse torpedoboten vlak bij de Nederlandse kust. Opnieuw verhoging van de aardappelprijzen. De vredesoproep van de Amerikaanse president Wilson wordt door de Duitsers als onhelder terzijde gelegd. En dan valt zijn oog op een berichtje overgenomen uit een

Berlijnse krant. Grootse Duitse plannen zouden er weer zijn om dit voorjaar *een doorslaggevende aanval op het westelijke front* uit te voeren, waarbij vooral de Fransen het zwaar te verduren zullen krijgen. *Deze keer, en dat weten wij, schrijft de Berlijnse militaire verslaggever, moet de beslissing vallen. De beslissing die een einde zal maken aan al het vreselijke lijden. De offers zullen groot zijn, maar ons vertrouwen is onwrikbaar en naar oude Duitse zede zien wij deze eindstrijd kalm, vastberaden en vol vreugde tegemoet.*

Hij staart een tijdje door het raam naar buiten. Op de voorplecht van een traag voorbijglijdend schip met wasgoed op het dek staat een hondje te blaffen.

Hoe lang moeten we dit soort Teutoonse retoriek nog lezen, denkt hij. Alsof ze niet net Verdun en de Somme achter de rug hebben. Alsof Pruisen niet, net als de rest van Europa, kraakt onder de hongersnood, de dreigende volksopstanden, de muitende en deserterende soldaten. Maar de Kaiser en de Duitse legerleiding blijven krijgslustige taal uitslaan en wijzen iedere mogelijkheid tot vrede van de hand. En wij hier in het veilige Nederland maken ons druk over ons gymnasiale onderwijs, en klagen over de voedselrantsoenering en de sterk gestegen brandstofprijzen.

Hij drinkt zijn glas in één keer leeg en bestelt meteen een tweede.

'Wat lees je?' vraagt Elisabeth als ze hem met de krant ziet zitten.

'Belachelijke Germaanse grootspraak.' Hij wijst haar het berichtje aan.

Ze snuift minachtend. 'De zegenrijke eindstrijd. Dat hebben we vaker gehoord de afgelopen dertig maanden.'

En dan vertelt ze dat ze in 1915, tijdens de slag om Ieper, een gedicht in het Frans heeft geschreven. Een lied om de Belgische en Franse frontsoldaten te steunen. 'On ne passe pas' heet het. 'Ik had dat nog nooit gedaan, maar de berichten grepen me zo aan, dat het ineens op papier stond.'

Ze drinken hun glazen leeg en Vermeulen rekent af aan de toog in het café.

Als ze weer gearmd langs de rivier lopen breekt de zon even door het dikke wolkendek en laat het water prachtig opglinsteren. 'Zou ik dat gedicht eens mogen bekijken?' vraagt hij. 'Misschien kan ik er muziek bij maken.' In het kalme, lichtovergoten landschap is zijn somberheid over de krantenberichten weer wat gezakt.

Elisabeth kijkt blij verrast op. 'Ik zal het je sturen,' zegt ze. 'Maar dan moet je wel beloven dat ik mag komen luisteren als het klaar is.'

'Als het klaar is nodig ik je uit,' zegt hij. 'Kun je meteen mijn familie eens ontmoeten. Mijn moeder zal niet weten wat haar overkomt als jij op bezoek zou komen. Maar misschien mogen we ook eens samen iets doen? Naar een museum of zo?'

Voor de eerste keer sinds hun rendez-vous in Holtwick durft ze weer verliefd naar hem te kijken. 'Dat zou me heerlijk lijken,' zegt ze. 'En Fons zal je er dankbaar voor zijn...'

35

Valeriusstraat

'Diepenbrock,' stelt hij zichzelf voor. 'Ik kom voor de heer Vermeulen.'

In de deuropening staat een kleine vrouw in een eenvoudige zwarte jurk tot op haar enkels, met het haar in een knot en een scheiding midden op haar hoofd. Ze neemt hem verrast op, en drukt hem vriendelijk de hand.

'Mijnheer Diepenbrock, wat een eer u eens te ontmoeten.' Uit haar sterke accent spreekt een hartelijke, Brabantse gemoedelijkheid. 'Onze Thijs heeft me veel over u verteld. Hij is momenteel aan het werk op zijn kamer, en mag niet gestoord worden. Maar voor u zal hij wel een uitzondering willen maken. Komt u verder.'

Ze gaat hem voor, een lange schemerige gang in, met langs de wand een paar blikken petroleum, een stapel turven en een krat aanmaakhout. 'Let u vooral niet op die rommel, de jongens gooien hier alle brandstof neer die ze kunnen krijgen.'

Aan de linkerkant van de gang zijn twee gesloten deuren. Vanachter de tweede komen pianoklanken. Losse motiefjes en akkoorden, telkens herhaald, met kleine variaties. Daar wordt gecomponeerd.

Tegenover de deuren, naast een trap naar boven, hangt een kapstok aan de muur. 'We hebben het hele huis,' zegt Vermeulens moeder. 'Zoals u hoort heeft Thijs de benedenverdieping met zijn vleugel en zijn boeken. De rest van de familie woont boven. Mag ik uw mantel en hoed aannemen?'

'Beneden heeft 'ie het minste last van ons,' zegt een jonge vrouw schertsend, die in een schort uit de keuken aan het eind van de gang komt en zich voorstelt als Vermeulens zuster Marie. Ook zij neemt de onverwachte gast nieuwsgierig op.

Intussen klopt Vermeulens moeder aan de deur van de achterkamer waar de piano klinkt. 'Thijs, je raait nooit wie er voor je is. Mijnheer Diepenbrock!'

De piano valt abrupt stil. Er wordt een stoel verschoven en er klinkt wat gerommel. Dan gaat de deur van de achterkamer open.

'U hier...' Met verwarde haren, in een dikke wollen trui en op huissloffen staat Vermeulen in de deuropening. Zijn verbazing heeft bijna iets schrikachtigs.

'Ik zou graag even met u praten, schikt u dat?'

'Ik was aan het werk,' stamelt hij. 'Als ik geweten had dat u kwam, had ik wat opgeruimd.'

'Zal ik zo direct thee komen brengen?' vraagt Marie vanuit de gang, terwijl ze de kamer inlopen.

'Nee,' zegt Vermeulen. 'Laat ons maar even alleen. Als jij het wilt zetten, dan pak ik het zo zelf wel.'

'Zoals meneer wil,' zegt Marie ironisch.

Een ruime kamer en suite betreden ze, typisch het interieur van een jonge vrijgezel die zich geheel aan zijn werk wijdt. De grote werktafel op een sleets kleed midden in de voorkamer. Aan de wand een kaart van Europa, waarop de westelijke en oostelijke posities van de verschillende legers met gekleurde speldenknoppen zijn aangegeven. Naast de allesbrander met een laag vuurtje in de schouw een schurftige rookstoel, ongetwijfeld van het Waterlooplein. Stapels boeken, kranten en partituren ernaast op de linoleumvloer. In de achterkamer een rommelige boekenkast, een sierdoek en wat reproducties aan de wand, en een zwarte Pleyel. Om gezelligheid is het hier niet te doen. Zoals mijn eigen Bossche kamer aan de Grote Markt ook niet gezellig was, denkt Diepenbrock.

Vermeulen ordent snel nog wat papieren op zijn werktafel, en stoot daarbij inderhaast een kleine foto om die tegen de voet van de koperen bureaulamp stond. Een aantal losse, met de hand beschreven muziekbladen op de vleugel in de achterkamer dekt hij af met een partituur.

'Kan ik misschien iets aanbieden?' vraagt hij. 'Rookwaren heb ik op het moment helaas niet...'

'Een stoel zou ik zeker niet afslaan.'

Hij wijst verontschuldigend naar de rookstoel bij de kachel. 'Ik bedoelde: wilt u iets drinken?'

'De thee die uw zuster aan het zetten is, zou dat mogelijk zijn?'

Vermeulen knikt verward en wil al de kamer uitlopen.

'Mag ik u eerst dit even overhandigen? Het ene is een geschenk, en over het andere zal ik u dadelijk meer vertellen.'

Verbouwereerd legt Vermeulen het cahier met de Aristophanes-komedie op zijn werktafel en begint het in bruin papier gewikkelde cadeau uit te pakken.

Een paar dagen eerder hadden plotseling twee gymnasiasten belet gevraagd in de Verhulststraat. Niet vanwege de *Telegraaf*-artikelen, maar met een aantrekkelijk plan: een voorstelling door hun Letterkundige Vereniging van Aristophanes' *De vogels* met dansers en muziek, vergelijkbaar met *Marsyas*. Hun leraar Grieks had de tekst vertaald. Of mijnheer Diepenbrock de muziek wilde componeren en dirigeren. Twee voorstellingen in het Paleis voor Volksvlijt, met een ensemble van musici uit het Concertgebouworkest en een door hem te kiezen zangsolist. Geld scheen geen probleem te zijn. En de vertaling van die leraar zag er op het eerste gezicht ook niet slecht uit. Een beetje populair misschien, maar dat kon voor zo'n productie met scholieren geen kwaad. Ondanks zijn aanvankelijke scepsis werd hij enthousiast, en dat liet hij ook blijken aan die jongens.

Maar toen hij er later nog eens over nadacht, voelde hij meteen ook grote aarzelingen. Het componeren zou hem minstens een half jaar kosten, terwijl de partituur na die

338

twee voorstellingen met gehuurde musici en solist, natuurlijk meteen weer op de plank belandde, tenzij hij het achteraf nog eens omwerkte tot een orkestsuite. En dan was het
nog maar afwachten nu Mengelberg zijn muziek niet meer
uitvoert. Daarbij voelt hij zich nog altijd niet in staat tot een
groter werk.

Maar die jongens waren zo enthousiast en aardig en hoop-
ten zo op zijn toezegging. Moest hij deze kans niet grijpen
en eindelijk weer eens een orkestwerk componeren? Het
zou hem in ieder geval wat geld en bevrediging bezorgen.
En toen opperde Elsa om de gymnasiasten voor te stellen
Vermeulen voor de klus te vragen. Zou dat niet een prachtige Daad zijn? Het leek hem ineens een schitterend plan.
Dan kon die jongen eindelijk eens laten zien wat hij waard
is. Muziek bij zo'n theatervoorstelling is veel overzichtelijker
dan een symfonie, en de praktische samenwerking met musici en dansers zou leerzaam voor hem zijn.

'Uw *Missa*?' Vermeulen lijkt zijn ogen niet te kunnen geloven als hij het pakpapier verwijderd heeft. 'Een geschenk?
De editie van 1895...?' Het is het exemplaar dat hij al verscheidene keren heeft geleend. Zijn handen trillen als hij de
partituur openslaat.

'Bij de voorjaarsopruiming van mijn kamer kwam ik dit
exemplaar tegen. Kijkt u maar even voorin, daar heb ik een
opdracht voor u geschreven.'

Met open mond staart Vermeulen naar de titelpagina.
'Voor mijn vriend Matthijs, voorjaar 1917,' mompelt hij half
hardop. Het klinkt als een vraag.

'We hebben elkaar een paar keer flink gekrenkt – de waarheid gezegd, zoals u dat noemt. Dat toont aan dat wij vrienden zijn, want vrienden zeggen elkaar de waarheid, die mening deel ik met u.'

Vermeulen glimlacht zenuwachtig.

'Daarnaast zag ik in uw beschouwing over de *Missa*, die ik
laatst weer eens overlas, een bevestiging van wat ik vanaf het

begin van onze betrekkingen gemeend heb te voelen tussen ons: gelijkgezindheid in onze muzikale bedoelingen. Daarom zou ik het op prijs stellen als u ermee in zou willen stemmen onze vriendschap te bekrachtigen en elkaar in het vervolg te tutoyeren.'

Vermeulen is verbluft, op het achterdochtige af. Aangeslagen staart hij naar het gelithografeerde voorplat van de *Missa* en daarna nog eens naar de opdracht. Hij kan geen woord uitbrengen.

'Zou die thee van uw zuster al klaar zijn? Daar begin ik zo langzamerhand wel trek in te krijgen.'

Dankbaar grijpt Vermeulen de kans om even te bekomen van zijn verbazing. Hij legt de *Missa* neer en verlaat nog altijd zonder een woord te zeggen de kamer.

In het grote raam aan de straatkant passeert een gearmd echtpaar onder een paraplu. Het was de hele middag al grijs en bewolkt, en inmiddels is het gaan motregenen. Wat een voorjaar! De vrouw werpt een onbeschaamde blik naar binnen. Een weinig enerverend uitzicht heeft Vermeulen hier vanachter zijn schrijftafel. Die nog altijd nieuw aandoende gevels aan de overkant, en de kale, sfeerloze klinkerstraat zonder bomen, waar nu alleen wat stukken krant langs de paardenvijgen en trottoirranden waaien. In het hofje voor oude dames schuin tegenover, branden al lampen achter een paar ramen. De dames hebben blijkbaar brandstof genoeg.

Diepenbrock loopt even naar de achterkamer en werpt een blik in het kleine, mossige tuintje. Op de vleugel *La damnation de Faust* van Berlioz, vóór de losse muziekbladen die Vermeulen kennelijk aan het oog wilde onttrekken. Toch eens kijken. Een lied in wording, zo te zien. Een oorlogslied, met een hoge, niet moeilijk te zingen melodie en een eenvoudige, hamerende pianobegeleiding. Vergelijkbaar met zijn eigen *Poilus de l'Argonne*, dat hij voor de Belgische soldaten schreef. Maar wat is dit? Deze tekst kent hij. 'On ne passe pas'. Het gedicht van Elsa over de strijd aan de IJzer, dat ze hem de afgelopen zomer voorlegde in de hoop dat hij er een lied op zou maken. Een beetje achteloos had hij het terzijde gelegd, of eigenlijk was het gewoon blijven liggen, tot het op een dag weer van zijn bureau was verdwenen.

Met een gevoel alsof hij zonder naar beneden te kijken van een hoge rots springt, pakt hij het omgevallen portret van de werktafel in de voorkamer op. Toen het viel, had hij al gezien wie erop stond merkt hij nu, maar hij liet het niet tot zich doordringen. Nu voelt hij des te pijnlijker hoezeer hij het wist. Elsa in haar witte zomerjurk lachend op de veranda in Holtwick, die dag dat ze met het hele gezin geportretteerd werden en zij de fotograaf vroeg ook de kinderen en haar apart nog te fotograferen. De brutale vanzelfsprekendheid en tegelijk volstrekte onmogelijkheid van dit portret hier in deze kamer. Verbluft leest hij de woorden op de achterkant.

Tussen de haastig bij elkaar geveegde schetsen voor het lied haar complete autograaf van het gedicht. En in de stapel paperassen – hij kan zijn ogen niet geloven – verscheidene brieven in Elsa's handschrift. *Mijn treinbekentenis* ziet hij ergens staan, en: *na ons rendez-vous in Holtwick...* Verder durft hij niet te kijken. *Met alle hartstocht die in mij is* leest hij nog als hij de papieren snel weer teruglegt.

Stemmen en rammelgeluiden op de gang. Snel gaat Diepenbrock in de rookstoel naast de kachel zitten. Weet zijn handen die voortdurend naar zijn hoofd willen opfladderen, ternauwernood trillend in zijn schoot te houden.

Marie houdt de deur open, lacht vriendelijk, en Vermeulen komt met een dienblad de kamer in. Ontspannen inmiddels. Zijn zuster sluit de deur achter hem en hij zet het blad op zijn werktafel en reikt een kop thee aan. 'Alstublieft.' Gaat dan op zijn schrijfstoel zitten. 'Uw voorstel overviel me, zoals u merkte. Maar ik ben buitengewoon vereerd en ga er graag op in. Vanaf nu tutoyeren wij elkaar.' Hij staat weer op en steekt plechtig zijn hand uit. 'Matthijs.'

Overeind komen. Hand uitsteken. Vriendelijk lachen. 'Alphons.' En daar staan ze dan: twee mannen die elkaar de hand drukken om hun vriendschap te bezegelen. Tot nu toe was ik degene die niets vermoedde van de dubbele bodem onder de hele situatie, flitst er door Diepenbrock heen. Nu is hij het. En hij weet niet dat ik het weet.

Ze gaan weer zitten. Met moeite zoekt hij wat woorden bij elkaar. 'Je was aan het componeren. Waar werk je aan?'

Vermeulen maakt een bescheiden gebaar. 'Een oorlogslied. Op tekst van een frontsoldaat aan de IJzer, Victor Le Jeune. Een beetje naar voorbeeld van uw... eh... jouw *Poilus*.'

'Victor Le Jeune? Hoe kom je aan dat gedicht?'

'Toevallig, via de krant.'

Veel concreter kan het niet worden natuurlijk. Maar waarom nog verder roeren in die stinkende poel? Om Vermeulen in het nauw te drijven? Te zien hoe hij zich verstrikt? Dit zo vriendschappelijk bedoelde en plotseling zo pijnlijke bezoek is al kwelling genoeg en kan maar beter zo snel mogelijk achter de rug zijn. Maar de thee is nog te heet. En er ligt nog een komedie op tafel.

'Ik zal je niet lang ophouden. Waar ik eigenlijk voor kwam is die Aristophanes-vertaling.'

Vermeulen pakt het cahier van zijn werktafel en bladert er even in. '*De vogels*. Gaat dat niet over twee Atheners die een ideale stad tussen hemel en aarde willen bouwen?'

Met een korte, zakelijke toelichting doet Diepenbrock hem het voorstel, dat eigenlijk als apotheose van dit bezoek bedoeld was.

'Ik zal over die opdracht nadenken. Je hoort snel van me,' zegt Vermeulen even later bij het afscheid in de deuropening. Zijn moeder en zuster kijken vanuit de keuken nieuwsgierig toe en steken een hand op.

En dan is hij eindelijk buiten.

Het is weer droog in de nog steeds zo goed als uitgestorven straat. Hij drukt zijn hoed vaster op zijn hoofd. Als de voordeur achter hem in het slot valt zet hij er flink de pas in. Het begint al donker te worden en de lantaarns werpen bleke, uitgebeten vlekken in de natte bestrating.

Wat een onvoorstelbare, doortrapte streek van Elsa! Tijdens hun gesprek met Nieuwjaar had ze al lang een verhouding met de Woeste Brabander! Ze moet hem inwendig uitgelachen hebben om zijn praatjes over terughouding en opoffering in het huwelijk en 'elkaar een zekere vrijheid gunnen'. En dat Elsa hem dan ook nog eens die Aristophanes-opdracht aan Vermeulen heeft laten aanbieden! Het was allemaal bedoeld om *hem* te straffen natuurlijk. Om hem nog eens goed te laten voelen wat hij háár heeft aangedaan met zijn liefde voor Jo. Jo die hem in januari nota bene een afscheidsbrief schreef omdat Joe haar gevraagd had definitief alle contacten te verbreken en ze zich daar ook aan wilde houden...

Maar Elsa was nog niet klaar met hem. Elsa moest nog wraak nemen. Alleen dat pseudoniem al. *Victor Le Jeune* godverdomme. De Jong overwint. Was het toeval en verzon Vermeulen die naam ter plekke? Of komt hij van Elsa? Ongetwijfeld het laatste. Hij gaat het haar meteen vragen...

36

Vakantie in Brabant

'Hoe voel je je, Thijs?' vraagt Elisabeth.
'Geheel verzadigd,' antwoordt hij om haar te plagen. 'En jij?'
'Ik ben in lange tijd niet zo gelukkig geweest.'
Na de eenvoudige avondmaaltijd die ze voor hem bereid heeft, zitten ze met een glas wijn op het gras voor hun Schijndelse huisje, onder de diepblauwe zomeravondhemel, zonder de olielamp op het tafeltje tussen hen in aan te steken. 'Wijn van Willem,' zei ze lachend bij het ontkurken. Ze bleek een van Mengelbergs Sinterklaas-flessen in haar koffer gestopt te hebben. Kennelijk merkt Diepenbrock zoiets niet.
De avondster staat laag boven de horizon, het tegenover gelegen roggeveld ruist. Haar gezicht is nauwelijks te onderscheiden, alleen haar ogen blinken af en toe op.
'Mis je de meisjes niet?' Hij slaat een mug weg die om zijn hoofd zoemt.
'Nee. Geen moment. Omdat ik weet dat die het bij mijn broer nu ook heerlijk hebben.'
De derde dag van hun korte vakantie in Brabant is het alweer, waarin ze elkaar de belangrijkste plekken uit hun jeugd laten zien. Gisteren zijn ze naar Beek en Donk geweest, een oud landgoed uit Elisabeths familie. En vandaag hebben ze Elisabeths ouderlijk huis in Hintham bezocht, dat al jaren geleden verkocht is. Ze konden de poort niet in en de tuin was erg veranderd, maar het oude prieel waar ze als meisje vaak met haar vader zat stond er nog. En ze wees het

raam aan van haar meisjeskamer, en dat van de grote salon waar ze ooit haar eerste piano-uitvoeringen aan de Bechstein gaf.

Toen ze over die salon vertelde leek ze aangedaan, maar tijdens hun verdere wandeling door Den Bosch was ze weer vrolijk. En in het trammetje terug naar Schijndel zei ze uitgelaten: 'Mag ik dan nu eindelijk weten wat jij mij gaat laten zien? De oude smederij?' Maar nee, Helmond wilde hij haar niet aandoen: 'Daar heb ik alleen maar ruitjes van de protestantse kerk ingegooid.' Heeswijk werd het. Morgen gaan ze erheen, naar zijn vroegere gymnasium, waar hij priester had zullen worden.

Elisabeth neemt een slok van haar wijn. 'Is het echt wel goed, Thijs? Je bent zo stil.'

Ze voelt dat ik niet op mijn gemak ben in dit huisje, denkt hij. Net als bij hun rendez-vous in Holtwick, werd hij overrompeld door haar hartstocht, door de vormen, geuren en geluiden van haar lichaam en door de ongeremdheid waarmee ze hem bemint. Hoezeer hij ook naar deze vakantie toegeleefd heeft, en hoezeer hun liefde hem ook meesleept, hij is het niet gewoon, zo vrijmoedig met iemand samen te zijn. En al helemaal niet om met iemand te slapen. Na hun heftige liefdesspel in het iets te korte ledikant had hij de hele eerste nacht buikkrampen van het inhouden van zijn darmgassen. In de ochtendschemering werd hij wakker door haar adem in zijn gezicht en lag een tijdje naar haar slapende hoofd op het kussen te kijken. Onpeilbaar vreemd leek ze hem ineens. En ook tijdens het tochtje naar Hintham voelde hij zich nog niet prettig.

'Is het ons gesprek over de oorlog van daarstraks?'

'Nee,' antwoordt hij. Haar indringende vragen hadden hem weliswaar helemaal teruggebracht naar de eerste oorlogsweken, maar hij heeft inmiddels geleerd de gruwelen in zijn hoofd snel weer van zich af te schudden. 'Zeg ik zo weinig? Ik geniet.'

'Toe nou Thijs. Wees eens eerlijk. Je bent toch niet voor niks zo in jezelf? Zit je soms in over Fons?'

'Het is een prachtige zomeravond en ik zit hier met jou,' zegt hij. 'Waarom zou ik me dan zorgen maken over Fons?'

Tegen de diepblauwe lucht boven het roggeveld fladdert een vleermuis, die even later achter het huisje verdwijnt. Ze gelooft me niet, denkt hij. Maar het is waar. Zorgen maak ik me niet. Mijn geweten speelt af en toe op, maar schuldgevoelens zijn nog geen zorgen.

Sinds Diepenbrock hem zijn mis schonk en ze elkaar tutoyeren, is hun omgang vriendschappelijker dan ooit. In het begin van de zomer hebben ze zelfs nog in Laren gewandeld en uitvoerig over *De vogels* gesproken. Ook informeerde Diepenbrock een paar keer wat hij ging doen met *On ne passe pas*. En toen Wiessing het lied had afgedrukt en Diepenbrock de bijlage zag, riep hij: 'Kom eens luisteren Elsa, Thijs heeft een lied gepubliceerd!' waarna hij het enthousiast doorspeelde aan de Bechstein. Diepenbrock was zich nog altijd niet bewust van wat er tussen zijn vrouw en zijn vriend speelde. En van deze vakantie zal hij nooit iets weten. Evenmin als Thea en Joanna hier ooit iets van zullen weten. En wat niet weet, wat niet deert.

'Nou goed. Vertel dan eens iets over dat Heeswijkse gymnasium.' Eindelijk geeft Elisabeth het op iets uit hem te trekken wat hij zelf niet weet. 'Er is je daar iets belangrijks overkomen, zei je gisteren.'

'Misschien ben ik daarom zo stil,' zegt hij.

Haar ogen glanzen in het donker op, maar ze stelt geen nieuwe vraag.

'Aan het begin van mijn tweede schooljaar heb ik daar iets meegemaakt waar ik nog altijd moeilijk over kan praten. Maar ik wil graag dat jij het weet.'

'Wat is er dan gebeurd?' vraagt ze nu toch, met een licht gealarmeerde toon in haar stem, waarin ook haar afkeer van de katholieke kerk, het celibaat en de internering van jonge jongens bij oudere geestelijken meeklinkt.

Hij begint een omslachtig verhaal over de afwezigheid van muziek in zijn jeugd, of liever gezegd, in hem als kind, want zijn ouders zongen allebei graag, en hij hoorde natuurlijk ook de harmonie wel eens op de Markt in Helmond of het kerkkoor van de Sint Lambertus. Maar dat had nooit iets in hem losgemaakt.

Elisabeth zwijgt weer, al voelt hij haar ongeruste verbazing over zijn omtrekkende bewegingen. 'In Heeswijk heeft de muziek zich voor het eerst aan mij geopenbaard.' Hij zegt het met een plompverloren plechtigheid, die maakt dat hij zich onmiddellijk een aansteller voelt.

'Geopenbaard?' vraagt ze rustig, bijna opgelucht. 'Hoe bedoel je?'

Aarzelend en zoals het hem voor de mond komt begint hij te vertellen.

'Ik was veertien, liep op het herfstige schoolplein van het seminarie. Het mistte, de lucht was koel, mijn adem kwam in wolkjes uit mijn mond. De vakantie was voorbij, ik was net aangekomen voor mijn tweede jaar op het internaat en alles in deze omgeving voelde weer onwennig en beklemmend. Ineens kwam er een oudere jongen op me af met een papier in zijn hand, hij vroeg of ik me in wilde schrijven voor de muzieklessen. Die vraag overviel me; ik had nooit over muziek nagedacht. Maar het woord "muziek" alleen leek me uit mezelf los te scheuren en me te laten opgaan in iets onvoorstelbaar groots, liefderijks, zingends. Als een vlam in een loeiende vuurkolom voelde ik me. "Ja," stamelde ik tegen de oudere jongen die waarschijnlijk niets merkte van wat zijn vraag teweegbracht. Een "ja" dat me thuis de nodige problemen opleverde, want de muzieklessen moesten apart betaald worden. Maar vanaf dat moment wist ik met absolute zekerheid dat de muziek mijn bestemming was, de enige weg naar dat grote, zingende, liefdevolle vuur dat mij even in zich opgenomen had.'

Elisabeth heeft in stilte naar hem geluisterd, maar onafgebroken gloeide haar gespannen aandacht naast hem. 'Heb je dat echt zo beleefd, dat je opging in een loeiende vuurkolom?'

'Min of meer,' antwoordt hij. 'Het is eigenlijk niet onder woorden te brengen.'

'Het doet zo bijbels aan, dat vuur.'

'Je bedoelt dat ik het me maar heb ingebeeld door verhalen die ik als kind gehoord heb?'

'Nee, helemaal niet. Of denk je zelf dat je het je hebt ingebeeld?'

'Ik weet het niet,' antwoordt hij. 'Voor mij doet dat er niet toe. Ik had de sterke gewaarwording bij vol bewustzijn buiten alle aardse dimensies en menselijke ordeningen gezogen te worden. Mijn individualiteit, de ruimte en de tijd ontvielen me. Alsof ik opgetild werd door een oneindige en eeuwige stroom van laaiende kracht, zo voelde het, door een niets dat tegelijkertijd alles was, en dat ik vanuit mijn naief-katholieke opvoeding enkel met een woord als "vuur" kon aanduiden. Maar het was veel meer dan dat, het voelde als een allesomvattende, dragende en scheppende liefde, een zwijgen waarin alles gezegd wordt, een volmaakte stilte die tegelijk muziek is.' Minder paradoxaal kan hij het niet zeggen.

Elisabeth veegt over haar wang.

'Al duurde het misschien maar een paar seconden,' – hij slaat ook weer een beest weg – 'het was een onuitsprekelijke gelukservaring die mijn leven jarenlang richting gaf, als een vage, maar altijd aanwezige onderstroom. Door de oorlog verdween het, alsof er een rookgordijn voor geschoven was. Die alles dragende liefde leek een illusie, het grote zwijgen was leeg geworden. Pas heel langzaam is het weer teruggekomen, is de rook weer opgetrokken, voel ik me weer in verbinding met mijn oorsprong.' Ergerlijk dat zo'n groot, krachteloos woord hem bijna aan het huilen brengt. Wat moet Elisabeth met haar nuchtere aard wel niet van hem denken.

Ze blijft zwijgen.

'Is er iets?' vraagt hij na een tijdje.

'Toen Joanna geboren werd heb ik ook zoiets meegemaakt,' zegt ze. 'Ik heb nooit geweten wat ik ermee aanmoest, en er nooit met iemand over gesproken uit angst als halfzacht gezien te worden. En nu vertel jij me zo'n verhaal.' Ze wendt haar hoofd af en staart over het donkere roggeveld.

'Ik heb het ook nooit aan iemand verteld. Afgezien van een pater op dat seminarie waar we morgen heen gaan,' antwoordt hij. 'Een pater die zelf componeerde en die mij de muziek heeft binnengeleid. Een man die ik adoreerde en die mij stimuleerde mijn eigen muzikale weg te zoeken... Net als Fons later.'

En dan valt er weer een lange stilte.

Hij steekt de lamp aan. In de lichtkring komt hun hele gesprek hem plotseling voor als een onwezenlijke droom. Luchtig begint hij te vertellen dat hij het als kind ook al eens had meegemaakt en dat hij toen priester wilde worden en met zijn broer en zuster 'hoogmisje' speelde – zij de misdienaars, hij de priester – met zelfgemaakte gewaden, een tinnen kroes als kelk en een thee-ei als wierookvat. Hoe hij een gestorven konijn na een plechtige requiemmis ter aarde bestelde en zijn zusje tegen haar zin in de echt verbond met een veel jonger buurjongetje. 'Ze kreeg geen kans te protesteren, ik kende de hele liturgie uit mijn hoofd.'

'Geen wonder dat je zo puriteins bent,' plaagt Elisabeth ineens lachend. 'Dat is die oude priester in je. Wat dat aangaat kun je beter iets met Thea beginnen, die wil misdienaar worden en is er ook met geen stok toe te bewegen haar hemd uit te trekken.' Hun eerste avond in het huisje had hij in zijn zenuwen de kaars uitgeblazen voor hij zich had uitgekleed, wat ze kennelijk had opgevat als schroom om naakt door haar gezien te worden. Maar voor katholieke preutsheid hoeft ze bij hem niet bang te zijn.

'Ga je mee naar binnen?' zegt hij lachend. 'Tijd voor heidense rites.'

De volgende ochtend, als ze in Heeswijk naar de abdij wandelen, kust ze hem terloops op zijn wang en geeft hem een arm.

'Hoe oud was je toen je hier heen ging?' vraagt ze.

'Dertien.'

'Wat zou ik dat graag gezien hebben,' glimlacht ze. 'Thijs één jaar ouder dan Joanna nu.' De zon staat bijna recht boven hun hoofd, het is doodstil van de augustushitte. Haar witte parasol geeft hem ook schaduw.

Hebben de afgelopen vijftien jaar hier wel plaatsgevonden, denkt hij terwijl ze onder de abdijpoort door lopen. Alles is nog exact als vroeger. Die twee wapenschilden aan weerszijden van de bakstenen boog, links het roodblauwe met de ster van de orde en rechts de gouden leeuw op azuur van Heeswijk, en daarboven, in de middelste van de drie nissen, de Heilige Norbertus met zijn dubbele kruis en zijn uitgestreken gezicht.

Enkel de heesters langs de grindweg naar het hoofdgebouw lijken veel voller dan hij ze zich herinnert. Wat waarschijnlijk komt doordat het nu hartje zomer is en vakantietijd. Als seminarist zie je de struiken en bomen nooit zo uitbundig in blad. Verder ligt alles erbij of de klok voor het noenmaal ieder moment kan gaan luiden en de jongens zo weer in rijen van drie de deur uit gemarcheerd zullen komen. Volkomen vertrouwd voelt het om hier te lopen. Alleen is alles minder groot dan vroeger. Links 'het slotje', de kleine burcht waar het klooster in de vijftiende eeuw ooit begon; daarnaast het negentiende-eeuwse hoofdgebouw met de lange, altijd kille pandgangen, de refter en de bibliotheek. Rechts de kapel en daar weer rechts van het gymnasium met de trapgevels, de dubbele rij hoge ramen van de lokalen en de dakkapellen in het leiendak, waaronder de seminarieslaapzaal. Jaren denk je er niet aan, en het is er allemaal nog.

'Daar in de parloir,' zegt hij, 'achter dat kleine raam naast die deur onder die zonnewijzer, werd ik ontvangen met mijn ouders. Ik zal nooit vergeten hoe bedeesd mijn vader tegen de twee "witte heren" was die ons welkom heetten. Monniken met smetteloos witte pijen, dat maakte diepe indruk op hem. Met zijn grote smidshanden op zijn rug stond hij tegenover ze. Alsof hij bang was ze per ongeluk te bezoedelen. Later heeft hij nog een centrale verwarmingsinstallatie aangelegd in het klooster. Als betaling in natura voor mijn muzieklessen.'

Elisabeth lacht en kijkt even in de richting die hij aanwijst, maar richt haar ogen dan meteen weer op hem. Het abdijterrein interesseert haar duidelijk minder dan zijn reacties erop. Al vanaf dat ze in het stoomtrammetje hierheen stapten voelt hij zich het object van haar liefdevolle observatie.

Ze wandelen voor de kapel langs, in de richting van het gymnasium. Overal heerst de intense stilte van het middaguur. Terwijl vroeger in de thuja's langs de oprijlaan en de kastanjes bij het Slotje de merels en vinken zo tekeer konden gaan dat ze in de studiezaal te horen waren. Als je daar te lang door de ramen naar buiten zat te staren, klonk er al gauw een schop tegen de katheder en als je dan opkeek nam de surveillant even de gepoederde bolknak uit de mond en maande vanuit zijn blauwe dampen met strenge ogen: niet dromen daar, studeren!

'Achter dat witte hek ligt de boomgaard. Wanneer de kersen zwart waren of de appels en peren rijp, klom ik wel eens in die bomen als de paters aan hun avondmaal zaten. Een keer heeft een van de kleinere jongens me verraden, die heb ik later nog eens op zijn kop in een waterton gezet.'

Elisabeth lacht weer met die stralende, verliefde blik die ze de laatste dagen steeds heeft. 'Was je zo'n ondeugd?'

'Zeg maar rustig een dondersteen. Ik ben eens een week naar huis gestuurd "met een brief", omdat ik 's avonds laat een keer in mijn nachthemd door die dakgoot daar van de ene naar de andere dakkapel gelopen ben – de jongens dachten dat ik dat nooit zou durven. Toen ik weer naar binnen klom stond de slaapzaalsurveillant me al op te wachten.'

Ze kijkt huiverend omhoog. 'Ik moet er niet aan denken wat je had kunnen overkomen,' zegt ze. Gisteravond, toen ze het over zijn belevenissen aan het Belgische front hadden, gebruikte ze letterlijk dezelfde woorden.

Inmiddels staan ze op de door beuken omzoomde speelplaats voor het gymnasium. 'Dit is de plek. Hier kwam die oudere jongen me vragen of ik me in wilde schrijven voor de muzieklessen.' Hij ziet weer voor zich hoe hij onwennig en somber in de nevelige herfstmiddag stond, na een zomer vol zon en vrijheid op de Helmondse hei. Na al die jaren grijpt het hem nog altijd aan. Elisabeth ziet het en streelt hem even over zijn gezicht. Dan staan ze plotseling omhelsd. 'Toen je er gisteravond over vertelde voelde ik me dichter bij je dan ik me ooit bij iemand gevoeld heb,' zegt ze.

In een van de bijgebouwen gaat een deur open en er komt een pater in blinkend wit habijt naar hen toe. Snel laten ze elkaar los.

'Hermans,' stelt de pater zich voor. 'Kan ik iets voor u doen?'

'Mijnheer is hier vroeger seminarist geweest,' zegt Elisabeth. 'Zouden we even mogen rondkijken?'

'Van welke jaargang bent u?' vraagt pater Hermans. Hij is nog te jong om er in Vermeulens tijd al geweest te zijn en weet duidelijk niet goed wat hij van de bezoekers moet denken.

'In 1901 kwam ik in de eerste klas.'

'Was dat al onder rector Wirtz?'

'Wirtz kwam in mijn tweede jaar.'

'Wat curieus, juist dit jaar heeft hij afscheid genomen,' zegt de pater. 'Een prachtig feest was dat.'

Hij leidt ze de hal van het gymnasium binnen, die erg veranderd is. Wel hangt er nog steeds dezelfde geur van boenwas, kalk en te lang gedragen sokken.

'De slaapzaal is op het moment ontruimd om geschilderd te worden, maar u kunt wel een paar lokalen bekijken, en de recreatieruimte.'

'Is de pianokamer er nog?' vraagt Vermeulen. 'Dat kleine kale vertrek waar Pater Dobbelsteen muziekles gaf?'

'Jazeker is die er nog. Komt u maar mee. U weet de weg, neem ik aan? Pater Dobbelsteen zelf is al enige jaren niet meer bij ons.' Hij laat hen voor op de brede trap met de blauwige patronen in de marmeren treden. Naar de reden van Pater Dobbelsteens vertrek durft Vermeulen niet te vragen.

'In de pianokamer stond een zwarte Ibach en een harmonium,' zegt hij tegen Elisabeth. 'Ik kreeg les op de Ibach, maar 's nachts sloop ik vaak naar het harmonium om in stilte mijn vingeroefeningen te doen.'

De pater lacht. 'We zullen er in het vervolg een nachtwaker zetten. Dat harmonium staat er nog steeds. Net als de Ibach. Bent u musicus geworden?'

'Vertel eens over die Pater Dobbelsteen,' zegt Elisabeth wanneer ze langs lage huisjes onder linden over de onverharde weg het dorp uit lopen. Er gaat voorlopig geen tram en door de landerijen tussen Heeswijk en Schijndel is het een prachtige wandeling terug naar hun huisje. Vermeulen kent dit gebied op zijn duimpje – elke donderdag moesten ze hier verplicht wandelen en of het nou regende en stormde of niet, ze liepen hier in een lange stoet met voor- en achteraan een wapperende, witte pater. Het akkerland wordt afgewisseld met stukjes bos, hier en daar ligt een boerderij verscholen achter leilindes. De lucht boven de velden trilt van de hitte. Hij probeert de gedachte aan vertrapt huisraad, uitslaande vlammen en rookkolommen op de einder snel van zich af te zetten.

'Pater Dobbelsteen,' zegt hij, 'leidde het koor en het schoolorkest waarin ik bugel mocht spelen, en van hem kreeg ik mijn eerste muzieklessen in die kamer die je net gezien hebt. Hij heeft me noten leren lezen, en later heeft hij me de eerste muziektheorie en compositieleer bijgebracht. Ook mocht ik eens met hem mee naar een Palestrina-uitvoering in Utrecht.'

'Je adoreerde hem, zei je gisteravond, en je sprak met hem over je intiemste ervaringen.' Ze krijgt weer dat argwanende, vastberaden ondervragingstoontje, dat ze heeft als ze bang is dat hij iets voor haar achterhoudt.

'Pater Dobbelsteen verbond voor mij de goddelijke liefde met de muziek.'

'Hoe oud was die man?'

'Zoiets als die pater die ons rondleidde. Een paar jaar jonger dan ik nu.' Hij trekt zijn arm voorzichtig uit die van Elisabeth. Zijn overhemd plakt aan zijn rug van de warmte en hij wappert even met zijn armen om zich wat verkoeling te geven. 'Die adoratie kwam pas geleidelijk. In het begin was ik alleen maar een fanatieke leerling, door die gebeurtenis op het schoolplein. De man had zich geen ijveriger pupil kunnen wensen. En omdat ik begaafd was, nam hij me apart en begonnen we te praten. Toen kregen we al snel een speciale band.'

'Een *amitié particulière* heet zoiets toch? Is dat niet streng verboden op dit soort scholen?' Opnieuw kan ze een lichte verontrusting niet verhullen.

Vermeulen ziet het lachende, verliefde gezicht van Pater Dobbelsteen weer voor zich tijdens de lessen, of tijdens de repetities van het schoolorkest. Die keer van het Utrechtse concert sliepen ze de avond ervoor in het huis van Dobbelsteens vader in het dorp om de volgende ochtend de eerste stoomtram naar Den Bosch te kunnen nemen. Ze praatten uitvoerig over het geloof, en de goddelijke liefde en over de gebeurtenis op het schoolplein die hem tot de muziek had gebracht en toen Pater Dobbelsteen hem naar zijn logeerkamertje bracht, vroeg hij 'Wil je mij Lambert noemen?' en gaf hem een kus – een volkomen zuivere en natuurlijke kus, die de bezegeling was van hun gesprek. Het riep een geluksgevoel in hem op, dat nog altijd opkomt als hij denkt aan de *Missa Papae Marcelli*, die ze de volgende dag in Utrecht hoorden. Een geluksgevoel dat hem ook gisteravond met Elisabeth had overspoeld na hun gesprek in het donker.

'Ik dacht niet aan verboden of geboden. Voor mij was onze vriendschap heilig. Ik merkte alleen dat mijn kameraden zich aan onze omgang ergerden. Na de vakantie bemoeide ik me ineens nauwelijks meer met ze, smokkelde geen verboden boeken meer binnen, haalde geen streken meer met ze uit, en zat altijd met mijn neus in mijn muziekschriften. Maar hun toenemende vijandigheid liet me koud. Totdat Pater Dobbelsteen me van de een op de andere dag geen pianoles meer bleek te geven en zich bij de orkestrepetities achter een mom van onverschilligheid verborg.'

'Was er iets gebeurd?' vraagt Elisabeth.

'Ongetwijfeld. Al ben ik er nooit achtergekomen wat.'

'Waarschijnlijk voelde hij meer voor je dan zijn biechtvader hem kon toestaan.'

'Zo heb ik er toen nooit over nagedacht. Ik kon die plotselinge afstand tussen ons slechts begrijpen als verraad aan de zuiverste en meest verheven vriendschap die ik had. Een ontkenning van onze zielsverwantschap. Uiteindelijk was dat ook een van de redenen dat ik van die school ben afgegaan: dat Pater Dobbelsteen deed of hij mij niet meer zag. Later heb ik ingezien dat zijn stilzwijgende breuk met mij voor hem een heldhaftige daad van zelfoverwinning moet zijn geweest, dat hij inderdaad dingen voor mij gevoeld moet hebben die hij niet kon verantwoorden.'

Elisabeth staart even naar een paar vogels in de lucht. 'Voelde jij ook op zo'n manier voor hem?'

In het hooiland achter de dubbele bomenrij langs het weggetje waarop ze lopen, staat een boer met een hand aan de steel van zijn zeis uit te rusten van het maaien. Met de rug van zijn andere hand veegt hij het zweet van zijn voorhoofd en neemt hen vervolgens van top tot teen op. Als ze passeren steekt hij zijn hand op.

'Ik hield van Pater Dobbelsteen. Voelde me ten diepste begrepen door hem. Dat daar erotische gevoelens bij meespeelden herinner ik me niet.'

Met een vaag lachje zwaait Elisabeth terug naar de boer en

geeft Vermeulen weer een arm. 'Weet je aan wie ik de laatste dagen veel moet denken?' vraagt ze ineens op een heel andere toon.

Hij schudt zijn hoofd.

'Aan die kruier op station Breukelen die naar de trein stond te kijken waarin wij naar Utrecht reden voor de *Missa*. Heb jij die ook gezien?'

'Natuurlijk,' lacht hij, blij dat het gesprek een andere wending neemt. 'Voor mij zal die man wel eeuwig verbonden blijven met het moment waarop jij mij onbetamelijke voorstellen begon te doen.'

'*Een van die wonderlijke ogenblikken, waarover men later met vertedering spreekt, en met de bijgedachte, dat zij de toekomst hebben voorbereid,*' citeert Elisabeth hem quasi-plagend uit *De Telegraaf*. En dan is ze onmiddellijk weer ernstig. 'Weet je waarom ik steeds aan die kruier moet denken?'

'Nee,' zegt hij, ook weer ernstig.

'Die man zag op dat ene moment dat wij aan hem voorbij flitsten iets waarvan hij geen idee had. Een jonge man en een oudere vrouw voor een treinvenster. Welke gebeurtenissen, gevoelens en verlangens ertoe geleid hadden dat die twee figuren daar op dat moment stonden en wat er precies op dat ene moment tussen hen plaatsvond – daarvan kan die kruier niet het flauwste vermoeden gehad hebben.'

Vermeulen trekt zijn arm weer los uit de hare. Het idee roept onverwachte vergezichten op en bij vergezichten kan hij niet praten zonder zijn armen.

'Als je er op die manier over nadenkt,' begint hij enthousiast, 'is die kruier een Elckerlyc. Niemand weet wat er zich werkelijk aan hem voordoet. Elke gebeurtenis, de hele natuur, alle muziek die we horen, iedere mens die we ontmoeten – het is allemaal mysterie. Wat iemand ten volle is of wat er aan alles dat voorvalt of bestaat ten grondslag ligt, zullen we nooit weten. We zien de gedachten niet, de gevoelens, de onbewuste drijfveren. De biologische processen, de natuurwetten die werkzaam zijn achter de verschijnselen. We kunnen ze hoogstens vermoeden, verzinnen of ze met veel moeite en dan nog maar zeer ten dele en binnen onze menselijke beperkingen blootleggen met onze wetenschap of onze intuïtie.'

Elisabeth houdt even stil. 'Wat ik bedoel te zeggen Thijs, is dat *ik* me tegenover *ons* vaak die kruier voel. Vaak zie ik ons ineens van een afstand en heb ik niet het flauwste idee wat er zich tussen ons afspeelt. En dan besef ik dat ik daar ook nooit achter zal komen.'

'Lieve Elisabeth,' zegt hij. 'We zullen elkaar nooit volledig kunnen doorgronden. Daar heb je gelijk in. Zoals we ook onszelf nooit zullen doorgronden. Maar van één ding kun je zeker zijn: wat ik voor jou voel is meer dan alles wat ik ooit voor iemand gevoeld heb en er is geen kerk of biechtvader die me zou kunnen dwingen dat te verloochenen.' En om al haar twijfels en onzekerheden definitief te smoren kust hij haar zo hartstochtelijk dat op drie nabijgelegen erven tegelijk de honden aanslaan.

37

De vogels

Langzaam verdiept het blauw boven de boomtoppen en de heidevelden zich tot een stralend azuur en steeds meer sterren worden zichtbaar aan het firmament. Laag aan de horizon, schuin boven de villa van de pianospelende overbuurman, is Venus net te zien. Diepenbrock zit met een plaid over zijn benen op de veranda van de woonkamer en probeert de avondval zo intens mogelijk op zich in te laten werken. Het stilvallen van het bladergewarrel, het afkoelen van de lucht, het sterker worden van de geuren. Het geleidelijke zwijgen van de vogels in de bomen van de bosrand en om het huisje, alsof ze een voor een door een onzichtbare domper gedoofd worden. De hele dag is er getsjilpt, getwiet, gekoerd en gejubeld, vanaf het moment dat hij in alle vroegte wakker werd door het getrippel op de dakpannen en een hevig gekrakeel in de beuken langs het akkertje. De hele dag heeft hij geprobeerd al die verschillende stemmen in zich op te nemen en ze de verlokkende melodieën en ritmes te laten vullen die hem al vanaf zijn eerste lezing van Aristophanes' komedie voor de geest zweven. Daarom heeft hij uiteindelijk toch de opdracht aanvaard toen de gymnasiasten Vermeulen niet bleken te willen: om die schemerende orkestklanken, die na alle dorre oorlogsjaren eindelijk weer in hem op leken te komen, niet te laten verwaaien.

Over het grindpad vanaf de keuken komt Koosje naar de veranda lopen. Zij geniet deze dagen ook van het warme weer, de stilte en het weinige werk dat ze voor hem hoeft te doen. 'Wilt u uw bier hier of in uw slaapkamer, mijnheer?' vraagt ze, zoals ze het hem elke avond vraagt.

'Breng het maar hier, ik blijf nog wat buiten zitten. Dank je.'

Voor ze hem weer alleen laat kijkt ze nog even over het donkerende landschap uit. 'Zo'n prachtige avond, mijnheer. Na zo'n prachtige dag. Ik moet de hele tijd denken: wat zullen mevrouw en de meisjes het nu ook heerlijk hebben in Brabant.'

'Ja, die zullen vast met volle teugen genieten.' Hij kan niet helpen dat hij bitter klinkt. Maar Koosje merkt het niet en loopt opgewekt terug om zijn flesje trappist te halen. Hoe zou dat brave kind ook kunnen weten wat hij zich de hele dag van het lijf probeert te houden: dat Elsa nu ergens in Vermeulens armen ligt, en zich geen seconde met de avondval, haar dochters of 'thuis' bezighoudt...

Vlak voor haar vertrek plaatste Elsa hem met uitdagende vanzelfsprekendheid voor het voldongen feit. 'Wat ga je allemaal doen als jullie bij je broer logeren?' had hij gevraagd.

'Veel wandelen en een dagje naar Den Bosch, om je dochters jouw oude kamer te laten zien en de Sint Jan. En ik ga nog een paar dagen met Thijs in een huisje.'

Zonder een spoor van compassie observeerde ze hoe hij de mededeling incasseerde.

'En de meisjes laat je bij je broer?' kon hij alleen maar uitbrengen.

'Die zullen daar de tijd van hun leven hebben. Kan mijn schoonzuster ze eindelijk eens ongestoord verwennen.' Ze leek bijna teleurgesteld over zijn timide reactie.

Wat had hij dan moeten doen? Het haar verbieden? Een woedende scène schoppen? Ze zou hem alleen maar ongenaakbaar hebben aangekeken, zoals in het voorjaar, nadat hij Vermeulen *De vogels* was gaan aanbieden.

Ook aan die confrontatie kan hij nog steeds niet terugdenken zonder zich vernederd te voelen. Vooral Elsa's hardheid raakte hem toen. Even schrok ze toen hij haar op zijn kamer ontbood en haar op hoge toon meedeelde dat hij van alles op de hoogte was. Maar zodra ze begreep dat hij niks aan Vermeulen had laten merken, herstelde ze zich onmiddellijk. Op geen enkele manier probeerde ze de verhouding te ontkennen of te verdedigen – hij had het maar als een feit te accepteren. En toen hij haar voor de voeten wierp dat ze er met Nieuwjaar toch mee ingestemd had terughoudend te zijn ten behoeve van hun huwelijk, ontkende ze dat en zei bijna verontwaardigd: 'Ben jij ten behoeve van mij of ons huwelijk ooit terughoudend geweest met Jo? Je correspondeert nog steeds met haar!'

Op zijn verwijt dat ze Vermeulen in Holtwick had ontvangen, antwoordde ze bits: 'Holtwick is met mijn geld gebouwd. Ik heb het ingericht en draag er alle zorg voor. Ik ontvang daar wie ik wil.'

'Gebruik je hem om wraak te nemen op mij?' vroeg hij nog.

Dat was het enige moment waarop er even iets zachts door haar ijzigheid heen schemerde. 'Wraak?' antwoordde ze. 'Welnee. Ik hou van Thijs.' En vervolgens kondigde ze aan op geen enkele manier van plan te zijn zich beperkingen op te leggen in haar omgang met Vermeulen. 'Jij hebt je geluk gezocht bij Jo. Ik heb ook recht op geluk. De enigen met wie ik rekening zal houden zijn Thea en Joanna.' En voor hij kon antwoorden liep ze de kamer uit.

De weken daarna daalde hun verstandhouding weer eens tot het nulpunt; zij was ontwijkend en bleef Vermeulen op het demonstratieve af zien; hijzelf stortte zich als een bezetene op zijn werk en trok zich zoveel mogelijk terug in Laren. Maar gaandeweg begon hij Vermeulen toch weer uit te nodigen – omdat hun wandelingen en gesprekken hem ondanks alles nog altijd goed deden als het lukte niet aan de hele situatie met Elsa te denken, maar vooral ook om haar bang te maken. Ze had Vermeulen niet verteld dat hij van alles op de hoogte was en hem kennelijk voorgespiegeld dat hun verhouding geen kwaad kon. Elke keer dat Vermeulen nu alleen was met hem, zou ze denken: gaat Fons hem inlichten? Dat gaf hem een laatste wapen in handen. Haar gezicht tijdens het doorspelen van *On ne passe pas* toen dat door Wiessing gepubliceerd was, wekte de indruk dat ze zich inderdaad in het nauw voelde en zelfs last van haar geweten begon te krijgen. Maar die indruk was met de meedogenloze aankondiging van haar Brabantse plannen in één klap tenietgedaan.

En nu zit ze een paar dagen met Vermeulen op het Brabantse land.

Hij weet zelf maar al te goed hoe Elsa zich voelt – hij heeft het allemaal meegemaakt in Ukkel. Daarom kan hij haar feitelijk niets kwalijk nemen. Net zomin als hij Vermeulen zijn verliefde naïviteit wil kwalijk nemen. Die jongen is halsoverkop in een onmogelijke situatie verzeild en zal het daar moeilijk genoeg mee hebben. Maar nu blijkt de verliefdheid van Elsa ondanks alle rationele overwegingen toch jaloezie en een scherp verdriet op te wekken, een verdriet dat de woede en gekrenkte trots al lang ontstegen is. Alles wat er gebeurd is de afgelopen maanden, heeft zijn wonden van het verlies van Jo weer opengereten. En tevens heeft het hem doen beseffen hoe belangrijk Elsa voor hem is. Zij heeft hem uit zijn Bossche eenzaamheid verlost, en hem altijd veiligheid en rust gegeven. Zij heeft hem het werken mogelijk gemaakt. Dierbaarder dan alles lijkt hun moeizame gezinsleven hem nu, terwijl hij het dreigt te verliezen. Elsa en hij horen bij elkaar, hoezeer ze elkaar ook teleurgesteld en tekortgedaan hebben, en daarom kan hij de manier waarop zij zich nu van hem afkeert niet anders zien dan als verzet tegen een natuurwet waaraan niet te ontkomen valt. Alsof ze de zwaartekracht niet langer erkent en denkt dat ze kan vliegen. Hij heeft dat met Jo zelf zo gedacht. Tot hij weer met een pijnlijke smak op de aarde belandde. Toen hij echt moest vliegen kon hij het niet. Maar, zo vraagt hij zich ineens af, had dat wel iets met zwaartekracht te maken? Hij zou het misschien wel gekund hebben, maar durfde het niet. Of wilde het niet. Waardoor Jo hem liet vallen. Elsa zou het ongetwijfeld wel durven. Dat was te horen aan de manier waarop ze 'Ik hou van Thijs' zei. Waarschijnlijk was hij zelfs haar nu definitief kwijt, aan zijn laatste vriend nog wel. In de liefde bestaat er geen zwaartekracht.

Koosje komt weer aan over het grind met zijn bier op een blad. Even ziet hij zich door haar ogen in het schemerdonker zitten: haar eenzelvige mijnheer, zijn hoofd vol van de schoonheid die hij gaat creëren, op zijn paradijselijke veranda onder de sterrenhemel. Als kind stelde hij zichzelf al zo voor en hij heeft die droom nog verwezenlijkt ook. Hij beschikt over een huis in de natuur dat hem aan zijn logeerpartijen bij zijn Duitse grootvader doet denken, hij heeft een mis en een *Te Deum* gecomponeerd, is uitgevoerd in het Concertgebouw en wordt door geïmponeerde gymnasiasten gevraagd of hij muziek bij hun Aristophanes-voorstelling wil componeren. Maar het meeste van wat een mens in zijn leven bereikt komt te laat. Degene die je oorspronkelijk wilde imponeren hoort je meesterwerk niet, je idealen zijn achterhaald en verbleekt als je ze na veel strijd kunt verwezenlijken. Als je je eindelijk over kunt geven aan een vriendschap blijkt die gecorrumpeerd. Wanneer je beseft dat je je vrouw niet kunt missen, ligt je huwelijk al in duigen.

'Kan ik verder nog iets voor u doen, mijnheer?' zegt Koosje terwijl ze zijn bier op het tafeltje naast hem zet. Ze vraagt zich ongetwijfeld af waarom hij zo bedrukt voor zich uit zit te staren.

'Nee hoor, dank je.'

'Dan wilde ik mij nu terugtrekken, mijnheer.'

'Dat is goed, kind. Slaap wel.' Hij kijkt haar na, zoals ze over het grindpad om het huisje heen naar haar kamertje loopt. Van wat er zich in haar leven afspeelt, wat zij denkt en droomt en verlangt in dat kleine kamertje onder de trap, daarvan heeft hij zich nooit een voorstelling gemaakt. Hij zal haar morgen eens vragen hoe het met haar moeder gaat. Die was ziek, vertelde Elsa een paar weken geleden.

Om de sombere gedachten van zich af te schudden, probeert hij zich weer te concentreren op de muziek die hij wil maken voor de Ouverture van *De vogels*. Vanmiddag, toen hij een wandeling maakte en even wat verkoeling zocht in het gras onder een groepje bomen met uitzicht over de hei, heeft hij naar de wiegende halmen en bloemen om hem heen liggen kijken, de hommels en mieren in hun bedrijvigheid. En hij stelde vast wat iedereen wel weet maar zelden echt doorleeft: hoe de natuur haar verbluffende gang gaat, of hij er met al zijn gepieker en beslommeringen nou deel van uit maakte of niet. Net als het getrippel en getsjilp 's ochtends vroeg op het dak. Elke dag begint het weer, met wat voor muizenissen of plannen hij ook de dag in moet. Zijn tobberijen en moeilijkheden zijn voor de natuur hetzelfde als die van een mier met een te zware last of een muis die door een buizerd gegrepen wordt – van geen enkel belang. Dat is geen boosaardigheid van de natuur, zoals Nietzsche het in *Im grossen Schweigen* noemt, of onverschilligheid, en het is ook geen drama. Het is de simpele realiteit. En even was het alsof zijn leven met alle teleurstellingen en al het verdriet op grote afstand was, alsof het als een soort cocon in het huisje was achtergebleven, en of hij hier nu los ervan als herboren opging in de kleuren, geuren en geluiden van de natuur. Een groot gevoel kwam in hem op, tot zijn eigen verwondering, een juichend gevoel dat hij niet anders kon aanduiden dan als intense levensvreugde, het pure geluk te bestaan en alles om hem heen te zien, te horen, te ruiken en er zonder ballast één mee te zijn. Op dat moment begon er in een van de boomtoppen boven hem een merel te zingen. Een merel die ongetwijfeld instinctief zijn terrein afbakende, of probeerde een vrouwtje te imponeren. Maar dat bestond nu even niet. Zoals Mahler altijd van zo'n vogeltje zei 'Luister toch hoe die zanger zijn schepper verheerlijkt!' – zo kon hij die merel nu alleen maar zien. Dat beest zong zijn levenslust uit, los van alle bedoelingen of geldingsdrang – en zo moest ook zijn muziek voor *De vogels* worden: zonder enig verlangen om de wereld te verbeteren, zijn terrein af te bakenen of indruk te maken op wie dan ook. Een krachtige, van alles bevrijde muziek, die uitsluitend de levenskracht uitzingt en het onuitsprekelijke geluk te bestaan.

Maar toen hij na zijn wandeling op Holtwick terugkwam bij zijn notenpapier en weer bedacht hoe Elsa Vermeulen voor de kerst ontvangen moest hebben en hoe zij nu samen in Brabant waren en hoe zij ongetwijfeld binnenkort om de echtscheiding zou verzoeken waar ze in 1911 nog vanaf had gezien, viel zijn hele sombere leven weer op hem. Hij moest Vermeulen niet meer inviteren, bleef hij steeds maar denken. En nu denkt hij het weer. Hij moet die vriendschap definitief beëindigen, het kan niet anders. Hoe zou hij na deze zomer moeten blijven doen of hij van niets weet? Hij neemt Vermeulen zijn naïviteit wel degelijk kwalijk. Bovendien is het misschien nog de enige manier om zijn huwelijk te redden. Als hij Vermeulen niet meer uitnodigt, zal Elsa moeten vertellen hoe de zaken werkelijk liggen, en dat hun verhouding lang niet zo onschuldig is als het lijkt. Eens kijken of Vermeulen er dan nog mee door wil. En dan zal er voor Elsa niets anders opzitten dan met hangende pootjes terug te komen, zoals hij dat na Jo bij haar heeft moeten doen.

Even vervult een gevoel van triomf hem. Dat al snel weer overgaat in de grauwe, onafzienbare somberheid waarin hij al maanden leeft. Hij neemt Elsa haar liefde af, door het laatste wat hij zelf nog heeft, zijn vriendschap met Vermeulen, op te geven. En dat alles omdat hijzelf Elsa als echtgenoot nooit heeft kunnen geven wat ze ooit gehoopt heeft van hem te ontvangen. Passie. Begeerte. Zinnelijkheid. Omdat hij katholiek is en zij protestant. Omdat hij van de Droom is en zij van de Daad.

En zo zullen ze het tot hun dood met elkaar moeten zien uit te zingen. Als zijn opzet slaagt tenminste. Anders zal hij verder moeten zoals hij ooit in Den Bosch begonnen is, in een eenzaamheid waar hij nauwelijks aan durft te denken.

Een eenzaamheid zonder Jo, zonder Elsa, zonder de meisjes. Met alleen misschien de muziek.

Hij slaat de plaid van zijn benen en staat moeizaam op uit de rieten stoel. Het begint koud te worden en met dit zwelgen in zelfmedelijden schiet niemand iets op. Zijn nog onaangeroerde bier zal hij maar meenemen naar zijn kamer. Misschien kan hij daar nog wat lezen. En anders moet hij proberen te slapen, al blijft zijn hoofd maar doormalen. Morgenochtend vroeg begint het getrippel en gepiep weer op het dak en dan wil hij zo uitgerust mogelijk zijn. Morgen gaat hij de eerste maten noteren van een bevrijdende, gelukzalige muziek.

38

Zeven decemberrozen

'Als deze rozen gaan bloeien, wordt ze mijn vrouw,' zegt Ver-meulen half hardop tegen zichzelf. Hij weet dat het onzin is en toch is het hem ook volle ernst. Hij zet het groene Chine-se vaasje met de zeven knoppen op de schouw boven zijn al-lesbrander. Daarna gooit hij een extra turf in de vlammen en draait de luchttoevoer bijna dicht, zodat het vuur nog flinke tijd zal blijven gloeien als hij de deur uit is – wanneer de ka-chel helemaal uitgaat, begint het al gauw te vriezen in huis, heeft hij gemerkt.

Onder aan het briefje dat de bloemen begeleidde, stond het adres. Hij pakt het van zijn werktafel, leest het nog eens helemaal over en steekt het in de zak van zijn colbertjas. De jongen van de bloemenwinkel die het kwam brengen, was helemaal wit, en nog steeds dwarrelen er buiten dikke vlok-ken op de lantaarns, de bakfiets voor het hofje en in de verse voet- en wielsporen op het trottoir en de rijweg.

'Ik ben even weg,' roept hij langs de trap naar boven.

Het hoofd van zijn moeder verschijnt op het overloopje. 'Kleed uw eigen goed aan jongen.'

In zijn dikste mantel, met de sjaal om die zijn moeder dit najaar voor hem gebreid heeft en zijn nieuwe hoed op, trekt hij de voordeur achter zich dicht. Even geniet hij van het ge-knerp onder zijn zolen en de vrieslucht in zijn gezicht. Hij heeft wel zin om een stuk te wandelen. De stad heeft met sneeuw zo'n prachtige sfeer door de gedempte geluiden en het onwereldse licht.

Nog geen kwartier later staat hij op het pleintje dat onder het briefje bij de rozenknoppen vermeld stond. Omdat er sneeuwballen tegen sommige huisnummerbordjes gegooid zijn, moet hij even zoeken naar nummer 27. Een smalle etagewoning is dat, met twee hoge ramen op de bel-etage waarachter de vitrage gesloten is. De vierkante ramen daarboven, op de tweede verdieping, zullen wel 27-II zijn – een veel kleinere etage dan zijn eigen woning, zo te zien. Er staat iets in de hoek van een van de ramen, maar wat het is, valt van hieraf moeilijk te zien. Een grote, roodgele bloem in een vaas, misschien. Of nee, een soort stokpop, zoals ze die in Indische poppenspelen gebruiken, een wajangfiguur.

Even overweegt hij aan te schellen, maar gaat dan toch eerst maar eens in een van de diepe trapportalen tegenover 27 staan en schudt de sneeuw van zijn mouwen. Zijn hoed slaat hij schoon tegen zijn bovenbeen. Vervolgens kijkt hij vanonder de boog van het portaal afwachtend omhoog naar het raam op de tweede verdieping.

Elisabeths besluit om te scheiden en die roosjes van vanmorgen hadden alles ineens in een geheel nieuw licht gezet. Hij vroeg zich juist al een tijdje af hoe ze verder moesten nu hun 'jaar geluk' afliep, niet alleen doordat Diepenbrock hem nooit meer uitnodigde, wat toch niet uitsluitend aan zijn concentratie op *De vogels* kon liggen. Na de Brabantse vakantie kwam steeds vaker de vraag in hem op, of ze niet een stap verder moesten zetten en met elkaar gaan leven. Een vraag die hij niet zomaar kon beantwoorden. Dat had niet zozeer te maken met praktische problemen of het onvermijdelijke schandaal, maar vooral met zijn respect voor Diepenbrock, zijn angst hem toch te kwetsen, hem in moeilijkheden te brengen die hij niet verdiende. Daarnaast voedden Thea en Joanna zijn twijfels. Ze waren dol op hem, maar of dat zo zou blijven als bleek dat hij de wig in het huwelijk van hun ouders was geweest, vroeg hij zich af. Bovendien merkte hij spelend en ravottend met ze, dat zijn verlangen naar eigen kinderen steeds sterker werd – een verlangen dat met Elisabeth vanwege haar leeftijd onvervuld zou blijven. Maar de diepste reden van zijn twijfels was dat hij zich sinds Schijndel steeds vaker afvroeg of hij wel op dezelfde manier van Elisabeth hield als zij van hem. Hij voelt zich zielsverwant met haar, en hij kan intens verliefd op haar zijn en verlangen naar haar aanwezigheid, naar haar lichaam. Maar als ze daadwerkelijk samen waren, zoals in Holtwick of Schijndel, voelde hij ook steeds teleurstelling, of in ieder geval onvermogen zich over te geven aan hun liefde zoals zij dat deed. Hij verlangde liever naar haar dan dat hij daadwerkelijk bij haar was. Dat zou hij nooit tegen haar durven zeggen, zelfs niet als ze het hem recht op de man zou vragen. En soms had hij de indruk dat ze dat diep in haar hart wist. Misschien was dat wel de reden dat ze hem vaak zo ondoorgrondelijk vond.

Intussen ging hun verhouding gewoon door. Ieder stuk dat hij schreef bevatte een zin voor haar. Ze waren een openbaar geheim, behalve voor Fons. Als die in Laren was troffen ze elkaar in de Verhulststraat, en als Fons in Amsterdam was spraken ze af in Laren. En hij begon zich steeds ongemakkelijker te voelen. Het was zelfs zo ver gekomen dat hij zijn hart gelucht had tegenover Jany Holst, die hij had leren kennen via *De Telegraaf* en met wie hij onmiddellijk bevriend was geraakt. Die dichter had zelf een nogal veelbewogen liefdesleven en sleepte de ene na de andere vriendin naar zijn Blaricumse hut. Na het hele verhaal aangehoord te hebben, zei Jany: 'Onmiddellijk een punt achter zetten. Hier gaat iedereen ongelukkig van worden.' Een advies dat averechts werkte en hem alleen maar meer in verwarring bracht – eens te meer besefte hij dat Elisabeth te veel voor hem betekende om haar definitief te willen verliezen.

Achter het raam op de tweede verdieping aan de overkant van het pleintje lijkt even iets te bewegen, waarna alles weer minutenlang roerloos blijft. Hij wiegelt heen en weer op zijn benen en stampt af en toe zijn voeten warm. Waarschijnlijk is er niemand thuis en kan hij het beste een briefje achterlaten om te bedanken voor de bloemen. Maar juist als hij zijn portaal wil verlaten gaat de voordeur van nummer 27 open en komt er een vrouw naar buiten. Een vrouw van zijn eigen leeftijd, klein, met een jongensachtige motoriek. Haar haren verborgen onder een donkerbruine doek, die zij kunstig om haar hoofd heeft geknoopt. Ze lijkt haast te hebben.

'Mag ik u iets vragen?' zegt hij, als hij haar heeft ingehaald.

De vrouw draait zich om en kijkt hem verrast aan. Een aantrekkelijk, oosters aandoend gezicht met ernstige, donkere ogen en een licht getinte huid. Heel in de verte doet iets in haar blik aan Petrus denken.

'Woont u hier?'

De vrouw knikt.

'En bent u dan misschien Anny van Hengst?'

Wanneer ze bekomen is van haar verbazing begint ze zelfverzekerd te lachen. 'Inderdaad. U hebt de roosjes ontvangen begrijp ik.'

Hij steekt zijn hand uit. 'Matthijs Vermeulen, aangenaam.'

Haar hand is klein, maar stevig en warm. Haar ogen loensen heel licht.

Dit is ze, denkt hij. Die lach. Dat sterke, opene, zelfbewuste. Dit is ze. Hij voelde het al toen hij vanochtend haar briefje las: dat het een teken uit de hemel was om hem uit zijn getwijfel over Elisabeth te verlossen. Al sinds hij in Amsterdam woonde ontving hij briefjes van vrouwen, op de leeszaal van de UB al, van prostituees soms, en later, zeker sinds hij voor *De Telegraaf* schreef, ook van verliefde en bewonderende vrouwen. En nooit besteedde hij er aandacht aan. Maar dit keer wel. Hij was nieuwsgierig geworden, door de roosjes, door het moment waarop het briefje kwam, en ook doordat het intelligent en geestig geformuleerd was en getuigde van een groot gevoel voor muziek. Vooral getroffen door zijn compassie met de oorlogsslachtoffers was ze, en door wat hij laatst geschreven had: *Nooit ervaren wij vreugde of smart, liefde of lijden, duidelijker, dieper, dringender, wezenlijker dan wanneer muziek spreekt over vreugde of smart, liefde of lijden.*

Nooit graven wij dieper in de aarde, in de ziel of in het verschiet, dat Hemel heet, of in God, die altijd het toekomende is, dan wanneer muziek ons deze geheimen opheft en binnenvoert.

'Hebt u misschien tijd om nader kennis te maken?' vraagt hij.

'Nu?' lacht ze. 'U overvalt me eerlijk gezegd nogal.' Bovendien is ze onderweg naar een afspraak. 'Maar misschien kunnen we na Kerstmis eens afspreken.'

'Kent u Café Polen op het Rokin?' vraagt hij. 'Zoudt u daar morgen aan het eind van de middag kunnen komen?'

'Morgen al?' zegt ze weer lachend en denkt even na. 'Ach ja, waarom ook niet. Vier uur?'

'Vier uur,' zegt hij.

Ze lacht nog een keer met die ogen en loopt dan verder zonder nog te groeten. Van de zenuwen, hoopt hij.

Als ze weg is, wandelt hij verdoofd terug naar de Valeriusstraat. Dit is ze, denkt hij nog eens. Dit is ze.

Maar ineens ziet hij Elisabeth voor zich met haar hoge voorhoofd en de kleine overeindstaande haartjes op haar wangen. Hij heeft steeds uitgesteld haar zijn twijfels voor te leggen vanwege het vervreemdende besef dat het afbreken van zijn relatie met haar tevens het definitieve einde zal zijn van al zijn betrekkingen met de Verhulststraat. Diepenbrock was hij al kwijt, en die zal hij door een breuk met Elisabeth niet meer terugwinnen. En haar zal hij ook verliezen, net als de meisjes. Want een gewone vriendschap is tussen hen niet meer mogelijk. Het afbreken van hun relatie zal een onoverkomelijke klap voor haar zijn. Jany Holst had gelijk. 'Als je er niet onmiddellijk een punt achter zet, wordt iedereen ongelukkig.' Maar het is al te laat.

Het begint donker te worden, een vaal, grijzig sneeuwduister. In de Valeriusstraat zijn de lantaarns al aan. Hij opent zijn voordeur, stampt zijn schoenen schoon, hangt zijn mantel aan de kapstok en loopt meteen door zijn voorkamer in. Zo te voelen is de kachel uit, maar voor hij daar iets aan doet gaat

hij Elisabeth schrijven dat hij haar moet spreken zodra zij gelegenheid heeft. De hemel geve dat dat nog lukt vóórdat ze
Diepenbrock gaat vertellen dat ze bij hem weg wil.

Terwijl hij zijn bureaulamp aansteekt en papier pakt, valt
zijn oog op het groene Chinese vaasje op zijn schouw. Nu
pas dringt tot hem door wat hij op de gang al rook: alle zeven
roosjes zijn open en staan uitbundig te bloeien.

39

Een sneeuwman met een bolhoed

Er wordt geklopt en voor hij 'ja?' kan zeggen stapt Elsa zijn kamer al in. 'Ik moet met je praten Fons.' Ze heeft rode wangen van de vrieskou en brengt een frisse buitengeur mee. Toen hij net beneden kwam, was ze al buiten aan het wandelen, iets wat ze zelden doet zonder de meisjes.

'Waar gaat het over? Ik heb nog werk te doen.'

Ze wil waarschijnlijk Koosje iets extra's geven of de kruidenier moet worden betaald.

'Dat kan ik niet in drie woorden zeggen.'

'Ik moet nog een paar passages in *De vogels* bekijken. Vind je goed als ik dat eerst afmaak? Dan kan de partituur de deur uit.'

'Hoe lang heb je nodig?'

'Anderhalf uur, op zijn hoogst.'

'Dan kom ik over anderhalf uur terug.' Ze doet geen moeite de deur zachtjes achter zich te sluiten.

Sinds haar vakantie met Vermeulen zijn ze woedend op elkaar. Hij op haar vanwege de verraderlijke streek die ze hem geleverd heeft en de kille berekenendheid waarmee ze wraak op hem neemt. En zij? Het lijkt wel alsof ze hem kwalijk neemt dat hij zijn vriendschap met Vermeulen stilzwijgend verbroken heeft, hoewel dat nog geen gevolgen voor haar verhouding gehad lijkt te hebben. Dat ze hier nu samen zijn voor de kerstdagen, is uitsluitend voor Thea en Joanna.

Een uur later zit hij in zijn leesstoel voor het raam. In de witte tuin achter het huisje steekt Joanna een winterpeen in het kleine sneeuwhoofd dat Thea gerold heeft en dat ze net met zijn tweeën op de grote bal van Koosje gezet hebben. Thea komt met kooltjes voor de ogen en de knopen, een bruine sjaal met mottengaten en zijn oude bolhoed. Koosje pakt de twijgenbezem van de veranda, die nog met een sneeuwarm aan de romp vastgemaakt moet worden. Alle drie hebben ze rode neuzen en blossen van de kou en blazen ze uitgelaten adempluimpjes tegen de grijze lucht. Als de sneeuwman klaar is, komt Thea even naar het raam om te zwaaien en te wijzen.

Vanuit zijn stoel zwaait Diepenbrock terug en knikt dat het een prachtige sneeuwman is. Waarna Thea zich bukt, een sneeuwbal maakt om naar haar zusje te gooien, die nog wat aan de arm met de twijgenbezem verbetert. Dat levert een sneeuwballengevecht op, waarbij al snel Koosje het doelwit is. Tot ze uiteindelijk gillend van de lach met zijn drieën door de sneeuw rollen en Koosje door de meisjes wordt ingezeept.

Glimlachend slaat Diepbrock het oorlogsnieuws in zijn ochtendkrant op. Om zijn voorhoofd al snel weer in ernstige rimpels te trekken. Van het westfront geen nieuws, afgezien van de gebruikelijke beschietingen over en weer. In Engeland zijn Londen en Essex met vliegtuigen gebombardeerd. In Brest-Litovsk beginnen de voorlopige vredesonderhandelingen tussen Duitsland en Rusland op gang te komen – en een Franse redacteur van *Le Matin* had een vraaggesprekje met Trotski in Sint Petersburg over de vredesproclamatie die de bolsjewieken over de oostelijke fronten hebben uitgestrooid. Op de vraag of Trotski niet bang is dat de bondgenoten woedend zullen zijn over de eigengereide Russische vredesplannen, antwoordt hij ervan uit te gaan dat de geallieerde regeringen zich tegen Rusland zullen keren. Maar een nieuwe geest bezielt de Russische massa's, de Revolutie zal de bourgeoisie vernietigen, en Rusland wordt een onoverwinnelijke macht waaraan de wereld nog een voorbeeld zal nemen.

Geërgerd slaat Diepenbrock de krant dicht. Revolutie in Rusland. Alleen dat taalgebruik al: de bourgeoisie vernietigen. Alsof Trotski en Lenin de intelligentsia en de bourgeoisie niet terdege nodig zullen hebben om het uitgehongerde en murw gebeukte Russische volk weer een toekomst te geven! Bovendien is het wel de slechtst denkbare wending die de oorlog had kunnen nemen. Dat roekeloze pacifisme is nou precies waarvoor hij altijd bang is geweest, sinds de tsaar werd afgezet. Met het wegvallen van het oostfront kunnen de Duitsers al hun krachten op het westen richten, juist nu de Fransen na de zinloze slachtingen bij Verdun en aan de Aisne in groten getale muiten en deserteren. En wat Europa dan te wachten staat...

Hij kijkt nog even naar zijn dochters, buiten in de sneeuw, die nu met de bal spelen die Vermeulen ze ooit gaf. Als hij zich niet zo miserabel voelde, zou hij het een prachtig gezicht vinden: die felgele gummi-jasjes en die heen en weer flitsende vuurrode bal tegen die blinkend witte achtergrond.

Elsa komt weer binnen. Zonder kloppen dit keer. Ze gaat tegenover hem zitten aan de Bechstein, waar ze ook zat toen hij haar zijn verhouding met Jo bekende. Op haar wangen en in haar hals staan kleine haartjes overeind alsof ze kippenvel heeft. Niet erg flatteus, vind hij, vroeger had ze dat nooit. Zij begint ook ouder te worden, hij kan het bijna niet zonder leedvermaak constateren.

Ze zwaait naar Thea en Joanna, die hun balspel buiten onderbroken hebben en tegen het raam tikken, nu ze mammie in pappies werkkamer zien. Als de meisjes verder spelen, kijkt ze hem weer aan met die kille blik die ze de afgelopen tijd voortdurend heeft en zegt: 'Ik wil van je scheiden Fons.'

Hij had er nu niet op gerekend, maar hij heeft het al zo vaak verwacht, dit moment, dat het hem nauwelijks verrast. Het is haast onvermijdelijk geworden het afgelopen jaar, al hoopte hij steeds dat Vermeulen een einde aan de verhouding zou maken, of dat Elsa uiteindelijk terug zou schrikken voor alle schandalen en praktische consequenties. Maar nee. Ze wil scheiden. Zijn laatste wapen heeft niet gewerkt.

'En dan ga je met Vermeulen verder, neem ik aan?'

'Het afgelopen jaar heb ik me gelukkiger gevoeld dan in jaren. Meer gekend en meer bemind.'

Hij is te murw om zich nog te verweren tegen het impliciete verwijt. 'Als jij wilt scheiden, dan moet je dat maar doen,' zegt hij vlak.

'Dus je stemt ermee in,' vraagt ze lichtelijk verbaasd. Misschien had ze verwacht dat hij onverzettelijk zou weigeren of zou trachten haar in het belang van de meisjes te overtuigen van haar voornemen af te zien.

'Als jij besloten hebt om mijn leven, dat van de meisjes en je eigen leven te verwoesten voor Vermeulen, hoe zou ik je dan kunnen tegenhouden. Ik heb helaas geen zoon om me te wreken.' Waarom hij dat laatste ineens zegt weet hij zelf niet.

Even kijkt ze pijnlijk getroffen. 'Nee, een zoon is het enige wat ik je niet heb gegeven. Maar ik had ook nooit de indruk dat je daar erg naar verlangde...'

Buiten geeft Thea een onhandige schop tegen de rode bal, waardoor de twijgenbezem van de sneeuwman omvalt en een stuk van zijn arm afbreekt. Woedende gebaren van Joanna. Koosje pakt de bal op en probeert de gemoederen te sussen. Hoewel het puur toeval is, en een larmoyante gedachte, kan hij niet nalaten het voorval als een pijnlijk symbool te voelen. Sneeuwman met zijn oude bolhoed, vernield door rode kogel van Vermeulen.

'Zullen we nog wel proberen de kerstdagen normaal te vieren, voor de meisjes?'

'Natuurlijk.' Ze kijkt zowaar wat vriendelijker nu hij haar geen strobreed in de weg blijkt te leggen.

'En met Nieuwjaar wil ik niemand over de vloer, ook geen vriendinnen van jou, en over alle praktische rompslomp wil ik pas nadenken als die uitvoering van *De vogels* achter de rug is.'

'Uiteraard.' Dat het zó makkelijk zou gaan zal ze niet gedacht hebben.

'Zou je me dan nu alleen willen laten?'

Als ze weg is, steekt hij een sigaar op en gaat weer in zijn leesstoel bij het raam zitten. In de tuin is Joanna bezig de bezem
weer overeind te zetten en de arm van de sneeuwman te re-
pareren. Plotseling duikt Thea op voor het raam, zwaait weer
naar hem, wappert met haar handen alsof ze rook wegwuift,
en trekt een somber, boos gezicht. En dan, als om hem op te
vrolijken, drukt ze haar neus plat tegen de ruit, spreidt haar
koude, rode vingers tot een gewei en trekt een scheel, ver-
wrongen grimas waar hij op een ander moment hartelijk om
gelachen zou hebben.

Epiloog

1921

40

De houten lepel

Aan haar moeders hand komt kleine Anny aanstappen op haar kromme luierbeentjes. Balken zonlicht vallen over het slingerpad vanaf het woonhuisje tussen de dennenstammen, waarachter een strakblauwe hemel opgespannen is. Triomfantelijk houdt de dreumes een bruine envelop omhoog. Het moet een telegram zijn; normale post wordt hier niet bezorgd, die haalt hij uit de postbus op een kwartier fietsen in het dorp. Wat hij niet vaak hoeft te doen, sinds hij zich volledig uit het Amsterdamse muziekleven heeft teruggetrokken en zich in alle concentratie aan het componeren wijdt. Misschien wordt hij gevraagd medewerker te worden van *De Nieuwe Kroniek*, dat net opgerichte socialistische tijdschrift, waar een van zijn oude krantenmakers het laatst over had. Of een van zijn Amsterdamse vrienden is morgen in de buurt en wil even hun Elyzeese rust komen verstoren.

Volmaakt gelukkig voelt hij zich, als hij ze zo aan ziet komen door de ruitjes van zijn werkkeet: zijn levenslustige dochtertje en zijn vrouw met haar korte zwarte haar en haar opwindende, lachende ogen. Na een paar stormachtige liefdesweken in het voorjaar van 1918, terwijl aan het westfront de 'Kaiserschlacht' in alle hevigheid losbarstte en Lenin en Trotski in Rusland hun nieuwe rechtvaardige maatschappij vormgaven, heeft hij Anny meteen ten huwelijk gevraagd. Drie maanden na hun eerste ontmoeting in de sneeuw trouwden ze. In het eerste vredesjaar werd hun dochtertje geboren. Intussen was hij zo beklemd geraakt tussen zijn muzikale ambities en zijn werk voor de krant, dat Anny hem uiteindelijk tot de orde riep. 'Je bent componist, Thijs. Dan moet je muziek schrijven en geen recensies.' Waarna hij zijn baan en hun te dure huis aan de Middenweg opzegde en ze met een kleine, door vrienden en collega's bijeengebrachte toelage van goedkoop pension naar nog goedkoper zomerhuisje trokken, tot ze hier in de bossen bij Hollandse Rading gratis in 'De houten lepel' konden, het vakantiehuisje van een van zijn oud-collega's. Een ideale plek is het voorlopig: afgezonderd maar niet te ver van de bewoonde wereld; een klein, gezellig, goed warm te stoken woonhutje met op een steenworp afstand een werkkeet, waarin hij een oude piano heeft laten zetten en een schrijfblad getimmerd, zodat hij in alle rust kan componeren. Afgelopen winter heeft hij hier, in hun toverachtig besneeuwde *splendid isolation*, eigenhandig hun zoontje Roland ter wereld geholpen. En drie dagen later voltooide hij in grote euforie zijn Tweede symfonie – oneindig veel gewaagder en geslaagder dan zijn Eerste; een in sommige ogen wellicht roekeloze, maar vooral machtige sprong in het muzikale onbekende. Een *Prélude à la nouvelle journée* is het, waarin hij al zijn gevoelens over de oorlog en hoop op betere tijden tot uitdrukking heeft proberen te brengen, en die hij overweegt op te dragen aan Lenin.

Anny klopt aan de deur en tilt kleine Anny over de drempel. 'Een telegram van Wiessing voor je Thijs.' Zijn dochtertje overhandigt het hem, en Anny blijft even wachten terwijl hij het opent, hoewel in de woonhut tussen de dennen de baby begint te huilen.

Als hij het telegram gelezen heeft, kan hij even geen woorden vinden. 'Diepenbrock is dood,' zegt hij.

'Ach hemel,' zegt Anny. 'Diepenbrock. Vorig jaar bij de Mahlerfeesten zagen we hem nog.'

'Ik wist dat hij ziek was,' zegt hij. 'Maar niet dat het zo ernstig was.'

Kleine Anny is weer naar buiten getrippeld en bukt zich om een dennenappel op te rapen. In de woonhut zwelt het babygehuil tot alarmsterkte aan.

'Ik ga even naar hem toe,' zegt Anny. 'Ik kom zo nog wel terug.'

Als ze met kleine Anny al halverwege het slingerpaadje is, roept hij haar nog na: 'Wiessing vraagt of ik een in memoriam wil schrijven.'

Ze kijkt even om en knikt, alsof ze zeggen wil: als er iemand is die dat moet doen, ben jij het. En dan balt ze even een vuist, om hem een hart onder de riem te steken.

Diepenbrock is dood, denkt hij als het pad weer leeg is. God weet wat hij heeft doorgemaakt, en ik zat hier gelukzalig mijn noten te schrijven. Die wonderlijke, stuurse Diepenbrock, met zijn luimen, zijn uitbarstingen, zijn vonkende brillenglazen en nerveuze handen bestaat niet meer. Een schim geworden in mijn leven, een pijnlijke blauwe plek, en nu ineens ongemerkt verdwenen, opgelost in een kaal, drieregelig bericht. Hij ziet hem weer voor zich zoals hij in zijn werkkamer naar de zonsondergang stond te staren, Vergilius prevelend alsof hij een gebed opzei. Dat was toen hij Mahlers *Wohin der Tod uns geführt hat* gespeeld had: 'In het land van de vreugde kwamen zij, de groene bekoorlijke dreven van het bloeiende woud, de woonplaats der zaligen. Een wijdere hemel kleedt hier de velden in purperen glans; zij kennen hun eigen zon, hun eigen sterren...' En ineens is alles er weer waaraan hij al zo lang vermijdt te denken: die werkkamer in de Verhulststraat waar ze zoveel gesprekken gevoerd hebben, de veranda van Holtwick, hun wandelingen over de Larense hei, Thea en Joanna, Elisabeth in haar witte zomerjurk.

Bijna dagelijks schreef zij hem, de maanden nadat hij hun verhouding verbroken had. Verbijsterd en radeloos in het begin, later verwijtend en vol onbegrip of smekend. Om het zichzelf en haar niet nog moeilijker te maken had hij nooit geantwoord. Pas na zijn huwelijk was de brievenstroom opgehouden.

Anny vertelde hij nooit iets over zijn verhouding met Elisabeth; Anny leek ook de roddels niet te horen. Alsof er niets aan de hand was geweest, verschenen Diepenbrock en Elisabeth samen in het openbaar: bij de première van *De vogels* in het Paleis voor Volksvlijt, bij de grote Vredesavond in het Concertgebouw waar Diepenbrock zijn *Te Deum* dirigeerde en na afloop van de Achtste tijdens Mengelbergs Mahler-feesten. Dat Diepenbrock en Elisabeth hem meden, ver-klaarde hij tegenover Anny met zijn afstand nemen van het katholicisme, zijn sympathiseren met het communisme en met Diepenbrocks vierkante weigering de nieuwe eeuw in te stappen en een muziek te aanvaarden die alle tonaliteit en modaliteit achter zich liet – hoezeer die ook tot uitdrukking bracht waar hij zelf voor stond. Toen er het afgelopen jaar onverwacht toch weer een brief van Elisabeth kwam, hield hij die zorgvuldig voor Anny weg. Elisabeth was katholiek geworden, schreef ze, en had eindelijk vrede gevonden met haar bestaan. Hij kon nauwelijks geloven wat hij las.

Hij staat op en begint door zijn kleine werkruimte te ijs-beren, terwijl hij de hele periode van zijn vriendschap met Diepenbrock nog eens aan zich voorbij laat trekken. Zijn grenzeloze bewondering in het begin, hun aanvaringen, zijn uiteindelijke teleurstelling in Diepenbrock als leermeester en musicus. Dat Diepenbrock nooit werkelijk is doorgebro-ken, is voor een belangrijk deel aan zijn eigen gebrek aan daadkracht en gerichtheid op het verleden te wijten, vindt hij. En voor het overige spelen zijn houding in de oorlog en Mengelberg er natuurlijk een belangrijke rol in. Als een spin in zijn web heeft Mengelberg met Diepenbrock gespeeld. Hij heeft hem niet gedood, hem alleen verlamd door zijn werk zo mondjesmaat uit te voeren dat niemand het ooit goed heeft leren kennen; en door ervoor te zorgen dat hij zelden kon dirigeren en als dirigent dus altijd een zwakke in-druk maakte. Het zal me, denkt Vermeulen, in de Verhulst-straat wel niet in dank zijn afgenomen, dat ik dat vlak voor mijn vertrek nog maar eens in *De Telegraaf* heb opgeschreven. En in de Van Eeghenstraat al helemaal niet.

Hij schuift de muziekbladen aan de kant, gaat aan zijn

schrijfblad zitten en pakt een vel gewoon papier. Langzaam doopt hij zijn pen in. *Van de jaren dat ik hem kende, herinner ik mij het liefste de zomer van 1911*, schrijft hij. En na nog even door de kleine ramen van zijn werkkeet naar de dennenstammen gestaard te hebben: *De De Lairessestraat was toen nog onbebouwd en zijn werkkamer onder het dak zag uit op de verre velden, die in de warme wasem over leken te gaan in de onafzienbare, ultramarijne luchten...*

Die avond, in het kleine woonkamertje bij de ronde potkachel, als de kinderen slapen en de vaat aan kant is, leest hij zijn stuk, dat hij in één ruk geschreven heeft, nog eens over en brengt een paar correcties aan.

'Prachtig,' zegt Anny, als hij het haar heeft voorgelezen, waarbij hij een paar keer moest onderbreken omdat zijn stem onvast werd. 'Het doet hem helemaal recht. En ook goed dat je kritisch eindigt.'

'Vind je dat ik dat kan zeggen: dat zijn muziek, hoe goed die ook is, deze eeuw niet gehaald heeft?'

'Natuurlijk, dat vind je toch?'

Hij staart lange tijd voor zich uit, naar een popje van kleine Anny op de grond en naar het kastje naast de kachel waarin de partituren van zijn eigen Eerste en Tweede Symfonie op hoorders wachten. In het raam dat het kamertje weerspiegelt zijn de boomstammen die hen omringen nog maar vaag te zien in het donker.

'Waar zit je aan te denken?' vraagt Anny na een tijdje.

'Dat kan ik je niet uitleggen.'

'Dat hoeft ook niet. Zeg het maar gewoon.' Ze kijkt hem recht aan met haar verleidelijke loensogen.

Hij slaakt een diepe zucht. 'Wil je het echt weten?'

'Graag.'

'Een kruier op Station Breukelen.'

Verantwoording

Deze roman is gebaseerd op werkelijke gebeurtenissen. Iedere overeenkomst tussen de personages en hun historische modellen is opzettelijk. Slechts Bastiaans, Frieda, Würfels, Meinhof, Eefje, pater Hermans en een aantal naamloze figuranten zijn verzonnen.

De vrouw op het omslag is een onbekende uit 1910, die dankzij de film *De gevoelige plaat* van Kees Hin en K. Schippers bij toeval opdook uit het Merkelbacharchief, en die voor deze gelegenheid is ingekleurd.

Wie zou willen nagaan waar en in hoeverre mijn romanwerkelijkheid afwijkt van de historische, voor zover die te achterhalen is, kan dit doen aan de hand van onder meer:

Alphons Diepenbrock, *Brieven en documenten, deel 1 – x. Bijeengebracht en toegelicht door Eduard Reeser.* Koninklijke Vereniging voor Nederlandse Muziekgeschiedenis, 1962–1998

Alphons Diepenbrock, *Verzamelde geschriften. Bijeengebracht en toegelicht door Eduard Reeser.* Het Spectrum, 1950

Wouter Paap, *Alphons Diepenbrock. Een componist in de cultuur van zijn tijd.* Uitgeverij De Haan, 1980

Matthijs Vermeulen, Essays, reportages en kritieken in *De Tijd, De groene Amsterdammer* en *De Telegraaf.*

Matthijs Vermeulen, *Mijn geluk, mijn liefde. Brieven aan Thea Diepenbrock. 26 mei 1945 – 12 juli 1946. Ingeleid, toegelicht en bezorgd door Odilia Vermeulen.* De Bezige Bij, 1995

Ton Braas, *Door het geweld van zijn verlangen. Een biografie van Matthijs Vermeulen.* De Bezige Bij, 1997

Christiaan van der Meulen, *Matthijs Vermeulen. Zijn leven, zijn muziek, zijn proza*. Uitgeverij Heuff, 1982
www.matthijsvermeulen.nl

Jens Malte Fischer, *Gustav Mahler. Der fremde Vertraute*. Paul Zsolnay Verlag, 2003

Frits Zwart, *Willem Mengelberg. Een biografie 1871–1920*. Prometheus, 1999

Nic. Schrama, *Dagblad De Tijd. 1845–1974*.Valkhof Pers Nijmegen, 1996

H.P.L.Wiessing, *Bewegend portret. Levensherinneringen*.Moussault, 1960

Mariëtte Wolf, *Het geheim van De Telegraaf*. Boom, 2009

Jacqueline Royaards-Sandberg, *Herinneringen*. Erven Thomas Rap, [1979]

Paul Moeyes, *Buiten schot. Nederland tijdens Eerste Wereldoorlog 1914–1918*. De Arbeiderspers, 2001

L. Mokveld, *De overweldiging van België*. P.N. van Kampen, 1916

Het Vergiliuscitaat op p. 381 is vertaald door M.A. Schwartz.

Inhoud

Colofon

Het grote zwijgen van Erik Menkveld werd in opdracht van Uitgeverij Van Oorschot gezet uit de Bembo door Perfect Service te Schoonhoven. Het werd gedrukt en gebrochreerd door Drukkerij Hooiberg | Haasbeek te Meppel. Het omslag-ontwerp werd vervaardigd door Christoph Noordzij, Collage.

De auteur ontving voor het schrijven van deze roman subsidie van het Nederlands Letterenfonds.